KU-180-169

FUTUR INTÉRIEUR

DU MÊME AUTEUR
chez le même éditeur

Le monde inverti

CHRISTOPHER PRIEST

FUTUR INTÉRIEUR

Traduit de l'anglais par
BERNARD EISENSCHITZ

CALMANN-LÉVY

Titre original de l'ouvrage
FUTURE PERFECT
(Pour l'Angleterre : A DREAM OF WESSEX)

ISBN 2-7021-0180-1

Imprimé en France

POUR MARTIN WALKER

« *Puissiez-vous vivre*
des temps intéressants. »
(Vieille malédiction chinoise)

I

L'ARMÉE écossaise avait placé une bombe à Heathrow, et Julia Stretton, qui avait fait le grand tour pour éviter l'aéroport et les encombrements habituels sur les routes d'accès à la M 3, avait été arrêtée pendant deux heures par des contrôles de la police et de l'armée. Au moment où elle rejoignit l'autoroute, plus loin, elle avait un tel retard qu'elle parvint à éliminer l'idée de Paul Mason de son esprit, et à se concentrer sur sa conduite. Elle roula rapidement pendant une heure, constamment en excès de vitesse, sans trop se soucier de se faire repérer par un des hélicoptères de la police.

Elle sortit de l'autoroute près de Basingstoke et parcourut à une allure plus modérée la nationale en direction de Salisbury. La plaine était grise et brumeuse, des nuages bas atténuaient les contours des collines les plus élevées. L'été avait été froid et humide en Grande-Bretagne, du moins à ce qu'on lui disait, et maintenant, en juillet, on annonçait des rafales de neige sur la côte du Yorkshire et des inondations locales en Cornouailles. Tout cela semblait très loin de sa propre vie, et elle n'avait été que légèrement surprise quelques jours plus tôt, alors qu'elle se plaignait du froid, quand on lui avait rappelé la saison.

Quelques kilomètres après Salisbury, Julia s'arrêta dans un café au bord de la route de Blandford Forum pour boire une tasse de café, et, devant la table couverte de plastique, elle eut enfin du temps pour ses réflexions.

Plus que toute autre chose, ç'avait été la surprise de voir Paul Mason qui l'avait bouleversée ; cela, et la manière dont c'était arrivé, et l'endroit.

Wessex House, à High Holborn, était un endroit sombre et sinistre pendant les week-ends, et elle ne s'y était rendue que parce qu'elle en avait reçu l'ordre. L'un des administrateurs de la Fondation Wessex, un avocat sec et acerbe nommé Bonner, l'avait convoquée avant qu'elle ne retourne de vacances à Dorchester. La convocation urgente ne concernait en fait qu'un problème mineur et irritant, et c'est alors qu'elle quittait le bureau de l'avocat, réprimant sa colère, et se dirigeait vers le parking, qu'elle rencontra Paul Mason.

Paul à Wessex House : c'était comme le viol d'un sanctuaire. Paul, une intrusion de son passé ; Paul, qui autrefois avait failli la détruire ; Paul, qu'elle avait abandonné derrière elle six ans auparavant.

Assise dans le café au bord de la route, Julia tournait la cuiller de plastique dans sa tasse, et répandit quelques gouttes du pâle liquide brun dans la soucoupe. Elle était encore en colère. Elle avait voulu ne jamais revoir Paul, et elle réagissait comme s'il l'avait délibérément suivie et attirée dans un guet-apens. Il avait paru aussi surpris de la voir qu'elle de le retrouver, et si c'était une comédie, elle était bien jouée. « Julia ! Que fais-tu ici ! Tu as l'air d'aller bien. »

Plutôt bien, Paul. C'était toujours le même Paul, aux traits durs mais enjôleur, peut-être plus débonnaire, maintenant, que l'étudiant égocentrique dont elle était tombée amoureuse au cours de leur dernière année à Durham. Après, ils avaient vécu ensemble à Londres ; Paul faisait carrière, elle gaspillait ses trois ans de hautes études dans une succession d'emplois de secrétaire. Puis enfin la rupture, être libérée de lui, et la dépendance attardée, paradoxale, par rapport à lui, qu'elle avait ressentie. Tout cela dans le passé, jusqu'à hier.

Elle regarda sa montre ; elle était en retard, et elle n'avait pas gagné de temps à faire de la vitesse sur la route. Avant le week-end, elle s'était entretenue avec le Dr Eliot à Maiden Castle, et lui avait dit qu'elle serait à Dorchester pour l'heure du déjeuner. Mais il était déjà plus de deux heures et demie. Julia se demanda si elle devait retéléphoner, et prévenir Eliot et son équipe, mais elle jeta un coup d'œil autour d'elle et ne vit pas de téléphone payant dans le café. Tant pis ; si elle les retardait, il faudrait qu'ils attendent. Quelqu'un appellerait bien Wessex House, et saurait qu'elle était en route. Une telle indifférence à la bonne marche du projet Wessex ne lui ressemblait pas. Tout cela grâce à Paul. A part soi, elle était encore stupéfaite de cette capacité qu'il avait d'envahir sa vie. Il l'avait toujours fait, bien sûr ; quand ils vivaient ensemble, il l'avait traitée comme si elle était un de ses bras, comme une part de lui-même, d'une obéissance aveugle, sans intérêt, mais utile.

Mais maintenant, six ans après leur dernière rencontre, elle s'en voulait de lui avoir permis de recommencer.

C'était cette colère contre elle-même qui avait déclenché la dispute d'hier. Elle regardait fixement la nappe en plastique, revoyant le visage de Paul, les pupilles contractées, d'une froide indifférence à l'égard de son indépendance ; elle entendait à nouveau ses mots, calmes mais provocants, insinuant subtilement qu'elle dépendait de lui. Jouer au jeu de la vérité, comme elle disait autrefois, pendant les jours de destruction de cette déchirante dernière année avec lui. Il avait le don de jouer avec des secrets qu'elle lui avait confiés par le passé, puis de les retourner contre elle pour dévoiler ses faiblesses et imposer ses volontés. Hier il y était encore arrivé, et les vieilles vérités tenaient toujours ; les vieux secrets la trahissaient toujours. Cela dit, il n'avait pas imposé toutes ses volontés : l'inévitable avance sexuelle avait été faite, et elle l'avait immédiatement rejetée, le corps aussi froid que les yeux de Paul. Ç'avait été son seul moment de triomphe, et il lui laissait une impression sordide ; encore un point marqué pour Paul.

Le café, comme le souvenir, laissait un goût amer à la bouche. Elle avait encore soif, mais elle décida de ne pas prendre de seconde tasse. Elle alla aux toilettes, puis retourna à la voiture.

La pluie s'était mise à tomber pendant qu'elle était dans le café. Julia fit tourner le moteur et brancha le chauffage. La rencontre de ce week-end avec Paul tenait toujours la première place dans son esprit, et une soudaine volonté de rébellion lui donna envie de ne pas continuer son chemin — transférant illogiquement l'irritation de Paul sur son travail. Elle resta dans la voiture, à regarder les larges rigoles de pluie descendre le long du pare-brise.

Elle n'avait pas encore découvert ce que Paul faisait à Wessex House, surtout un dimanche. La seule explication possible était qu'il avait été engagé là, qu'il travaillait pour le Conseil d'administration. Cette idée provoqua en elle une panique muette ; quand elle avait commencé à travailler pour la Fondation, des années auparavant, elle n'avait pas pu écarter l'idée qu'elle fuyait Paul, et même maintenant, aussi profondément engagée dans son travail fût-elle, elle n'arrivait pas à se débarrasser complètement des restes de cette motivation. Mais Paul l'avait trouvée là, par hasard ou par intention. Elle pouvait demander au Dr Eliot s'il était au courant de quelque chose... elle n'avait pas besoin de lui dire pourquoi elle voulait le savoir.

C'était un soulagement de retourner à Dorchester, parce que Paul, même s'il travaillait pour la Fondation, ne pouvait pas la suivre. Personne ne pouvait la suivre ; comme un véritable sanctuaire, l'endroit était imprenable et intemporel. Alors elle se remit en route, toujours contrariée d'avoir laissé Paul bouleverser sa vie encore une fois.

Cinq kilomètres avant d'arriver à Blandford Forum, un contrôle de l'Armée fit ralentir Julia, et elle se rangea à la suite de trois voitures. Le passage de ces contrôles était en temps normal une affaire de routine — elle avait un laissez-passer du gouvernement, et sa voiture figurait sur la liste des usagers réguliers de la route — mais, même dans ces conditions, elle perdit dix minutes.

Cette zone reculée du Dorset ne semblait pas un lieu approprié pour des actes de terrorisme, bien que la plaine de Salisbury fût couverte de bases de l'Armée, et que le camp de Blandford même fût à un kilomètre seulement. Julia se tenait dans la pluie, appuyée contre sa voiture, sous les branches dégoulinantes. Elle songea que la violence du terrorisme était désormais une composante habituelle, presque attendue, de la vie quotidienne dans les grandes villes, mais que la campagne donnait encore l'impression d'être à l'abri de ces désordres. Quel que fût le nombre d'objectifs possibles, l'explosion d'une bombe dans le Dorset serait un événement extraordinaire.

Elle avait froid, elle s'impatientait. Deux soldats vinrent contrôler ses papiers et sa voiture, ils examinèrent l'intérieur et le coffre. Un officier les surveillait, la surveillait. Comme ils avaient tous l'air jeune, se dit Julia.

Plus tard, quand on lui eut donné le feu vert, en continuant sa route vers Dorchester, elle pensa à David Harkman. Certains des participants de Wessex pensaient qu'il était maintenant soldat, mais ce n'était qu'une théorie, qui en valait une autre. Personne ne savait où il était, ni ce qu'il faisait, et, dans les semaines à venir, il appartiendrait à Julia de le retrouver. Pendant ses huit jours de vacances, elle avait passé quelque temps à Londres à parler à l'ex-femme de Harkman, espérant obtenir un nouveau point de vue sur sa personnalité ; mais la rencontre avait été décevante, et la femme, sept ans après le divorce, continuait de refouler des rancœurs.

Le profil de personnalité était le seul espoir de le retrouver. David Harkman avait enseigné l'histoire sociale à l'Ecole d'Economie de Londres avant de prendre part au projet Wessex. Ses collègues de l'E.E.L. parlaient de lui comme d'un homme assuré, équilibré et érudit, mais dépourvu d'ambition. Pour son « assurance », Julia était assez d'accord ; dans la période de mise en route du projet Wessex, Harkman avait souvent été entêté, imposant aux autres ses propres idées, ses propres opinions. Elle ne l'avait pas trouvé très sympathique, et il lui semblait paradoxal maintenant — après ses désastreuses retrouvailles avec Paul — d'être désignée, elle, pour le chercher. Elle fuyait un homme qu'elle détestait pour aller à la recherche d'un autre qui ne l'intéressait pas. Cela dit, elle n'était pas mécontente. Se remettre au travail lui faisait plaisir.

Elle traversa Blandford Forum et prit la route de Dorchester. Dès que la voiture se fut engagée sur la première côte après le fleuve, la pluie cessa. Elle regarda devant elle et vit que le ciel s'était éclairci, mais que des nuages bas se déplaçaient rapidement vers le sud-ouest. C'était le temps du Dorset : venteux, humide, changeant.

Le long voyage l'avait fatiguée, et elle n'était pas dans la meilleure forme pour reprendre le travail. Son état d'esprit s'y prêtait peut-être encore moins ; elle avait besoin d'être calme, résolue, réceptive, au lieu de quoi elle était irritée par Paul. En traversant rapidement Dorchester et en s'engageant sur la route du Sud, Julia se demanda à nouveau ce qu'il voulait. Elle sentait en lui un besoin de détruire — après tout, c'est ce qu'il avait fait depuis qu'il l'avait rencontrée — et elle aurait voulu en savoir davantage sur ce qui se passait. Pourquoi ne pas lui avoir demandé alors qu'elle en avait la possibilité ?

L'entrée du parking de Maiden Castle était fermée, elle klaxonna jusqu'à l'apparition de M. Wentworth. Il sortit de sa baraque en bois, sourit en reconnaissant le véhicule. La voiture garée, elle en sortit et laissa l'employé venir jusqu'à elle.

— Rien qu'une semaine de vacances cette fois, mademoiselle Stretton ?

— C'est tout ce qu'il me fallait, dit-elle. Monsieur Wentworth, je n'ai pas le temps d'aller à Bincombe House. Est-ce que vous pourriez faire porter ces affaires dans ma chambre ?

Elle lui donna une valise de vêtements et un sac contenant des livres. Ç'avait été sa quatrième période de vacances depuis le début du projet, et, comme elle l'avait remarqué les trois fois précédentes, le retour à Londres détruisait sa concentration. Elle comptait passer ses prochaines vacances dans le Dorset ; Bincombe House était grand et confortable, elle y avait une chambre à elle. A Bincombe on pouvait toujours voir d'autres membres du projet, et aider ainsi à maintenir une continuité d'objectifs entre les passages à l'intérieur du projecteur.

— La voiture sera bien, ici ?

Elle regarda le long alignement de voitures, garées sur trois rangées, serrées les unes contre les autres. Plusieurs étaient sales ; l'une des tâches de M. Wentworth était de laver les voitures de temps en temps, mais il ne le faisait qu'à contrecœur.

— Laissez-la ici, mademoiselle. Je la dégagerai si quelqu'un veut sortir.

Elle lui donna la clé de contact, il prit une étiquette dans sa poche et l'y attacha. Julia se pencha et regarda vers l'autre bout du parking. La Rover 2000 jaune de David Harkman était toujours là, comme depuis deux ans, non réclamée par son propriétaire.

— Est-ce qu'on m'a demandée ? dit Julia.

— Le Dr Trowbridge a appelé il y a un moment.

— Oui ?

— Il a dit de vous envoyer voir le Dr Eliot dès votre arrivée.

Elle se détourna, baissant les yeux vers le sol. Julia avait une petite superstition, héritée de son enfance : si elle regardait quelqu'un en pensant que c'était la dernière fois qu'elle le voyait, en en prenant ainsi une photographie mentale, cela se vérifierait. Ce sentiment de l'irrévocable était toujours là lorsqu'elle retourna au château : le danger de ne jamais revenir. En abordant la côte herbeuse du rempart le plus bas et le plus proche du château, Julia se retourna en direction de M. Wentworth, essayant de l'inclure dans sa vision panoramique, pour ne pas avoir de souvenir clair de son aspect la dernière fois qu'elle l'avait vu. Ce regard de côté que Julia lançait aux gens en les quittant, elle en était absolument consciente. Paul l'appelait son regard sournois, mais il était la dernière personne à qui elle aurait jamais essayé de l'expliquer.

Elle arriva au sommet du premier des remparts de terre qui entouraient l'ancien château fort. Sur ce versant nord de Maiden Castle il y en avait trois, chacun plus élevé et plus raide que le précédent, et l'on ne pouvait accéder au château qu'en les escaladant. Un chemin érodé parcourait l'itinéraire le plus facile, celui qu'elle suivit, les cheveux plaqués sur la figure par la violence du vent. Elle avait froid maintenant, ses légers vêtements de ville collés contre son corps, sa jupe claquant dans le vent. Quand elle descendit dans le fossé du second talus de terre le vent l'abandonna, et elle rejeta ses cheveux en arrière en riant. Le Château engendrait souvent une indifférence radicale chez ceux qui y venaient, aussi bien les visiteurs occasionnels — qui avaient toujours accès à certaines parties — que l'équipe du projet Wessex. L'édifice était ancien et massif, et perdurable ; ses pentes couvertes d'herbe avaient repoussé le délabrement pendant cinq mille ans, et il serait encore là dans cinq mille ans. Julia ressentait ce sentiment d'abandon chaque fois qu'elle arrivait de Londres au Château, et il en était de même aujourd'hui. Au moment d'arriver au sommet du second talus, elle courait, haletant dans le vent froid ; elle quitta le chemin et sautilla dans l'herbe touffue. D'ici son regard plongeait dans le fossé séparant le second et le troisième rempart, où se trouvait l'entrée des locaux souterrains. M. Wentworth avait sans doute téléphoné la nouvelle de son arrivée à Trowbridge ou Eliot ; il lui restait quand même quelques minutes libres.

Elle posa son porte-documents et regarda autour d'elle. Le ciel, le vent, l'herbe. Deux ou trois mouettes, planant au-dessus d'elle dans les rafales de vent refoulées par les remblais du Château ; la mer était loin, mais de nos jours les mouettes étaient fréquemment des oiseaux terrestres.

Plus bas, vers la gauche, s'étendait la ville de Dorchester, étalée irrégulièrement au flanc de la colline. Elle aperçut la station de radio sur la lande au-delà, et la circulation sur les routes tout autour de la ville. Un train était arrêté à un signal, juste avant la gare. Plus loin, les douces ondulations des collines du Dorset, vers Cerne Abbas, Charminster, Tolpuddle. Elle contempla cette vue quelque temps, attirée par les images et les souvenirs qu'elle avait d'une autre époque, d'un autre été...

Le point de vue vers l'est n'était pas loin, aussi Julia ramassa son porte-documents et parcourut la crête du talus, regardant devant elle. Elle atteignit bientôt l'endroit où les remparts tournaient vers le sud ; de là, la vue s'étendait sans obstacle à travers la vallée de la Frome. Celle-ci était plate, parcourue par les vents, la rivière s'y déplaçant en méandres, s'écoulant lentement vers les plages de vase de Wareham et Poole Harbour, encore plus loin. C'était le pays de Thomas Hardy, Egdon Heath et Anglebury, Casterbridge et Budmouth... Elle n'avait plus lu les livres depuis l'école. De sa position il était difficile de voir pourquoi le décor du Dorset plaisait à tant de gens, car il semblait gris, plat et ennuyeux. A sa droite seulement se trouvait un coteau vert ; les dunes allant jusqu'aux collines de Purbeck, vers l'est, cachaient la mer.

Le temps pressait ; elle s'était déjà trop attardée. Le vent l'avait glacée. Des nuages s'accumulaient au sud-ouest, gros d'une autre averse.

Julia revint sur ses pas, dévalant le fossé sous le vent du troisième talus, cherchant l'entrée des sous-sols.

II

Au IIIe siècle avant J.-C., les habitants de Maiden Castle avaient fortifié leur campement au sommet de la colline en construisant des remparts de bois et de terre qui encerclaient entièrement les deux tertres sur lesquels avait été établie la colonie. Ces remparts n'avaient jamais enclos un château au sens courant, ils protégeaient des terres arables et un village vers lequel fuyaient la plupart des habitants de l'ancien Wessex quand des tribus hostiles envahissaient la région. Au XXe siècle, l'érosion avait transformé les remparts en des pentes rondes et herbeuses ; de telles défenses semblaient inappropriées, puisqu'elles pouvaient être pénétrées en quelques minutes par le promeneur le plus modeste, mais, dans la Bretagne d'avant la conquête romaine, les remparts et leurs portails fermement défendus étaient une protection suffisante contre les frondes et les javelots.

Le site avait fait l'objet de fouilles approfondies dans les années 1930. Des vestiges, semblables à ceux des forts de toute l'Angleterre du Sud, avaient été découverts, et les fragments les plus intéressants exposés dans le musée de Dorchester. Il y avait eu un massacre des villageois par les légions de Vespasien en 43 après J.-C., et la découverte la plus singulière faite à Maiden Castle était un cimetière primitif contenant des milliers de corps.

Les excavations archéologiques avaient été comblées avant la Deuxième Guerre mondiale, et jusqu'au début des années 1980 Maiden Castle était revenu à un rôle antérieur : une terre de culture et d'élevage, que traversaient les visiteurs de passage et les moutons.

Maiden Castle avait été choisi comme base du projet

Wessex pour diverses raisons. C'était en partie à cause de sa proximité de Dorchester, des liaisons par route et par train vers Londres, en partie à cause de son altitude — 132 m au-dessus du niveau de la mer — en partie à cause de son point de vue panoramique sur la vallée de la Frome, mais surtout parce que le Château, parmi toutes les constructions humaines de la région, était la plus assurée de pérennité.

Julia Stretton n'avait pas visité le Château pendant la perce et l'installation des laboratoires souterrains, et elle n'avait qu'un vague souvenir d'enfance d'une visite avec ses parents, mais elle supposait qu'une fois parties les équipes de construction et dégagée la surface, l'aspect extérieur du Château n'avait guère été modifié. Le parking avait été agrandi, mais dans la mesure du possible l'extérieur était resté intact. La famille ducale de Cornouailles, propriétaire du Château, avait insisté là-dessus.

Dans l'entrée du laboratoire — la seule partie ouverte au public — plusieurs vitrines contenaient une sélection de fragments déterrés pendant les travaux. Les anciens habitants du Wessex enterraient des tributs avec leurs morts, et on avait trouvé de nombreux bibelots, pots et coupes, ainsi que l'inévitable série macabre d'ossements. Un squelette presque complet était exposé, une étiquette sur les os du cou indiquant soigneusement où ils avaient été fracassés par une flèche romaine. Un gardien occupait un bureau à côté de la vitrine renfermant le squelette, et il salua Julia de la tête lorsque celle-ci passa devant lui, montrant sa carte d'identité.

L'ascenseur servant aux équipes médicales fonctionnait, mais Julia prit l'escalier aux marches de béton qui l'entourait, descendant en spirale. En bas, elle parcourut le couloir principal, passant devant les rangées de casiers métalliques peints en blanc et les nombreuses portes numérotées.

Elle s'arrêta devant une porte, frappa, et ouvrit. Comme elle l'avait espéré, Marilyn James, l'une des physiothérapeutes du projet, était là.

— Bonjour, Marilyn. Je cherche John Eliot.

— Il te cherchait aussi. Je crois qu'il est en salle de réunion.

— Je suis en retard. J'ai été prise dans la circulation.

— Ça ne doit pas être grave, dit Marilyn. Nous étions un peu inquiets, au cas où il y aurait eu un accident. Tu as passé de bonnes vacances ?

— Comme ci comme ça, dit Julia, pensant à Paul, pensant à l'amertume de la nuit précédente. Ça n'a pas duré assez pour m'amuser.

Il faisait froid dans le tunnel, bien qu'en principe le chauffage fonctionnât. Julia repartit, songeant encore à Paul.

Elle entra tout droit dans la salle de réunion, au bout du couloir principal. Le Dr Eliot était là, assis au fond d'un fauteuil, en train de lire un rapport tapé à la machine. Tout à l'autre bout de la pièce, là où se trouvait la machine à café, un groupe de cinq techniciens jouait aux cartes autour d'une table.

— Je vous ai fait attendre ? dit-elle au Dr Eliot.

— Venez vous asseoir, Julia. Vous avez mangé aujourd'hui ?

— Un toast pour le petit déjeuner. Et j'ai pris une tasse de café en route.

— C'est tout ? Bon.

Depuis la mort de Carl Ridpath, dix-huit mois plus tôt, John Eliot était responsable de la bonne marche des projections au Château. Lui et Ridpath, ils avaient travaillé pendant des années dans des domaines voisins de la recherche neuro-hypnologique, et c'était en partie à la suite d'un article sur la conduction nerveuse qu'Eliot avait publié une quinzaine d'années plus tôt que Ridpath avait mis au point son matériel. Le fait que le projecteur neuro-hypnologique portait le nom de Ridpath ne rendait pas compte de la dette de celui-ci envers Eliot, dette que de son vivant il soulignait à chaque occasion ; pourtant c'était maintenant sous le nom de « projecteur de Ridpath » que l'appareil était connu, pas seulement par la fraction des moyens d'information qui s'intéressait à ces sujets, mais par les participants mêmes.

Pendant la maladie fatale de Ridpath, Eliot avait repris

la direction du projet comme s'il avait été sien depuis le début. Mais, à la différence de Ridpath, dont la santé avait été excellente jusqu'à l'apparition du cancer, Eliot souffrait d'un murmure cardiaque chronique, et il n'était jamais entré personnellement dans une projection, même dans un but expérimental. Il mentionnait parfois le fait aux participants, sans envie, mais avec regret.

Julia s'assit près de lui, et il lui tendit une liasse de rapports, y compris celui qu'elle-même avait remis la semaine précédente.

Elle s'installa, pour se concentrer sur les rapports, pour chasser de son esprit les pensées de sa vie privée. La lecture des rapports était une des tâches les plus ingrates à accomplir, mais aussi une des plus décisives. Après avoir demandé, et obtenu, un peu de temps pour elle-même, elle se rendit dans une des cabines privées pour étudier le dossier sur David Harkman qu'elle avait compilé. La conversation avec l'ex-femme n'avait pas semblé apporter grand-chose sur le moment, mais elle reprit ses notes, cherchant le moindre indice qui pourrait ajouter, d'aussi loin que ce soit, à la connaissance de sa personnalité.

Eliot vint à la cabine.

— Ceci a été envoyé de Bincombe, dit-il en lui donnant une enveloppe. C'est arrivé samedi.

Julia regarda l'écriture.

— Dois-je le lire maintenant ?

— A vous de décider, bien sûr. Vous savez de qui c'est ?

— Je ne crois pas. Mais il y avait une vieille familiarité, une association désagréable. « Laissez-le ici. Je le lirai plus tard. » Une fois Eliot parti, elle ramassa l'enveloppe et l'ouvrit vivement. Elle reconnaissait l'écriture : celle de Paul Mason.

Une seule feuille de papier, pliée en deux, se trouvait à l'intérieur. Elle la tint sans l'ouvrir, partagée entre la logique et la curiosité.

Elle savait que la concentration sur son travail était essentielle dans l'heure à venir, et qu'une distraction ne ferait que la gêner. Il n'était pas raisonnable de lire une lettre personnelle, quelle qu'elle soit, peu avant d'entrer en projection — et particulièrement risqué d'en lire une de Paul, qui savait, avec une habileté infaillible, la perturber émotionnellement. Cela dit, au cours de la scène pénible avec lui, la veille, elle n'avait pas découvert le rapport qu'il pouvait avoir avec le projet Wessex, et elle avait hâte de le savoir. La lettre, de toute évidence écrite avant le week-end, pouvait apporter la réponse.

Elle décida enfin de la lire, comprenant que si elle ne le faisait pas, sa curiosité persistante serait une distraction aussi forte que tout ce que pouvait contenir la lettre. En guise de compromis, elle décida de faire ensuite un exercice mnémotechnique, comme une nonne fautive s'impose douze Ave Maria.

La lettre était brève et d'apparence innocente pour tout autre qu'elle-même. A peine l'avait-elle lue que Julia posa ses dossiers et alla prendre une douche.

Chère Julia,

J'imagine que tu seras aussi étonnée de lire ceci que je l'ai été de découvrir que nos chemins se croisaient à nouveau. Je me demandais ce que tu faisais ces derniers temps, comment ça allait pour toi. Eh bien, maintenant je le sais. J'espère venir te voir bientôt à Maiden Castle, et que tu pourras me réserver une soirée pour dîner. J'ai toujours beaucoup d'affection pour toi, et j'aimerais te revoir. Je suis sûr que nous aurons beaucoup de choses à nous dire.

Paul.

En colère, Julia se savonnait sous la douche. Le don de Paul pour rouvrir les vieilles blessures était stupéfiant. « Maintenant je sais... » Que savait-il ? Pourquoi voulait-il savoir ? Sous la plume d'un autre ç'aurait été une aimable platitude, sans plus ; écrit par Paul, cela réveillait la vieille paranoïa. « Je suis sûr que nous aurons beaucoup de choses à nous dire. » Il avait écrit cela avant le week-end, avant que tous deux ne découvrent que ce qu'ils avaient à se dire ressemblait aux restes d'un repas refroidi il y avait six ans, épicé de plus d'une arrière-pensée.

Et il avait toujours eu « beaucoup d'affection pour elle », comme un enfant possessif a de l'affection pour la poupée qu'il tourmente ; il n'avait jamais employé le mot d'amour, pas une seule fois. Pas même au moment de leur plus grande intimité. Pas même pour signer une lettre.

Idéalement, les esprits des participants devaient être aussi dégagés de pensées personnelles qu'il était humainement possible. L'identité personnelle continuait, naturellement, à un niveau inconscient, mais l'effet projectif maximum était atteint une fois que la conscience était dirigée selon le cours choisi. Dans ce cas précis, la fonction principale de Julia était de prendre contact avec David Harkman, et plus elle se concentrait là-dessus maintenant, plus elle avait de chances d'arriver plus tard à établir ce contact.

Elle parcourut encore une fois son dossier sur Harkman, puis enfila la simple blouse chirurgicale qui l'attendait dans la cabine. Elle plia le reste de ses vêtements et griffonna un mot demandant à un membre de l'équipe de les porter dans sa chambre à Bincombe House.

Le Dr Eliot l'attendait dans la salle de réunion.

« N'oubliez pas de signer la décharge », dit-il, lui faisant passer un formulaire par-dessus la table. Julia le signa sans lire, sachant que c'était l'autorisation standard qui permettait à Eliot de l'hypnotiser et de placer son corps dans le Ridpath.

— J'aimerais voir Harkman, dit-elle.

— C'est ce que nous pensions. Il est prêt.

Elle suivit Eliot dans la vaste salle, violemment illuminée, que les participants appelaient, avec une ironie délibérée, la morgue. Sa désignation correcte était salle de projection, puisque c'était ici que se trouvaient les trente-neuf cabines du projecteur de Ridpath. Malgré les nombreuses lampes braquées sur les cabines — un éclairage nécessaire en fonction de l'attention médicale constante indispensable aux participants — le hall était toujours froid, parce que climatisé par un système réfrigérant ; aussi le travail auprès des cabines faisait-il l'effet d'un bain de soleil pris dans un vent arctique. Le Dr Eliot et l'un des techniciens sortirent le tiroir de la cabine, faisant glisser le corps de Harkman, tandis que Julia, frissonnante, serrait les bras contre son corps.

Harkman gisait, comme mort. Son corps, étendu de tout son long, avait été placé sur la surface du tiroir, la tête vers l'intérieur. Il était couché sur le dos, la tête et les épaules reposant sur des supports moulés assurant le contact du cou et de la nuque avec les branchements neuraux implantés dans le tiroir. A cette vue, Julia ressentit une piqûre dans son propre dos ; elle connaissait la sensation brûlante survenant chaque fois qu'elle était tirée du projecteur.

Harkman se trouvait dans l'appareil sans interruption depuis près de deux ans, et au cours de cette période son corps était devenu mou et flasque, malgré les soins physio-thérapeutiques constants. Son visage était pâle et cireux, comme embaumé, et ses cheveux étaient longs. Impassible, Julia le contemplait, observant l'agitation occasionnelle des muscles faciaux, et le tremblement des mains repliées sur la poitrine, comme si elles allaient saisir quelque chose. Sous les paupières, les yeux bougeaient, comme ceux d'un rêveur.

En un sens, il rêvait bien : un rêve qui durait déjà depuis près de deux ans, le rêve d'une époque éloignée et d'une société étrange.

Le Dr Trowbridge, premier assistant d'Eliot, arriva vers eux depuis l'autre bout du hall où il travaillait.

— Quelque chose qui ne va pas, docteur Eliot ?

— Non... Mademoiselle Stretton se familiarise avec l'aspect de Harkman.

Trowbridge baissa les yeux vers le visage de l'homme dans le tiroir.

— Est-ce que des photos ne donneraient pas une impression plus exacte ? Harkman a tellement grossi.

— J'imagine qu'il pourrait avoir délibérément changé son aspect, dit Julia, regardant toujours l'homme inconscient.

— Est-ce qu'un des autres l'a fait ? dit Eliot.

— Pas que je sache.

— Ça ne correspond pas à sa personnalité, dit Eliot. Tout ce que nous savons de lui indique une stabilité foncière. Il n'y a pas de failles. La personnalité de Harkman est idéale pour la projection.

— Peut-être trop idéale, dit Julia, qui se souvenait des arguments d'autorité de Harkman. Elle regardait intensément la figure pâle, tentant de l'imprimer dans sa mémoire, se souvenant en même temps de sa voix et de ses gestes avant le début de la projection. Ce corps ressemblait trop à un mannequin pour pouvoir l'imaginer en vie, et pensant. Elle dit : « Je me demande s'il refoulait un ressentiment contre les autres ? Peut-être qu'il avait l'impression que nous faisions en quelque sorte intrusion, et qu'en cours de projection il s'est détaché de nous par sa volonté.

— Ça reste improbable, dit Eliot. Ses notes pré-projection n'indiquent rien de semblable. Ce doit être un cas de programmation inconsciente. Nous en avons déjà vu des exemples bénins.

— Et peut-être un grave », dit Julia. Elle fit signe de la tête à Trowbridge et au technicien. « Vous pouvez le remettre. Je crois que je suis prête. »

Ils firent glisser le tiroir, qui se referma avec un lourd bruit métallique assourdi.

« Je pense qu'il faudrait réduire son alimentation intraveineuse, dit Eliot à Trowbridge. Je vous en parlerai plus tard. » Il prit Julia par le bras, et ils se rendirent au département chirurgical. Alors qu'il fermait la porte derrière elle, Julia pensa un instant à Paul. Elle se rappela la dispute, et la lettre de Paul, mais les considéra comme des incidents désagréables dans son expérience, non pas comme des intrusions dans sa vie. Elle ressentit une certaine satisfaction d'avoir eu la force enfin de le classer dans un compartiment de sa conscience.

Elle s'installa dans la grande chaise en face du bureau jonché de paperasses d'Eliot, prête à accepter sa volonté.

Plus tard, en entendant Eliot lui parler de la projection Wessex, elle voulut détourner les yeux, le regarder avec sa vision panoramique, mais elle n'y arrivait pas. Assis en face d'elle, Eliot parlait calmement, doucement, se répétant, et elle entra bientôt en transe.

III

C'ÉTAIT une fin d'après-midi à Dorchester, et les terrasses des cafés sur Marine Boulevard faisaient de bonnes affaires au retour des touristes de la plage. Dans le port, qu'on embrassait du regard depuis la Promenade, les yachts privés étaient échoués sur les galets boueux de la marée basse, tenus droits par des cordes et des pontons. Quelques membres des équipages, hommes et femmes, se trouvaient sur certains navires, mais la plupart des propriétaires et de leurs hôtes étaient à terre. A la marée montante, le secteur privé du port était un va-et-vient de yachts, de visiteurs assis sur le pont, profitant de la vue et du soleil ; mais, pour l'instant, ceux qui s'attardaient à bord de leurs bateaux étaient dissimulés aux regards du public sous des auvents et des rideaux aux couleurs gaies.

Au large du port, une flottille de bateaux de pêche attendait la marée.

Le long des digues et des quais qui entouraient le port, et sur toute la promenade de Marine Boulevard, des centaines de personnes flânaient dans une atmosphère d'aimable langueur. Des mendiants musiciens évoluaient au milieu d'eux, sébiles pendues au manche de leurs guitares. Sur la partie de la Promenade qui dominait le port se trouvaient les boutiques et les distractions autorisées, les kiosques à livres et à journaux, le café Chez Sekker, et la boutique où on pouvait acheter ou louer des aquaplanes, et où on voyait toujours les gens *in*. C'était dans cette partie de la ville, à ce moment de la journée, que s'agglutinaient les visiteurs.

L'immeuble de la Commission régionale anglaise se

trouvait dans l'une des rues de traverse donnant dans Marine Boulevard, et c'est de là qu'émergèrent Donald Mander et Frederick Cro. Ils avancèrent lentement vers le port à travers la foule, Cro portant toujours sa veste, mais Mander tenant la sienne sur le bras.

Ils allèrent jusqu'au bout du quai, où ils s'arrêtèrent pour acheter deux citrons pressés à un stand de boissons.

De là il était possible de voir sous la coque de l'un des yachts, où se trouvaient — invisibles de tout autre point des quais — deux jeunes gens et une femme. Les hommes portaient des shorts de plage et des chemises, mais la jeune femme était nue. Assise dans une chaise de toile, elle feuilletait tranquillement un magazine.

Les hommes de la Commission la repérèrent tous deux au même moment, mais ni l'un ni l'autre ne fit de remarque. D'ordinaire mesurés dans les propos qu'ils échangeaient, ils étaient de nature discrets dans leurs réactions. Les deux hommes étaient célibataires, dans la cinquantaine, et, tout en ayant travaillé dans des bureaux adjacents à la Commission régionale depuis plus de vingt ans, ils n'en étaient pas à se tutoyer.

Quand ils eurent fini leurs boissons, ils retournèrent lentement vers le quai.

Mander indiqua les bateaux de pêche qui attendaient, la plupart regroupés en eaux profondes, à près de cinquante mètres de l'entrée du port. Certains étaient au mouillage, et les équipages se prélassaient au soleil sur le pont.

« La pêche a été bonne », dit Mander. Cro acquiesça, et Mander sourit à part soi. Il savait que l'autre détestait le poisson, et mangeait rarement dans les restaurants locaux. L'une des rares choses que Mander savait de Cro était qu'il vivait de paquets de provisions expédiés par ses parents, qui étaient toujours en vie et habitaient, dans un certain confort, sur le continent anglais.

A l'autre bout du port, là où se trouvaient les activités commerciales, une grue à vapeur émit un fort coup de sifflet accompagné d'un nuage blanc. Là-dessus, elle évolua lentement sur ses rails vers le mouillage habituel du service d'hydroglisseurs du continent. Le bateau avait du retard ce soir-là, et les caisses de plusieurs commerçants de la ville étaient déjà empilées.

Au-delà, la baie était calme et bleue.

Les deux hommes s'éloignèrent du quai et se mêlèrent à la foule de Marine Boulevard, en direction de Chez Sekker. Ils paraissaient déplacés dans ce quartier aisé, plus par leurs manières vigilantes que par leurs vêtements. Les touristes bayaient aux corneilles en flânant dans la chaleur, soucieux seulement de remarquer et d'être remarqués ; alors que Mander et Cro jetaient des coups d'œil gênés, petits fonctionnaires constamment à l'affût de détails mineurs.

En arrivant auprès des parasols bigarrés de Sekker, Cro indiqua l'un des stands.

— Ceux de Maiden Castle, dit-il. Ils sont toujours là. Je croyais que vous deviez vérifier leur patente.

— C'est fait. Il n'y a rien d'irrégulier.

— Alors il faut la leur retirer. Comment l'ont-ils obtenue ?

— Par la voie normale, dit Mander. Ils l'ont achetée au Bureau.

— Nous pourrions trouver une objection idéologique...

Mander secoua la tête, sans être remarqué par l'autre.

— Ce n'est pas si simple.

Le stand qu'avait indiqué Cro aurait semblé plutôt anodin à des yeux moins immédiatement hostiles. Il n'était pas plus grand que les autres, et construit de la même manière. Même les produits mis en vente étaient à première vue semblables à ceux qu'offraient tous les stands de la Promenade. Le bois du comptoir était recouvert d'une nappe de laine verte, sur laquelle s'étalait un choix de produits fabriqués à la main : coupes de bois, bougeoirs, échiquiers décorés, broches et bracelets incrustés de pierres semi-précieuses polies, poteries non vernissées ; chaque pièce paraissait bien faite et solide, mais avec un séduisant rugueux dans le fini qui n'avait pour but que d'en souligner le caractère foncièrement artisanal.

C'est ce qui différenciait ces produits de ceux que proposaient les autres stands, car ces derniers vendaient des marchandises bon marché mais uniformes, produites en série dans les coopératives du continent. Ce caractère individuel n'échappait pas aux touristes, et le stand attirait plus de clients que la plupart de ses concurrents.

Cro jeta un regard de mépris sur les objets et sur ceux qui les vendaient.

Deux femmes et un homme se trouvaient derrière l'étal rudimentaire. L'une des femmes était assise sur un tabouret en retrait, toute droite mais détendue, les yeux fermés. Elle portait les vêtements que les hommes de la Commission avaient immédiatement reconnus, les habits d'un brun neutre, tissés à la main, que portait toute la communauté de Maiden Castle. L'homme et l'autre femme étaient tous deux plus jeunes, même si l'homme — mince et pâle, avec une calvitie précoce — se déplaçait lentement, comme fatigué.

Mander et Cro traînèrent quelques instants près du stand, et la jeune femme qui servait les vit approcher, mais ne manifesta en rien qu'elle les reconnaissait. Mander, qui avait souvent remarqué son visage et son corps, espérait qu'elle regarderait à nouveau dans sa direction, pour pouvoir lui adresser un sourire de connivence, mais elle semblait déterminée à les ignorer.

Enfin ils continuèrent leur chemin, et montèrent les marches de la terrasse de Chez Sekker.

Au moment où ils s'asseyaient à une table libre, une explosion retentit au loin, de l'autre côté de la baie, renvoyant des échos depuis Purbeck Island, dans le Sud. C'était le canon disposé au-dessus de Blandford Passage, qui tirait deux fois par jour pour avertir les navires et les nageurs de la marée montante. A cette heure, il y avait peu de nageurs et guère plus d'un ou deux yachts privés en vue, en dehors des bateaux de pêche à l'entrée du port. Comme d'habitude, les gens s'avancèrent vers la jetée au son du canon pour voir la vague de la marée, mais celle-ci n'allait pas apparaître avant plusieurs minutes.

Cro dit :

— Qu'est-ce que vous savez du nouveau ?

— Harkman ? Autant que vous.

— Je croyais qu'il était nommé dans votre département.

Mander secoua la tête, mais vaguement ; une échappatoire, pas une dénégation.

— Il fait une quelconque recherche.

— Il est anglais ?

— Non, britannique. Sa mère est une réfugiée d'Ecosse.

Mander regarda de l'autre côté de la Promenade, en direction de la mer.

— Je crois qu'il a visité les Etats-Unis.

Cro acquiesça, comme s'il était au courant, mais dit :

— De l'Ouest ou de l'Est ?

— Les deux, autant que je sache. Regardez, je crois que c'est Nadia Morovine.

Un homme et une jeune femme passaient devant Chez Sekker, bras dessus bras dessous. La femme qu'avait désignée Mander portait un chapeau à larges bords baissé sur la figure, mais ses manches étaient relevées et sa jupe courte révélait de manière provocante la pâleur de ses cuisses bien en chair. Le couple séduisant affectait de ne pas se rendre compte que la femme était immédiatement reconnaissable et qu'à leur approche, comme ils traversaient lentement la foule, on s'écartait pour ne pas être sur leur chemin. Derrière eux, les gens les suivaient ouvertement du regard, et à peu de distance un jeune homme — apparemment un touriste des Etats-Unis — prenait photo sur photo, à l'aide d'un puissant téléobjectif.

Quelques instants plus tard ils entraient dans la boutique d'aquaplanes et disparaissaient à la vue de Mander et de Cro.

« N'est-ce pas l'hydroglisseur ? » dit Mander. Cro se retourna vers la mer, puis se redressa pour mieux voir, bien que la terrasse de Sekker eût un des meilleurs panoramas de la ville. Plusieurs centaines de personnes se tenaient maintenant sur la jetée, attendant de voir le mascaret s'engouffrer dans Blandford Passage. A cette distance — plus de trente kilomètres — seule la crête blanche de la vague était visible à l'œil nu, mais les marées récentes étaient hautes et les loueurs de longues-vues sur le bord de mer avaient illégalement augmenté leurs prix.

Mander indiquait le sud du Passage. Depuis cette direction, glissant devant Lawrence Island, arrivait l'hydroglisseur. Sur le bleu profond des eaux encore calmes de la baie, c'était le seul signe de mouvement.

— La marée va passer d'un moment à l'autre, dit Cro. Vous pensez que le pilote s'en rend compte ?

— Il le sait bien, dit Mander.

Quelques secondes plus tard, ceux qui avaient loué des longues-vues se penchèrent sur leurs instruments, et la vague apparut. Plusieurs touristes tendaient le bras vers la mer, tout excités, et les enfants étaient hissés sur les épaules de leurs parents.

Le garçon vint prendre leur commande, et Cro s'assit.

— Ce... monsieur Harkman, est-il sur l'hydroglisseur ? demanda-t-il quand on leur eut servi deux bières.

— Je ne vois pas d'autre raison pour son retard, dit Mander, guettant la réaction de l'autre.

— J'ai entendu dire que son indice n'était pas supérieur à celui d'un conseiller régional. Est-ce qu'on retarderait le bateau pour vous ou moi ?

— Selon les circonstances.

Satisfait de la réaction de Cro, Mander but sa bière à petits traits. Tout à l'heure il avait entendu dire que le mouillage de marée basse de Poundbury serait occupé toute la journée, obligeant l'hydroglisseur à attendre la marée. Il pensait que Cro n'était pas au courant, mais décida de ne pas lui en faire part, parce qu'il aimait bien garder quelques mystères pour Cro.

Cro but une gorgée de bière. Il s'essuya les lèvres avec son mouchoir, puis se leva.

Dans la baie, là-bas, l'hydroglisseur avait ralenti, et sa coque était rentrée dans l'eau. Le bateau avait viré pour faire face à la vague de marée, et Cro quittait la terrasse de Sekker et traversait la Promenade vers la jetée, au moment où le premier remous le rattrapa. Le bateau fit une embardée et piqua du nez dramatiquement, mais dès que les premières grandes vagues l'eurent dépassé, il se retourna vers Dorchester et accéléra dans l'eau agitée, dans le sillage de la barre.

Mander, toujours assis à la table, regardait Cro avec agacement. L'arrivée de tout envoyé de haut niveau provoquait d'inévitables conflits à l'intérieur du bureau, dans la mesure où la hiérarchie accueillait le nouveau venu à contrecœur, mais la nomination de Harkman à Dorchester menaçait la situation récemment détendue des manœuvres de bureau aussi sûrement que la marée biquotidienne troublait les eaux calmes de la baie.

C'était l'imprécision de la position de Harkman dans la Commission régionale qui posait le problème majeur. On avait seulement dit à Mander que Harkman devait avoir libre accès à tous les actes ou dossiers qu'il demanderait, et que l'autorisation du commissaire Borovitine serait transmise par son propre bureau. C'était logique, étant donné que les responsabilités de Mander concernaient l'administration, mais il ne savait toujours rien de la nature du projet de recherche de Harkman. Cro manifestait un intérêt anormal pour le nouveau, aussi Mander le soupçonnait-il d'être mieux renseigné qu'il ne voulait bien dire. S'il interrogeait Mander, c'était probablement moins pour sa propre information que pour essayer de découvrir combien celui-ci en savait.

Cro, passé maître dans la stratégie de bureau, serait enchanté de voir travailler dans son département quelqu'un qui bénéficiait d'une relative liberté de mouvement, et il trouverait certainement un moyen ou un autre d'en tirer avantage.

— Une autre bière ? dit Mander quand son compagnon revint à la table.

Cro regarda sa montre.

— Je crois que nous avons le temps. Le bateau ne sera pas là avant dix minutes.

Mander prit cela comme une acceptation et fit signe au garçon. Dans la baie, le mascaret qui avait déferlé du Nord s'étalait et s'aplatissait en demi-cercle, les premiers remous se calmaient. La marée montante continuait de se déverser à travers Blandford Passage, et continuerait encore pendant une heure, mais la violence initiale était passée. Dans le port de Dorchester, le niveau de l'eau, qui ne s'était pas élevé de plus d'un ou deux mètres pendant tout l'après-midi, montait rapidement. Les yachts de plaisance à l'amarre se soulevaient régulièrement, leurs coques heurtant doucement les pontons d'amarrage, et à l'extérieur du port les bateaux de pêche qui attendaient mirent leurs moteurs en marche et virèrent de bord, entrant un par un dans le port. Au moment où le dernier s'amarrait auprès des viviers, l'hydroglisseur était arrivé, et virait lentement vers son poste de mouillage. Dans le secteur touristique du port il y avait peu de changement, sinon que ceux qui flânaient sur les ponts étaient maintenant parfaitement exposés aux regards des promeneurs ; le quartier commerçant du port, par contraste, était animé et bruyant. Plusieurs bateaux commençaient de décharger leur cargaison de poisson, et les charrettes et voitures des commerçants s'étaient avancées pour charger le ravitaillement apporté du continent par l'hydroglisseur.

Le fourgon postal, tiré par un cheval, roulait bruyamment à travers la foule de Marine Boulevard, et tourna vers la rampe descendant au mouillage de l'hydroglisseur. Alors Cro joua une carte forte ; peut-être un atout.

— Il paraît que c'est un historien, dit-il. Est-ce vrai ?

— Possible.

L'acquisition bureaucratique la plus récente de Cro était la supervision des archives de la Commission ; ç'avait été son triomphe de l'année précédente. Si Harkman était un historien, en conséquence, ce serait certainement à Cro qu'il aurait affaire.

Mander finit sa bière et se leva, imaginant déjà les mesquins conflits de pouvoir des semaines à venir.

Avec Cro, ils traversèrent lentement la Promenade et se dirigèrent vers la zone marchande du port.

Au moment où les deux premiers passagers de l'hydroglisseur — un couple âgé des Etats-Unis — mettaient pied à terre, Mander et Cro attendaient auprès des viviers, avec une vue dégagée sur le débarcadère.

D'autres touristes descendaient du bateau, avec l'aide des stewards du bord. Mander regardait chacun à son apparition, se demandant quel aspect aurait Harkman. Il était impressionné malgré lui par l'avantage politique de Cro, et il s'en voulait.

Une silhouette habillée d'un simple vêtement brun passa lentement devant les deux hommes de la Commission ; c'était la jeune femme qui plus tôt servait au stand, la fille de Maiden Castle. Elle s'arrêta un peu en avant de Cro et de Mander, tournée en direction de l'hydroglisseur.

Sa présence distrayait Mander, comme chaque fois qu'il l'apercevait à son étal. Depuis sa position, il voyait son visage de trois quarts, et simultanément il pouvait comprendre pourquoi des gens tels que Cro la considéraient, elle et sa communauté, comme une vague menace contre l'existence du Wessex soviétique, et aussi pourquoi Cro et les autres se trompaient. Au premier coup d'œil, elle donnait l'impression d'une fille perdue, d'une dévergondée ; il se dégageait d'elle une impression d'anarchie, d'irresponsabilité : elle avait les cheveux longs et dépeignés, ses habits flottaient sans pudeur, et ses pieds, ses jambes, habillés de minces sandales de corde, étaient couverts de poussière. Mais en même temps elle se tenait avec prestance et une certaine élégance, ses traits étaient réguliers, ses yeux reflétaient une profonde intelligence. De même les occupants du Château, qui se montraient à l'occasion en ville, se comportaient avec une dignité et une discrétion qui correspondaient mal à leurs apparences primitives, et les produits qu'ils vendaient étaient bien faits et originaux.

Cro désigna tout à coup quelqu'un qui venait de débarquer :

— C'est notre homme. C'est Harkman.

— Vous êtes sûr ? dit Mander, clignant des yeux, mais il savait que Cro avait raison. L'homme ne ressemblait en rien au reste du groupe sur le quai. Les autres passagers de l'hydroglisseur étaient de toute évidence des touristes ou des hommes d'affaires ; les premiers regardaient autour d'eux, incertains, cherchant des moyens de transport pour la ville ou de l'aide pour leurs bagages, les seconds se fondaient immédiatement dans l'animation qui les entourait.

Harkman, lui, se tenait au bord du quai et appréciait du regard la ville, au-delà du port. Se protégeant les yeux de la main, il semblait véritablement intéressé par ce qu'il voyait. Puis il se retourna, détachant son regard du port, vers le sud, où Maiden Castle se dressait sur son promontoire dominant la baie. Mander lui donna une quarantaine d'années. Il avait des cheveux sombres, une silhouette mince ; son attitude était détendue, du genre athlétique, pas du tout celle du rat de bibliothèque que Mander avait imaginé à partir du peu qu'il avait entendu dire de l'homme. A la différence des touristes, Harkman n'était pas surchargé de bagages, il n'avait avec lui qu'un petit sac pendant négligemment à son épaule.

— Il n'est pas aussi jeune que je pensais, dit enfin Cro. La photo des archives doit être ancienne.

— Quelle photo ? dit Mander, mais Cro ne répondit pas.

La fille de Maiden Castle, elle aussi, observait Harkman. Elle se tenait très près de lui, sans faire d'effort pour dissimuler son intérêt. Quand il se retourna pour suivre le quai en direction de la ville il passa devant elle, et leurs regards se croisèrent un instant. Elle s'écarta vers les dockers qui déchargeaient des caisses de bière et s'assit sur une borne d'amarrage de pierre, le regard perdu sur la baie.

Quand Harkman passa devant les deux hommes de la Commission, il sembla reconnaître en eux des collègues, car il les salua brièvement de la tête, mais ne se présenta pas.

Cro et Mander attendirent quelques minutes sur le quai ; jusqu'à ce que Harkman ait disparu dans la foule de Marine Boulevard. Sur le minaret de la mosquée qui avait été construite pour les visiteurs, le muezzin appelait les fidèles à la prière.

IV

David Harkman prit son petit déjeuner seul dans le réfectoire de la Maison d'accueil de la Commission. Il supposait que les autres personnes qu'il voyait là étaient aussi des employés de la Commission, mais il ne fit aucune tentative pour se présenter, et supporta au contraire leur inspection curieuse avec une indifférence affectée par réflexe d'autodéfense. A Londres, des amis l'avaient averti du protocole des Commissions régionales, et de l'ordre de préséance bien établi selon lequel il serait présenté à ses nouveaux collègues. Il n'avait pas l'intention de bouleverser l'équilibre des prétentions territoriales à l'intérieur du bureau ; les années passées au Bureau de la culture anglaise lui avaient enseigné les us et coutumes des fonctionnaires.

Il mit un terme à son malaise, et à la curiosité des autres, en achevant rapidement son petit déjeuner, et, avec des petits saluts de la tête à la cantonade, il sortit du bâtiment et partit à la découverte de la ville.

C'était un soulagement d'être enfin à Dorchester, après ces deux années passées à attendre la mutation. Parfois il s'était dit que l'île de Wessex était une partie du monde aussi inaccessible depuis Londres que le palais présidentiel de Ryad. Ce n'était pas sa cotation de sécurité, qui était irréprochable : après tout, on lui avait confié un poste temporaire à Baltimore, dans les Etats des Emirats occidentaux, et il avait été, le temps d'une semaine fertile en surprises, conseiller de l'attaché culturel à Rome, quelques années plus tôt. L'inévitable lenteur grinçante de la machine administrative du Parti était une cause beaucoup plus probable.

Car le Wessex n'était pas un endroit où l'on transférait librement les fonctionnaires du Parti. Avec ses mosquées et ses casinos, ses milliers de riches touristes oisifs venus de tous les Etats-Unis, l'île de Wessex mettait les théoriciens du Parti dans un certain embarras idéologique.

Dorchester proprement dit était le point de mire de cet embarras : c'était non seulement la grande ville la plus proche du continent anglais, mais aussi le lieu où venaient la plupart des touristes.

Seul le fait que le Wessex était physiquement détaché du continent le rendait acceptable pour le Parti ; aussi longtemps que les voyages étaient soumis à des restrictions en Angleterre, et que les autorisations de visite des zones touristiques internationales de l'île n'étaient accordées qu'à des ressortissants étrangers et à des employés du Parti triés sur le volet, il était quelque peu difficile aux indigènes de dénoncer les maux du capitalisme à la face de la population anglaise. Tels étaient du moins les sophismes du Parti ; Harkman, comme toute personne disposant d'un grain d'intelligence ou d'information, voyait bien que l'afflux de dollars des Emirats était une contribution importante au budget de Westminster.

En fait, c'était un intérêt pour la population locale qui avait ostensiblement fait venir Harkman à Wessex.

Depuis les tremblements de terre catastrophiques et les affaissements de terrain du siècle précédent, l'ancienne Angleterre du Sud-Ouest avait été séparée du reste de l'île par un chenal étroit mais profond, dénommé Blandford Passage. Les habitants du Wessex avaient été abandonnés à leur sort pendant plusieurs décennies, jusqu'à ce que le gouvernement de Westminster comprenne le potentiel de l'île en tant que centre touristique ; depuis, elle avait été administrée, gérée et imposée de la même manière que les autres régions d'Angleterre.

L'intérêt de Harkman, en tant qu'historien des sociétés, allait à ce qui s'était passé à Wessex au cours des années d'isolement. Certains témoins de cette période étaient encore en vie sur l'île, et des archives éparses — principalement à Dorchester, Plymouth et Turo — traitaient des conditions de l'époque.

Harkman avait l'intention d'assembler une documentation exhaustive et définitive sur le sujet. Cela lui prendrait sans doute des années, et il était prêt à s'y attaquer comme au travail de sa vie.

C'était la raison mise en avant pour venir s'installer à Dorchester, et celle qui lui avait valu l'autorisation. Mais dans son for intérieur il savait que ce n'était pas le seul motif.

Il y avait le Wessex en soi. Du jour où il avait conçu le projet, Harkman avait eu le sentiment d'un manque indéfinissable dans sa vie. Ce n'était pas seulement l'insatisfaction provoquée par son travail au Bureau de la culture anglaise — même si c'était le cas sous bien des aspects — ni le sentiment d'inadaptation à la vie londonienne ; plus directement, c'était une conviction instinctive que le Wessex était sa patrie spirituelle et émotionnelle.

Cela avait commencé avec la lecture d'un texte sur la communauté de Maiden Castle ; il avait été intéressé, et, en essayant d'en découvrir davantage, il s'était senti de plus en plus concerné par le Château et l'île où se trouvait celui-ci. Simplement, il n'avait pas compris pourquoi, et le besoin de comprendre l'avait poussé, avec plus de force que ne pouvait en contenir la stimulation intellectuelle de sa recherche sociale.

Ainsi, dès son arrivée à Dorchester la veille au soir, il avait vu en ce jour non seulement celui où commençait le travail de sa vie, mais aussi le dernier où il s'éveillait avec le sentiment d'être séparé d'un endroit qui dominait ses pensées et ses actions depuis deux ans.

Et puis, accessoirement, il y avait le mascaret de Blandford Passage.

Des années auparavant, jeune encore, il avait eu l'occasion de goûter aux terreurs et aux excitations du surf. Il n'avait eu que trois semaines pour apprendre la violence élémentaire de la vague, mais cette violence ne cessait jamais de captiver celui qui en avait fait l'expérience.

Le surf était indubitablement un sport de jeunes, et un sport de riches, mais Harkman, toutes ces années, s'était maintenu dans une bonne forme physique, et toute sa vie il avait mis de côté son salaire. Il avait l'occasion, l'argent et la volonté de chevaucher à nouveau la vague de Blandford, et il était déterminé à ne pas les laisser passer.

C'était un beau matin clair à Dorchester, et Harkman goûtait la pureté et la légèreté de l'air, la décadence de l'architecture, l'étroitesse des rues. La gueule de bois était ensoleillée dans cette ville : les night clubs et bars de Dorchester satisfaisaient les désirs des clients jusque tard dans la nuit, et les volets et persiennes des villas et des immeubles repoussaient la fraîcheur du matin. Malgré cela, beaucoup de vacanciers étaient déjà à flâner dans les rues pour faire quelques courses avant de partir pour l'une des plages hors de la ville.

Impossible de penser que Londres se trouvait à moins de deux cents kilomètres !

Quand il arriva à la rue où se trouvait l'immeuble de la Commission, Harkman, sur un coup de tête, passa son chemin. Il avait rendez-vous avec le commissaire Borovitine, mais il lui restait quelques minutes. Il se souvenait d'avoir vu une boutique d'aquaplanes dans le port en débarquant, la veille au soir, et il décida d'y aller voir.

Des étroites rues de traverse, il déboucha dans le vif soleil de la Promenade et descendit vers le port. Beaucoup de yachts entraient et sortaient, car la marée baissait et, dans une heure ou deux, la navigation serait impossible. Harkman passa devant les cafés et les étalages de la promenade et arriva à la boutique d'aquaplanes, où étaient exposées, dans un vif bariolage, les différentes pièces de l'équipement nécessaire pour le sport.

Harkman regarda d'abord les aquaplanes proprement dits : plusieurs douzaines étaient empilés sous l'auvent à l'extérieur. Il y avait une grande diversité de tailles et de modèles, et une gamme de prix étonnamment étendue. Harkman en prit un dans le tas, le soupesa. Il avait oublié le poids d'un aquaplane, même à vide ! Celui-ci semblait assez solide, et le fini de la peinture était magnifique : de grands éclairs de rouge et jaune sur un fond blanc, le vernis de la surface polie... mais son instinct lui disait qu'il y avait quelque chose de suspect dans l'équilibre, quelque chose de pas absolument parfait.

Il le reposa sur la pile, en choisit un autre.

Là-dessus il pénétra dans la boutique et regarda autour de lui. A l'un des murs étaient fixés plusieurs posters dépeignant divers incidents du sport. L'un d'eux en particulier attira l'attention de Harkman : trente ou quarante sportifs, debout sur leurs planches dans le calme de Blandford Passage, tandis que le mascaret déboulait vers eux de derrière, haut de cinquante mètres ou plus. C'était une photo magnifique, qui captait en un instant figé toute l'essence du sport : la pure violence de la course de la marée, la beauté élémentaire de l'homme affrontant les forces de la nature.

La plupart du matériel en vente était très cher : des combinaisons étanches étaient offertes pour à peine moins de dix mille dollars, les appareils respiratoires commençaient à quinze mille environ. Même les différents livres et manuels d'instruction semblaient au-dessus du prix qu'on aurait attendu à Londres.

Il y avait des vendeurs dans la boutique — trois jeunes hommes pâles de teint, comme le voulait la mode, vêtus de sweaters et de shorts flottants — mais aucun d'eux ne se dérangea pour le servir, engagés qu'ils étaient dans une conversation à l'autre bout de la pièce. Harkman ressortit et regarda à nouveau les aquaplanes exposés.

L'engin idéal combinait force, équilibre et vitesse ; les plans inférieurs devaient être polis, le supérieur suffisamment rugueux pour permettre à son possesseur d'y planter fermement ses pieds même quand le bois était immergé. Le logement du moteur devait être plat et aérodynamique, les réservoirs répartis pour que la combustion du carburant ne déséquilibre pas l'appareil. L'ensemble, une fois le plein fait et le moteur installé, devait être assez léger pour être porté par un homme fort, mais assez lourd pour assurer la stabilité du même homme lorsqu'il se tenait dessus en eau agitée. Il n'y avait pas d'aquaplane parfait ou modèle ; ce que chaque sportif exigeait de l'engin idéal était aussi personnel que le choix d'une épouse.

Harkman examina plusieurs autres planches, les ôtant de la pile et les soupesant de son mieux. Il regarda à l'intérieur, mais les vendeurs ne lui manifestaient toujours aucun intérêt. Il aurait souhaité pouvoir essayer un ou deux engins choisis sur l'eau, pour voir comment ils se maniaient. Un coup d'œil à sa montre lui apprit qu'il devait retourner à la Commission. Il sortit un dernier aquaplane et des deux mains l'éleva au-dessus de sa tête, mais il ne parvenait plus à établir une différence.

— Vous voulez acheter un aquaplane ?

Harkman se retourna, pensant que l'un des vendeurs s'était enfin déplacé, mais son interlocuteur était une jeune femme qui se tenait à l'ombre de l'auvent.

— Je vous observais, dit-elle. Vous ne ressemblez pas aux acheteurs habituels. Nos aquaplanes sont bien meilleur marché.

— Vous vendez des aquaplanes, vous aussi ?

— Nous les faisons. Ils sont fabriqués à la main, et la finition peut être exactement selon vos souhaits.

— Le problème est que je ne sais pas vraiment ce que je veux. Il y a longtemps que je n'ai plus fait de surf.

— Alors essayez-en quelques-uns. Nous avons beaucoup de modèles.

— Ils sont ici ?

A ce moment, deux des vendeurs de la boutique se dirigèrent rapidement vers eux.

— Vous ! cria l'un d'eux en donnant un coup sec sur l'épaule de la fille. Foutez le camp d'ici ! On vous a déjà prévenue.

Elle recula dans le soleil, et Harkman fit face à l'homme.

— Nous parlions simplement...

— Nous savons ce qu'elle veut. Vous désirez, monsieur ?

— Rien, dit Harkman.

Il leur tourna le dos et suivit la fille. Elle souriait.

— Il vous a fait mal ?

— J'ai l'habitude. Alors, nos aquaplanes ? Ça vous intéresse ?

— J'aimerais les voir, mais je suis en retard pour un rendez-vous. Vous serez ici demain ?

— Possible. Voilà notre stand, là-bas (elle indiquait le

stand d'artisanat qui dominait le port). Mais nous ne vendons pas d'aquaplanes en ville, parce que nous n'avons pas la patente. Venez donc au Château. Vous pourrez voir tout ce que nous avons là-bas.

— Vous voulez dire Maiden Castle ? dit Harkman, qui regarda aussitôt le monticule sur le promontoire de l'autre côté de la baie.

— Oui.

Elle était jolie, dans les vingt-sept ans, pensa Harkman. Il regarda sa blouse simple, peu flatteuse, ses cheveux emmêlés, ses pieds pas très propres.

— J'irai au Château demain, dit-il. Comment vous trouverai-je ?

— Demandez à n'importe qui. Je suis Julia.

— Vous voulez mon nom ?

— Je me souviendrai de vous, dit-elle, regardant en direction des bateaux dans le port.

— Je suis David Harkman, dit-il, mais elle semblait ne pas écouter. Elle s'éloigna de lui sans se retourner, et Harkman eut l'impression qu'elle ne s'intéressait plus à lui.

Puis elle dit :

— J'attendrai jusqu'à votre arrivée — mais elle ne se retourna toujours pas.

Un grand yacht venait d'accoster dans le port, et un attroupement se formait autour du stand.

V

Le commissaire de Dorchester était un nommé Peter Borovitine. Nom russe mais sang anglais, remontant à trois générations. Avant de quitter Londres, Harkman s'était renseigné sur l'homme, mais n'avait pas appris grand-chose. Ses lectures lui avaient dit que Borovitine s'était élevé dans le Service régional sur la base de son nom de famille plus que de ses qualités individuelles à l'intérieur du Parti. Cela arrangeait les Soviétiques de faire administrer les régions par des Anglais de naissance, mais Harkman avait entendu dire que la moitié au moins des commissaires en activité étaient slaves soit de nom, soit d'origine.

Borovitine avait la réputation d'un bon commissaire. Sa façon d'administrer la zone de Dorchester était équitable et compétente, sinon imaginative.

L'entretien dans le bureau de Borovitine — une pièce ensoleillée mais nue au dernier étage du bâtiment de la Commission, sous le regard d'une grande photo du Président suprême accrochée au mur — fut bref. Soit Borovitine n'avait pas de sympathie pour Harkman, soit celui-ci ne l'intéressait pas, et il semblait pressé d'en finir.

Après avoir lu la lettre d'introduction du chef du bureau pour Harkman, Borovitine le regarda lourdement pendant au moins une minute. Enfin il dit :

— Quel type de recherche avez-vous l'intention de faire, monsieur Harkman ?

— D'abord je veux beaucoup lire. Des journaux, les dossiers du gouvernement local, etc. Cela me donnera une idée de la manière dont l'île est gérée. Après, je veux parler à des habitants. Cela impliquera un certain nombre de déplacements.

Borovitine le regardait toujours, aussi Harkman ajouta :

« Y a-t-il des risques que mes mouvements soient limités ?

— Pas si vous obtenez mon autorisation d'abord. Où irez-vous ? » Harkman savait que pour envisager le projet de manière réaliste, il faudrait en fin de compte qu'il visite tout le Wessex, mais il savait aussi que s'il ne se contentait pas d'abord de demandes modestes, il trouverait ses déplacements strictement observés ou contrôlés par le régime.

— Je resterai à Dorchester au moins pour quelques mois, dit-il. Peut-être que l'an prochain j'aurai besoin de me rendre à Plymouth.

Borovitine acquiesça, et Harkman eut l'impression que sa réponse avait été correcte. Mais Borovitine ajouta :

— Je ne sais pas ce que vous espérez trouver à Dorchester.

— Il y a les archives de la Commission, monsieur. Ce sera une des sources principales pour mon travail. Et j'aimerais visiter Maiden Castle.

— Pourquoi ?

La réaction avait été si rapide que Harkman fut pris au dépourvu. Il dit :

— Y a-t-il une raison pour que je n'y aille pas ?

— Non.

Borovitine parcourait à nouveau la lettre d'introduction, comme si, à première lecture, quelque chose d'essentiel lui avait échappé.

— Je ne vois pas pourquoi vous avez besoin d'aller là-bas.

— C'est important et intéressant historiquement.

Borovitine le dévisageait à nouveau ; soupçon ou indifférence ? Harkman continua :

— Très respectueusement, je me permets de vous signaler que vous n'avez pas fait de sociologie. Dans un passé éloigné, Maiden Castle était un lieu plus important que Dorchester. Je crois que pendant les années où le Wessex a été isolé du reste de l'Angleterre, Maiden Castle a pu retrouver un rôle d'une grande importance sociologique et stratégique.

— Vous n'avez pas besoin de mon autorisation pour aller là-bas, dit Borovitine sur un ton neutre.

Cette fois Harkman lui rendit son regard, s'apercevant que le commissaire n'était pas aussi déconcerté que lui par de longs silences. La raison qu'il avait avancée pour aller au Château avait été improvisée, mais crédible, pensait-il. En fait, il devait visiter le Château pour répondre à un besoin plus profond, imprécis ; à cela il n'y avait pas d'explication. Et maintenant il y avait une autre raison : voir la jeune femme, acheter un aquaplane.

— En ce qui concerne les archives, dit-il enfin, supportant maintenant l'inspection narquoise du commissaire, mais impatient de mettre fin à l'entretien, pourrais-je avoir votre autorisation d'examiner les dossiers de la Commission ?

— Il vous faudra faire une demande officielle. Voyez Mander.

— Mais j'avais cru comprendre que les archives étaient sous la juridiction de M. Cro. C'est lui qui a écrit pour confirmer ma nomination.

— Toutes les fonctions administratives passent par l'intermédiaire de M. Cro.

Un instant plus tard, Harkman découvrit le bureau qui lui avait été assigné. Bien qu'assez grande et soigneusement débarrassée par son prédécesseur, la pièce déplut immédiatement à Harkman. Elle n'avait qu'une fenêtre, qui pouvait s'ouvrir mais était placée haut dans le mur, et il ne voyait au-dehors qu'en se tenant sur une chaise. Le résultat, se dit Harkman en faisant l'essai, était qu'il pouvait passer toute la journée assis sous l'éclat stérile des rampes au néon, et sentir l'odeur des fleurs, entendre le bourdonnement des insectes, et écouter les vacanciers passer dans l'étroite rue ensoleillée.

Donald Mander vint le voir, et Harkman eut de lui une première impression favorable. C'était un homme mûr, au visage rubicond, à la tête rose et luisante garnie de quelques rares touffes de cheveux. Il riait beaucoup — même si Harkman eut l'impression que c'était destiné à le mettre à l'aise — et décrivait les habitudes et le personnel du bureau avec une apparence de réserve et de cynisme.

— Le commissaire Borovitine m'a dit que c'est par vous que je devais passer pour une demande de consultation des archives.

— C'est exact, oui.

— Alors pourriez-vous considérer que j'ai fait la demande ? J'aimerais commencer aussi vite que possible.

— Il vous faudra un formulaire, Harkman. Je vais vous en sortir un et vous le faire passer.

Mander avait apporté avec lui une chaise du bureau voisin, et le pivot grinçait quand il changeait de position.

— Il ne suffirait pas que je fasse taper une note ? demanda Harkman.

— Il faut que ce soit le bon formulaire, fit Mander, et il rit. Harkman se dit que pour trouver cette idée drôle, il fallait avoir travaillé trop longtemps au même endroit.

Il dit :

— Je crois que c'est M. Cro qui est responsable des archives.

— Je vous le présenterai plus tard. Oui, c'est lui qui s'occupe des archives.

Depuis la mosquée, de l'autre côté de la rue, le muezzin lança son appel sur les toits. La voix étrange qui s'élevait rappela à Harkman son bref séjour à l'ambassade des Etats-Unis occidentaux. Ce qui lui avait semblé le plus étrange, de toutes les choses étranges qu'il avait remarquées au cours du voyage, c'était la culture musulmane en Amérique du Nord. Cinq fois par jour, la nation se prostrait en prière, tournée vers l'est. Tout se passait comme si l'Amérique autrefois indépendante devait rendre un hommage quotidien à un pouvoir plus grand qu'Allah, le pouvoir des pétrodollars, le pouvoir qui avait fini par absorber une culture.

Cette mosquée à Dorchester, comme les autres dans les principaux centres touristiques du Wessex, n'était qu'un geste envers ce pouvoir, mais pour les Anglais, pour les habitants du Wessex, c'était un rappel des solutions de remplacement au socialisme.

— Je pourrais peut-être rencontrer M. Cro ? dit Harkman tout en souhaitant pouvoir y échapper.

Mander fit à nouveau pivoter sa chaise.

— Bien sûr. Et je vais vous faire faire le tour de la maison par la même occasion.

La journée passa lentement, et lorsqu'elle se termina Harkman était fatigué et irritable. Le seul résultat positif à mettre au compte de ses efforts était que Cro lui avait prêté une partie de l'index des archives. Comme il ne s'agissait guère que d'une liste de numéros, cela valait à peine mieux que rien.

Une fois sorti de la Commission, le soir, après avoir décliné une invitation à boire avec Mander et certains collègues, Harkman entreprit une longue promenade solitaire dans la ville.

Il était curieux que l'atmosphère détendue de la station n'imprègne pas les bureaux de la Commission. C'était comme l'un des petits bureaux de l'administration gouvernementale à Londres auquel il s'était parfois affronté ; on vous rappelait constamment la forme et les priorités, comme si le Président suprême des Soviets était attendu d'un instant à l'autre.

Ce n'était que dans le bureau de l'entrée, où des guichets étaient ouverts au public, qu'on pouvait deviner que Dorchester était l'une des stations touristiques les plus en vogue du pays ; ici, les grandes vitres donnaient sur une place plantée d'arbres, avec deux cafés, où travaillaient plusieurs peintres. Les matins, le soleil pénétrait dans la pièce, et toute la journée il y avait des files d'attente dans les deux zones soigneusement séparées. Dans l'une, les ressortissants anglais — fonctionnaires du Parti, résidents locaux et travailleurs immigrés — entraient et sortaient pour chercher du courrier, s'inscrire à des fonds d'emploi de l'Etat, acheter des patentes commerciales, et se soumettre à diverses autres exigences qui requéraient leur temps et leur attention ; à l'autre guichet, des touristes des Etats-Unis pouvaient déposer des demandes de visa pour visiter le continent anglais, formant un contraste frappant par leurs costumes hauts en couleur et leurs manières détendues.

Harkman s'était arrêté plusieurs minutes derrière les guichets pour observer cette activité ordinaire de la Commission, mais il avait été distrait par l'atmosphère contagieuse de loisirs derrière la vitrine.

Il s'éloigna du centre de la ville et se dirigea vers le camp de Poundbury au nord, en s'arrêtant longuement pour regarder les petits yachts de Charminster de l'autre côté du bras de mer. A la différence de son voisin plus grand et plus cosmopolite, Charminster vivait de ses hôtels contrôlés par l'Etat et de ses villas pour familles anglaises ; celles-ci arrivaient en Wessex par un itinéraire qui les déposait sur la côte Nord de l'île et n'approchait jamais de Dorchester.

Harkman regarda à nouveau vers Dorchester et pensa aux images qu'il avait vues de la ville qui se trouvait autrefois dans le même site. Tous les bâtiments du vieux Dorchester avaient disparu, et avec eux tout ce qu'ils évoquaient. Ceux qui n'avaient pas été abattus par les tremblements de terre avaient été submergés lors du glissement de terrain. Le nouveau Dorchester était un compromis heureux de rigueur et d'aménité, de fonctionnalisme et d'esthétique. Bien que la région n'ait pas connu de secousse depuis plus de quarante ans, la loi exigeait de chaque édifice une capacité de résistance à un choc de 6 sur l'échelle de Richter ; de même, chaque nouvel immeuble devait s'insérer dans la planification des concepteurs du centre de vacances. En conséquence, les carcasses des maisons, en acier renforcé et en béton, étaient recouvertes de plâtre, de stuc, de badigeonnages ; les balcons et terrasses dominant la mer étaient part intégrante des squelettes des structures, tout en portant des décorations en filigrane de fer forgé, des panneaux de pin, et beaucoup de verdure grimpante ; les fenêtres étaient laminées, les toits préfabriqués d'un seul tenant pour imiter les tuiles, et les rues, malgré leur charmante étroitesse et leurs pavés, étaient assez régulières et assez larges pour permettre aux véhicules des services de sécurité l'accès à n'importe quelle partie de la ville.

Même la mosquée, dont le dôme et les minarets dominaient la ville, ne subirait que des fissures superficielles si un tremblement de terre frappait.

Au loin le canon de Blandford tonna, et Harkman s'assit dans l'herbe sèche pour attendre que la marée s'engouffre dans le détroit. Ici, l'eau était toujours plus profonde qu'au port de Dorchester, et quand l'effet de la vague était ressenti, vingt minutes après, celle-ci n'avait plus guère que cinquante centimètres de haut. Les petits yachts pouvaient y naviguer sans difficulté, et Harkman entendait, de l'autre côté de l'eau, les cris stridents des enfants excités.

En fait, il ne s'agissait pas du tout de la vague, mais de la première onde provoquée par l'impétueuse arrivée de la barre principale à Blandford Passage. Mais c'était assez pour rappeler à Harkman son intention d'acheter un aquaplane le lendemain, et, tandis que d'autres vagues et d'autres encore venaient finir lentement dans le détroit avec la marée montante, il se demanda si le lendemain il aurait déjà le courage de faire sa première tentative sur la vague de Blandford.

Ce soir-là, pourtant, étendu dans sa chambre à la Maison d'accueil de la Commission, Harkman pensait à Maiden Castle, et à une jolie fille ébouriffée, aux yeux fuyants.

VI

JULIA fut réveillée par les mains de Greg qui se déplaçaient sur son corps. Elle était couchée, lui tournant le dos, et le sentait se serrer contre elle. C'était toujours comme cela le matin : Greg s'éveillait le premier, excité, et alors qu'elle était à peine consciente il voulait faire l'amour. Chaque nuit, quand le sommeil la prenait, elle redoutait le matin, connaissant l'inéluctabilité de ses exigences.

Toujours endormie et rêveuse elle essaya de reculer, comme si cela suffisait à le repousser loin d'elle.

Greg tendit une main au-dessus d'elle, la posa sous sa joue et tourna son visage vers le sien. Il l'embrassa, et elle sentit la respiration chaude et les lèvres humides sur sa bouche, la barbe qui râclait sa joue. Elle était molle, sans réaction ; elle n'arrivait même pas à ouvrir les yeux.
« Julia... embrasse-moi », dit-il d'une voix rauque, mais sa bouche était contre son oreille maintenant, et les mots étaient une intrusion soufflante et sifflante. Il introduisit par derrière une main entre ses jambes, et la colla à son sexe. Alors elle se retourna vers lui, l'obligeant à retirer sa main, et il l'entoura de ses bras, l'embrassant goulûment. Elle resta immobile, sans résister, et l'instant d'après il la pénétra. Elle était sèche, indifférente ; il prit son sursaut haletant pour de la passion, et ses mouvements devinrent pressants et possessifs. Par une longue habitude, elle remua avec lui, mais elle ne sentait rien, sinon un malaise.

Le plaisir était à lui seul ; elle ne se souvenait pas de la dernière fois où elle avait joui en faisant l'amour avec lui. Quand il parvint à un orgasme soufflant et bruyant, elle était complètement réveillée, et elle supportait son poids, tendue, très consciente de sa propre sexualité. Elle le sentait en elle, rétrécissant, humide, et contracta ses muscles contre les siens, cherchant le contact... mais Greg, sans rien remarquer, se retira sans un mot et retomba à plat ventre à côté d'elle, respirant profondément.

Chaque jour c'était la même chose ! Elle réagissait à lui, mais trop tard, et quand elle était prête il en avait fini. Elle étendit la main, et se sentit humide et chaude ; la pression de sa main provoqua une contraction involontaire des muscles.

Elle regarda Greg auprès d'elle ; il n'était pas endormi, mais son désir était épuisé. Elle ne l'activerait pas, elle n'essaierait pas. Greg faisait l'amour à sa façon.

Julia attendit encore quelques minutes, mais Greg ne bougea pas, et elle se glissa hors des draps rugueux et alla à la porte de la cabane. En l'ouvrant, elle fut éblouie par le soleil. Elle trouva une serviette, la passa autour de sa taille, et se rendit aux douches communales toutes proches. L'eau était tiède et salée, mais la rafraîchit, et emporta le dernier reste de son désir insatisfait. Quand elle revint à la cabane, Greg était parti. Elle jeta un coup d'œil à l'intérieur sale et désordonné, en souhaitant avoir plus de volonté pour faire le ménage.

Après avoir avalé quelque chose, elle partit à la recherche de Tom Benedict, l'un des membres les plus âgés de la communauté du Château. Elle le trouva auprès de l'un des fours, à râcler les cendres du foyer.

— Je peux te parler, Tom ?

Il la regarda, et elle vit que ses yeux étaient rouges et humides, et qu'il tenait le tire-braise à deux mains, une épaule étrangement voûtée. Il lâcha le râcloir et lui tendit une main.

— Julia. Aide-moi à me lever, s'il te plaît.

— Tu n'es pas bien, Tom ?

Elle prit sa main, et sentit les grandes jointures osseuses qui saillaient sous la peau parcheminée. Ses doigts étaient calleux et sales.

— Je vais bien, Julia. J'ai mal dormi, c'est tout.

Il était debout, mais ne lui lâchait pas la main. Elle le

mena au banc près du four et ils s'assirent. Il respirait péniblement.

Julia avait été occupée au stand pendant les deux ou trois dernières semaines, parce que la saison touristique battait son plein, et elle n'avait pas beaucoup vu Tom, sinon tard le soir. De tous les habitants du Château, elle était probablement celle qui en savait le plus sur Tom, parce qu'il s'était pris d'amitié pour elle peu après y être arrivé. Dans les quelque deux ans de son séjour au Château, il avait vécu de plus en plus à l'écart, mais elle savait qu'il venait du continent, qu'il avait été heureusement marié pendant des années, et que la fille née de ce mariage travaillait à Nottingham. Il y avait aussi deux petits-enfants. Il n'avait jamais directement expliqué les raisons de son adhésion à la communauté du Château, mais de plusieurs remarques Julia avait déduit qu'après la mort de sa femme, il avait dû vivre avec sa fille, et ne s'était pas bien entendu avec le mari. Comme il était plus âgé que la plupart de ceux du Château, il lui avait fallu longtemps pour s'intégrer, mais maintenant il était accepté par tout le monde. Plusieurs membres de la communauté, Julia en particulier, faisaient appel à ses avis et ses conseils.

— Tu ne devrais pas travailler, dit Julia. Qu'est-ce qui est arrivé à ton bras ?

— J'ai dû dormir dans un courant d'air. Ses faibles yeux étaient baissés vers ses genoux.

— Ça te fait mal depuis quelque temps, non ?

— Rien qu'un jour ou deux.

— Tu as vu Allen ?

C'était le médecin de la communauté, mais un homme difficile et distant.

— Oui.

— Tu ne l'as pas vu, Tom. Je te connais trop.

— Je vais le voir aujourd'hui.

— Tu devrais aller à Dorchester. A l'hôpital.

Julia resta une demi-heure avec Tom, en essayant de la persuader de se faire examiner par un médecin. Il lui semblait plus effrayé qu'obstiné, et Julia décida de parler elle-même à Allen si Tom ne le faisait pas.

Quant à son propre problème, elle l'avait écarté de son esprit. Elle était allée voir Tom à moitié résolue à tenter de lui parler de Greg, de la misère d'un partenaire sans amour et sans passion, et des troubles de son corps. De cela elle ne pouvait pas parler directement, bien sûr, mais il lui aurait bien suffi de parler de frustrations, sans préciser. Plus tard, elle se rendit à l'extrémité est du village pour s'occuper un peu des enfants. A cet endroit, tout près des remparts, l'école dominait la mer. La communauté comptait une trentaine d'enfants, et quand Julia n'était pas au stand à Dorchester, elle allait donner un coup de main à l'école.

L'éducation, à Maiden Castle, n'était qu'en apparence sans méthode ; les classes avaient lieu en plein air tant que le temps le permettait, et l'habillement des professeurs aussi bien que des élèves était dénué de formalisme, mais, depuis que la Commission avait envoyé des inspecteurs au Château, trois ans plus tôt, le contenu des leçons avait adhéré à la doctrine d'Etat. Les enfants étaient éduqués au Château jusqu'à l'âge de dix ans ; après quoi ils devaient suivre l'école d'Etat à Dorchester.

L'aide de Julia se limitait généralement à des activités récréatives, et ce matin-là on lui confia une bande d'enfants de neuf ans, qu'elle répartit en équipes de football. Bientôt elle se mêla activement au jeu, et se déchaîna, tapant dans le ballon chaque fois que celui-ci passait à sa portée, au grand amusement des enfants, plus ambitieux. On prenait le football très au sérieux à Maiden Castle, et Julia fit à plusieurs reprises la preuve de sa maladresse en laissant des gamins haletants lui souffler le ballon au moment où elle allait shooter.

Après une heure, elle s'aperçut que la partie improvisée avait un spectateur ; un homme, qui se tenait à l'écart et la regardait.

Elle quitta aussitôt le jeu et se dirigea vers lui. Il se tenait debout, comme elle l'avait vu quand il était arrivé sur l'hydroglisseur : détendu et attentif, la veste jetée sur les épaules. Il souriait en la voyant trotter vers lui, et son regard franc lui donna une insolite conscience de son aspect. Elle avait chaud, se sentait sale d'avoir couru, et aurait voulu pouvoir se brosser les cheveux.

— Je peux attendre, dit-il. Ça m'amusait de vous regarder.

— Non, je donnais juste un coup de main. Vous venez pour l'aquaplane.

— Je ne croyais pas que vous alliez vous souvenir.

Elle avait voulu oublier. Aussitôt qu'elle lui avait parlé, devant la boutique, elle l'avait regretté ; Greg était possessif, pas seulement du point de vue sexuel, et dès qu'elle avait regardé cet homme elle avait senti une réaction en elle-même, aussi bien que chez lui.

— Vous êtes... David Harkman, dit-elle, hésitant sur le nom comme si le fait de le prononcer allait avertir son possesseur de quelque sens profond, que ce nom possédait déjà pour elle.

— Oui. Et vous êtes Julia.

Il semblait très à l'aise. Il y avait toujours du vent au sommet de Maiden Castle, même à la chaleur du soleil, mais elle se sentait rouge et en sueur auprès de lui. Elle écarta les cheveux de son visage.

— Vous êtes venu en bateau ? demanda-t-elle.

— Non, je suis passé par la côte. Je voulais être hors du bureau.

— Vous travaillez pour la Commission.

— Je travaille dans la maison, mais je ne fais pas vraiment partie du personnel.

Elle observait sa figure, y sentait quelque chose de connu, une familiarité. Il était impossible qu'ils se soient rencontrés auparavant ; aucune possibilité de contact. Et pourtant, le soir sur le quai, quand il était arrivé ; hier devant la boutique d'aquaplanes ; aujourd'hui... une impression persistante de le connaître. Même son nom n'était pas une surprise. Harkman, Harkman... c'était une part d'elle-même.

Elle tenta d'écarter l'incertitude et dit :

— Voulez-vous voir des aquaplanes ?

— J'aimerais en essayer un ou deux, si c'est possible.

Elle regarda ses vêtements.

— C'est votre costume habituel pour le surf ?

Il rit en la suivant le long du terrain de sport.

— J'ai apporté un costume de bain.

— D'habitude, ici, on ne se donne pas cette peine.

— Je vois.

Les gens du Château étaient ordinairement très peu vêtus pendant les mois d'été. La plupart des enfants allaient entièrement nus, et aussi plusieurs adultes. Dans les ateliers, on portait des habits pour la protection, mais ceux qui travaillaient aux champs n'étaient généralement vêtus que d'une seule pièce. Julia portait sa blouse brune par habitude, mais seulement parce qu'elle aimait avoir des poches. En marchant à côté de David Harkman, elle observait ses vêtements cousus à la machine, le pantalon pressé, les chaussures cirées, la chemise bleu pâle. Son aspect était insolite dans le décor du Château, mais les gens qu'ils croisaient lui accordaient à peine un coup d'œil. Ils se dirigèrent vers le versant sud du Château, où les remparts affectaient une disposition plus complexe. Julia passa devant pour descendre la première pente. Ils suivirent le fond sur une courte distance avant d'arriver à une brèche dans le mur suivant. Ici se trouvait une des portes des anciens habitants du Wessex, qui facilitait le passage dans la prochaine déclivité.

Ils arrivèrent enfin à une construction récente : un grand bâtiment de bois. Il était ouvert et donnait, par une autre faille des remparts, sur une crique de la baie au-dessous d'eux.

Julia entra, et ils furent aussitôt assaillis par les odeurs caractéristiques de l'atelier : la peinture cellulosique, pénétrante et acide, la sciure, la colle à bois. L'atelier de peinture était dans une autre partie du bâtiment, à l'abri de la sciure de bois en suspens dans l'air, mais l'odeur de peinture était partout.

— Greg est là ? cria Julia au groupe d'hommes et de femmes qui s'activaient dans l'atelier, à couper et raboter du bois, en train de le scier, de le poncer, de le marteler.

— Dans l'atelier de peinture.

A l'instant Greg sortit de la partie protégée par des rideaux, un masque blanc sur le nez et la bouche. Quand il vit Julia avec Harkman il enleva le masque et salua l'homme de la tête.

— Greg, voici David Harkman. Il voudrait voir des aquaplanes.

— Vous cherchez quel genre de chose, Harkman ?

— Je ne sais pas. J'aimerais en essayer quelques-uns.

— Lourd ? Léger ? Moteur de quelle force ?

— Je ne suis pas sûr. Il y a longtemps que je n'ai pas fait de surf. Qu'en pensez-vous ?

Greg le toisa.

— Vous pesez combien ? Dans les quatre-vingts kilos ?

— A peu près.

— Il vous faudra un appareil assez grand. Cela dit, si vous vous y remettez juste, je ne choisirais pas un gros moteur.

— Vous avez quelque chose qui m'irait ?

— On va voir.

Greg sortit de l'atelier et se dirigea vers une plus petite bâtisse adjoignante. Julia et Harkman le suivirent. Deux douzaines d'engins terminés se trouvaient dans l'abri, entassés les uns sur les autres.

— Aucun de ceux-là n'a de moteur, dit Greg. Mais si vous en choisissez un, je peux le faire adapter.

Harkman et Greg passèrent plusieurs minutes à tirer des aquaplanes de la pile et à les porter à l'extérieur. Les conseils de Greg étaient secs, jetés d'un ton condescendant que Julia lui avait rarement entendu. Aussi insatisfaisantes que soient ses exigences sexuelles, Greg était d'habitude un homme généreux et calme, et la seule explication possible était qu'il avait détecté sa propre attention à la présence de Harkman.

Elle regarda Harkman choisir cinq aquaplanes. Tandis qu'il les soulevait l'un après l'autre pour sentir leur équilibre, elle remarqua le regard critique de Greg. Il semblait prêt à tenir pour acquis que Harkman était complètement novice.

— Combien demandez-vous pour un de ceux-là ?

Greg commençait à dire : « Ça dépend... » mais Julia l'interrompit.

— Trouvez-en d'abord un qui vous plaise. Tous les prix sont différents.

— Je peux essayer ces deux-là ? dit Harkman en indiquant ses choix.

— Je vais chercher des moteurs, dit Greg, qui retourna à l'atelier. Il lui fallut une demi-heure, à lui et à un autre homme, pour placer les moteurs et expliquer les contrôles. Les appareils furent portés jusqu'à une petite plage proche des remparts. Harkman les posait sur le sable, quand Julia prit Greg à part.

— Je peux m'occuper de lui maintenant, dit-elle.

— Je crois que je vais rester, dit Greg.

— C'est mon client. C'est moi qui l'ai amené ici.

— Rien qu'un client, hein ? Je n'aime pas sa manière de te regarder.

— Greg, c'est un homme de la Commission. Je veux faire la vente moi-même.

Le jeune homme jeta encore un regard critique à Harkman, et Julia vit dans ses yeux la même expression qu'il avait quand quelque chose éveillait sa jalousie. Elle ne s'était pas rendu compte que Harkman la regardait d'une manière particulière, et fut contente de l'apprendre.

— Alors obtiens le meilleur prix possible. S'il est de la Commission, il peut se permettre les mêmes qu'à la boutique du gouvernement.

— Je tiens le stand, Greg. Je sais faire une vente.

Le jeune homme ne faisait toujours pas mine de retourner à l'atelier. Elle ajouta :

— Je te parlerai tout à l'heure.

Greg hésita encore un instant, puis, avec un dernier regard méfiant à l'adresse de Harkman, il escalada la colline du rempart le plus proche, et il eut bientôt disparu.

VII

DAVID HARKMAN se pencha en avant pour trouver son équilibre, il lança le moteur et sentit l'accélération monter sous ses pieds. Il ralentit aussitôt, alerté par la réaction instantanée de la machine. Il dirigea la planche vers la sortie de la crique, et exécuta un ample virage. Face à la mer, il accéléra à nouveau, laissant cette fois le moteur porter l'appareil à pleine vitesse. La crique, abritée par la masse du Château d'un côté et de l'autre par une colline boisée, était aussi lisse que du verre. Seule son inexpérience pourrait le désarçonner.

En passant devant la petite plage où il avait lancé l'aquaplane, il chercha des yeux Julia pour lui faire signe, mais il n'y avait pas trace d'elle. Il arriva au goulet de la crique et fit à nouveau demi-tour, essayant cette fois le virage classique en aquaplane : basculer la planche de son poids, la faire tourner à cent quatre-vingts degrés sur à peine plus de sa propre longueur.

Il repartit avec une nouvelle confiance, et c'est alors qu'il vit Julia. Elle nageait, et leva un bras hors de l'eau en guise de salut.

Il menait bien l'engin, et lui fit parcourir l'étroite crique trois fois encore, prenant confiance et retrouvant à chaque tour une ancienne dextérité. Enfin il amena l'aquaplane là où nageait Julia et ralentit, laissant le moteur tourner.

Elle nagea jusqu'à lui. L'eau avait repoussé les cheveux de son visage, et ils collaient à sa tête comme la fourrure d'un animal. Quand elle posa les mains sur le bord de la planche, il vit qu'elle était nue.

— Vous êtes aussi pâle que les touristes ! dit-elle en riant, et elle lui éclaboussa les jambes.

— J'ai travaillé en bureau toute ma vie, dit-il, essayant de garder son équilibre, parce qu'elle faisait exprès de le secouer.

— Venez nager.

— Non, je veux essayer l'autre planche.

— Je vais vous faire tomber !

Il déclencha le moteur et s'écarta brusquement. A quelque distance, il fit demi-tour et se dirigea droit sur elle, freinant à quelques mètres et lui envoyant une nappe d'eau. Julia disparut sous la surface et ressortit en crachant de l'eau.

En riant, Harkman accéléra pour s'éloigner de la crique. Cinq minutes plus tard, Julia nageait toujours, aussi il retourna à la plage et traîna le second aquaplane jusqu'à l'eau. Il ne lui fallut pas plus d'un tour de crique pour découvrir que celui-ci, par rapport au premier, semblait plus lent et plus lourd.

Il vit Julia debout dans l'eau, qui lui arrivait à la ceinture, et il porta l'engin jusqu'à elle.

— Je vais prendre le premier, dit-il, la regardant du haut de la planche. Combien ?

Elle lui fit un sourire aimable, puis fit basculer l'aquaplane des deux mains. Harkman battit l'air de ses bras et tomba à la renverse. Dès qu'il y vit à nouveau clair, il se lança vers Julia, faisant jaillir l'eau, essayant de lui faire prendre une tasse... mais elle s'esquivait.

— Vous ne voulez pas nager ? dit-il, et il se dressa, les mains sur les hanches.

— Ça me suffit. Je commençais à avoir froid. J'attends ici.

Elle ramassa sa blouse et entreprit de s'essuyer avec. Harkman se retourna et plongea, il nagea jusqu'aux eaux plus profondes et plus vertes de la crique, tout en pensant que le bain aurait été beaucoup plus intéressant s'il avait été en train de s'ébattre avec une fille nue. Il fit la planche et vit que Julia avait posé sa blouse sur le sable et s'était étendue à côté ; elle l'attendait. Cinq minutes plus tard il remontait sur la plage, et Julia lui lança la blouse.

— Tenez... vous pouvez vous essuyer avec ça.

Il s'essuya le visage et le cou, et s'assit à côté d'elle.

— Je crois que je vais me sécher au soleil.

Il s'étendit sur le dos, conscient de sa proximité, conscient de sa nudité.

— Ce sont de bons aquaplanes, dit-il, tentant de concentrer son esprit sur d'autres sujets. La nudité était courante dans cette partie du Wessex ; la conduite désinvolte de Julia n'impliquait aucune avance.

— Je crois, dit Julia.

— Qui les dessine ?

— Quelques hommes à l'atelier.

Il se demanda si elle se rendait compte de la tension qu'il ressentait. Ils parlaient d'une manière détachée, indifférente, comme réticents à s'affronter à travers des propos plus directs. Ou bien était-il seul à ressentir cette impression ? Elle était couchée sur le dos, appuyée sur les avant-bras, le regard perdu sur la crique. Harkman essayait d'être discret dans sa contemplation admirative de son corps, entièrement couvert d'un bronzage doux.

Dans un effort pour se persuader qu'il n'était pas seul troublé, Harkman se demanda pourquoi Julia traînait à la plage avec lui. Si ce n'était que la question de la vente de l'aquaplane, l'affaire pourrait être traitée tout de suite.

Il avait fait un tas de ses vêtements, et il fouilla dans les poches de sa veste, en sortit des cigarettes.

— Vous fumez ?

— Non merci.

Il se laissa aller en arrière et avala la fumée. Derrière lui se dressait la masse du château, qui semblait lancer des feux dans le soleil, et d'où émanait une chaleur antique, une vie intérieure. Etait-ce la seule chose qui l'affectait ? Il avait enfin obéi à la pulsion qui l'avait saisi à Londres, et s'était rendu au Château. Pourtant rien ne s'était passé, tout comme maintenant, alors qu'il était couché sous ses remparts en pente douce, rien ne se passait.

Julia s'agitait, et elle lança à plusieurs reprises des regards vers le rempart.

— C'était votre ami ? demanda enfin Harkman pour

briser un silence qui durait depuis plusieurs minutes. L'homme de l'atelier de peinture ?

— Greg ? Ce n'est personne de spécial.

— Je croyais que vous vous attendiez qu'il revienne.

— Non... c'est juste... Elle s'assit, lui fit face. Je ne devrais pas être ici avec vous.

— Vous voulez remettre votre vêtement ?

— Ce n'est pas ça. Si Greg — ou n'importe qui — revenait, ils se demanderaient pourquoi je suis encore ici.

— Eh bien ? Pourquoi ?

— Je ne sais pas.

— Voulez-vous conclure le marché ? dit Harkman. J'ai l'argent sur moi.

— Non. Elle lui toucha la main. Non, s'il vous plaît. Restez et parlez-moi.

Voilà : pour Harkman, c'était une confirmation de sa propre impression. Rien de spécifique, rien qu'il pût mettre en mots. Pas de raisons, mais un besoin de rester avec elle, un besoin de parler et d'établir un contact quelconque. Il dit :

— Quand je suis arrivé à Dorchester, il y a deux jours, j'ai eu l'impression de vous reconnaître. Vous savez de quoi je parle ?

Elle acquiesça. « Je connaissais votre nom. David Harkman... c'était comme si vous le portiez sur vous en grosses lettres.

— Sérieusement ? sourit-il.

— Non... mais je le connaissais. Nous nous sommes rencontrés auparavant ?

— Je ne crois pas. Je ne suis jamais venu dans le Wessex de ma vie.

— Il y a seulement trois ans que je suis ici. »

Alors elle parla de son passé, comme pour établir une succession d'événements où leurs vies auraient pu se croiser. Harkman écoutait, mais il savait qu'il n'existait aucun lieu où ils auraient pu se voir : elle avait été élevée dans une ferme coopérative près de Hereford, et y avait vécu jusqu'à ces trois dernières années. Elle n'avait jamais été à Londres, n'avait même jamais voyagé plus à l'est que Malvern, où elle allait à l'école.

Harkman pensa à sa vie à lui, mais n'en parla pas. Il sentait son âge, se rendait compte qu'il devait avoir près de quinze ans de plus qu'elle... et que ces quinze années seraient plus difficiles à raconter que l'histoire de toute sa vie à elle. Et pourtant, pour s'en tenir aux événements, il ne s'était pas passé grand-chose : études, carrière, mariage, carrière, divorce, carrière... des bureaux, des secteurs gouvernementaux, des rapports, écrits et publiés. Pas grand-chose, pour plus de quarante ans de vie, mais plus qu'il n'avait envie de lui en décrire.

— Qu'est-ce alors ? dit-elle. Pourquoi est-ce que je vous connais ?

— Vous en êtes vraiment persuadée.

Elle le regardait dans les yeux, presque gravement, et il se rappela comme ses yeux s'étaient dérobés alors qu'ils parlaient devant la boutique.

— Je suis contente que vous ayez parlé de ça, fit Julia. Je croyais que j'étais la seule.

— Je vais le dire carrément : je suis attiré par vous.

Une grosse mouche bourdonna autour de la tête de Julia, qui l'éloigna de la main. La mouche entêtée se posa sur sa jambe et remonta le long de la cuisse d'un mouvement rapide, saccadé. Elle la chassa d'une pichenette.

— Pendant un instant, dit-elle, j'ai pensé que je... C'est difficile à dire. Hier à la boutique. Enfin, j'ai pensé que c'était sexuel. Vous savez, quand on ne peut pas contrôler.

— Vous êtes très séduisante, Julia.

— Mais ce n'est pas ça, n'est-ce pas ? Pas seulement ça.

— Je suis tenté de dire que si. Je voudrais que ce ne soit que cela, parce que ce serait plus simple. Pour moi, il y a ça... mais ce n'est pas tout.

— Je voudrais ma blouse, s'il vous plaît.

Il la lui passa sans un mot, et la regarda enfiler le vêtement. Elle se leva pour le faire descendre sur les jambes, puis se rassit auprès de lui.

— Vous vous êtes habillée parce que nous parlions de sexe ? dit-il.

— Oui.

— Alors je crois que nous nous comprenons.

Il eut soudain envie de la toucher, et tendit le bras pour lui prendre la main, mais elle l'écarta. Il poursuivit :

— J'ai l'impression que d'une certaine manière nous nous possédons l'un l'autre, Julia. Que nous sommes liés l'un à l'autre, et que notre rencontre était inévitable. Vous voyez ce que je veux dire ?

— Je crois.

— J'aimerais une réponse directe.

— Je ne suis pas sûre de pouvoir vous en donner une.

D'une chiquenaude, Harkman envoya son mégot rouler dans l'eau avec un sifflement. Il alluma aussitôt une autre cigarette.

— Ça vous blesse que je vous parle comme ça ?

— Non, mais c'est très difficile. Je sais ce que vous voulez dire, parce que je le ressens aussi. Dès que je vous ai vu je l'ai ressenti.

Harkman dit :

— Julia, il y a deux ans je travaillais à mon bureau de Londres, quand j'ai soudain ressenti un besoin terrible de vivre et de travailler ici, dans le Wessex. C'est devenu une obsession, je ne pouvais pas arrêter d'y penser. En fin de compte, j'ai déposé une demande de transfert à Dorchester... et il a fallu deux ans pour que l'autorisation fasse son chemin, mais j'ai fini par l'avoir. Maintenant je suis ici, et je ne sais toujours pas pourquoi. Là, pendant que je vous parle, j'ai le sentiment que c'était pour vous rencontrer, vous ou quelqu'un comme vous. Mais rationnellement, je sais que c'est absurde.

Il s'arrêta, se souvenant comme il avait rongé son frein à Londres dans l'attente de voir confirmer sa mutation.

— Continuez.

— C'est à peu près tout. Sauf que maintenant que

je vous ai rencontrée, c'est comme si la raison de ma venue n'avait été qu'un prétexte.

A sa surprise, Julia dit :

— Je crois que je comprends. Quand je suis venue à Maiden Castle pour la première fois, tout ce qui était arrivé auparavant m'est apparu comme irréel.

Harkman la regarda, stupéfait.

— Vous êtes en train d'inventer ça ?

— Non. Je me souviens de mon père et de ma mère, et je me souviens de la ferme, de l'école... de tout ça... Mais en même temps je peux à peine me souvenir de ce que c'était vraiment.

— Vous voyez vos parents ?

— De temps en temps. Je crois que je les ai vus... récemment. Je ne suis pas sûre.

— Et vous ne rentreriez jamais à la ferme ?

Elle secoua la tête. « Ce serait impossible.

— Vous savez pourquoi ?

— Parce que j'ai des engagements envers le Château. » Elle regardait loin de lui. « Non, ce n'est pas que ça. Ma place est ici. Je ne peux pas dire pourquoi.

— Ma place est avec vous, dit Harkman. Je ne sais pas non plus pourquoi. Je ne quitterai jamais le Wessex.

— Que voulez-vous, David ?

— Je vous veux, vous, Julia... et je veux savoir pourquoi. »

Elle le dévisagea :

— Si vous aviez à faire un choix, que décideriez-vous ?

Et elle détourna les yeux, exactement comme devant la boutique d'aquaplanes.

Un bruit au-dessus d'eux fit se retourner Harkman. Greg était apparu au sommet du rempart le plus proche et descendait vers eux. Julia aussi l'avait vu.

Harkman dit :

— Voulez-vous venir dans ma chambre cette nuit ? A Dorchester.

— Non, je ne peux pas. C'est impossible.

— Demain, alors.

Elle secoua la tête, regardant Greg qui avançait, mais dit :

— Je ne sais pas où c'est.

Elle se leva, lissant sa blouse d'une main coupable.

— La Maison d'accueil de la Commission. Chambre 14.

Greg déboula sur le sable et vint vers eux. Harkman se tourna vers lui.

— Je voudrais celui-ci.

— Deux mille dollars, dit Greg. Sept mille de supplément pour le moteur.

— Greg, ce n'est pas le prix habituel, dit Julia.

Harkman la regarda et, conscient du double sens, dit :

— Alors ?

Julia époussetait le sable de sa blouse, le visage toujours caché.

— Normalement nous demandons six mille pour l'ensemble.

Greg n'eut aucune réaction.

— Ça paraît un bon prix.

Harkman se pencha et ramassa sa veste.

— Je le livrerai moi-même, dit Julia. Demain soir.

Harkman compta l'argent dans la main de Greg, tandis que Julia se tenait à la limite des vagues, laissant dériver son regard vers l'étroit bras de mer.

VIII

En milieu d'après-midi, il devint clair que Tom Benedict était très malade, et Julia interrompit ses rêveries intriguées sur David Harkman pour faire emmener Tom à l'infirmerie du village du Château. Hannah et Mark, qui tenaient avec elle le stand à Dorchester, l'attendaient là-bas pour les heures de vente du soir, et elle dut trouver le temps d'y envoyer quelqu'un porter le message.

Quand elle retourna à l'infirmerie, Allen avait déjà examiné Tom, et le vieil homme était couché, aussi confortablement que possible, dans la salle fraîche peinte en blanc. Il reconnut Julia quand elle entra, mais ne tarda pas à s'endormir.

L'infirmerie du Château fonctionnait totalement sur la base du bénévolat, et n'avait pas d'installations médicales propres. Ce n'était qu'une grande cabane basse qu'on gardait propre et aérée et qui contenait seize lits, où l'on pouvait soigner les maladies bénignes. Quelques médicaments étaient en réserve dans une petite pièce à un bout, mais tous les malades graves devaient être traités à l'hôpital de Dorchester.

Julia arrêta l'une des femmes qui travaillaient à temps partiel comme infirmière.

— Où est Allen ? Qu'est-ce qu'il fait pour Tom ?

— Il a dit qu'il lui fallait du repos. Il a été appelé à Dorchester, et quelqu'un va venir ce soir.

— Ce soir. Ce sera peut-être trop tard. Il a dit ce qui n'allait pas ?

— Non, Julia. Tom est vieux... Ça pourrait être n'importe quoi.

Exaspérée, Julia retourna au chevet et prit la main à la peau mince de Tom dans la sienne. Les doigts étaient froids et raidis, et elle crut un instant qu'il était mort pendant qu'elle s'était éloignée du lit. Puis elle perçut un mouvement très lent, très faible de la poitrine. Elle glissa la main de Tom sous la couverture et continua de la tenir, s'efforçant de le réchauffer.

Il faisait froid dans la salle, parce que les fenêtres étaient ouvertes, et, bien qu'il n'y eût qu'un vent doux, le soleil semblait ne jamais chauffer l'infirmerie. Julia écarta les rares cheveux blancs des sourcils du vieillard, et sentit que là aussi la peau était froide, sans transpiration.

Julia n'aurait pas pu dire à quel point elle se sentait proche de Tom ; plus proche qu'elle ne se sentait de ses parents, plus proche que de Greg... Et pourtant ce n'était ni un lien du sang, ni un lien sexuel. Il s'agissait d'une affinité, d'une compréhension inexprimée.

Il y avait environ deux cents personnes dans la communauté du Château, enfants compris, mais rares étaient ceux qui avaient la moindre influence sur sa vie ou ses pensées. Elle pensait aux autres comme à de pâles silhouettes, manquant de personnalité, suivant ceux qui les menaient.

Allen, le docteur, était un de ces hommes. Indubitablement il était qualifié pour sa pratique médicale, et il était excellent dans le traitement des troubles mineurs, et pour diagnostiquer les maladies. Mais il semblait ne jamais agir ; tout ce qu'il ne pouvait pas traiter avec les médicaments à sa disposition, il le renvoyait immédiatement à l'hôpital de Dorchester. Peut-être était-ce juste... mais la personnalité d'Allen était négative, incapable d'initiative.

Greg en était un autre exemple. Malgré le fait qu'elle couchait avec lui depuis des mois, et bien qu'il y ait eu au début un certain intérêt de part et d'autre, Julia n'était jamais vraiment arrivée à connaître le jeune homme. Pour elle, c'était toujours l'artisan distant, efficace, qui travaillait dans l'atelier d'aquaplanes, ou l'homme sans égards, égoïste et sans amour qui se servait de son corps. Dans la communauté du Château, Greg semblait être l'un des hommes les plus populaires — et quand Julia ne souffrait pas de ses attentions physiques elle le trouvait divertissant et d'une compagnie agréable — mais, lui aussi, il avait cette pâleur de personnalité qui était une constante frustration pour elle. Parfois, quand elle était seule avec lui, Julia avait envie de lui hurler à la figure, de crier, d'agiter les bras... n'importe quoi pour obtenir la moindre réaction.

Cependant il y avait les autres, et ils étaient ici au Château, à Dorchester et dans la campagne environnante.

Il y avait Nathan Williams, qui avait joué un grand rôle dans l'organisation et la mise sur pied de la communauté ; on disait qu'il avait été au Château au moment où la Communauté s'était formée. Il y avait une femme du nom de Mary, l'une des potières. Il y avait Rod, qui travaillait sur le bateau de pêche appartenant au Château. Il y avait Alicia, l'une des enseignantes. Il y avait Tom Benedict.

Parfois, en travaillant au stand à Dorchester, Julia voyait des habitants passer dans le port... et elle devinait, avec ceux-là aussi, une certaine affinité.

Pendant longtemps elle s'était dit que c'était un don, une clairvoyance incontrôlable. Elle s'était demandé si elle possédait des pouvoirs télépathiques, ou quelque chose de semblable, mais il n'y avait jamais de manifestations d'un autre ordre. Rien qu'une compréhension indicible, une reconnaissance.

Elle avait tenté de ne pas en tenir compte pendant quelque temps ; c'était devenu moins important, mais la rencontre avec David Harkman lui avait rappelé qu'il s'agissait là d'un fait réel et inexplicable de sa vie. Même si, avec David, il s'y ajoutait autre chose, une charge sexuelle, un désir physique, une tension émotionnelle.

— C'est toi, Julia ?

Tom parlait très faiblement. Ses yeux n'étaient pas ouverts. Elle lui serra doucement la main sous la couverture.

— Je suis ici, Tom. Ne t'inquiète pas. Un docteur va venir de Dorchester.

— Ne lâche pas...

Elle regarda autour d'elle. Elle et Tom étaient seuls dans l'infirmerie ; l'été, pour les villageois, était un temps de bonne santé. Mais elle aurait souhaité qu'il y eût quelqu'un avec eux, une infirmière qualifiée... ou Allen.

Par l'une des fenêtres elle voyait des enfants qui couraient, jouaient et s'appelaient de leurs voix criardes. L'école était finie pour la journée, le soir serait bientôt là.

Elle n'avait jamais détecté l'affinité avec aucun des enfants, tout en ayant de l'affection pour eux, et bien que les professeurs de l'école fussent toujours heureux de son aide. Pour elle, les enfants étaient une présence grouillante et minuscule : bruyants, remuants, exigeant temps et énergie. Mais, comme David Harkman l'avait dit à propos de sa carrière, et comme elle le pensait de son passé, les enfants étaient un fait, pas quelque chose qui lui inspirait des sentiments. Quelques semaines plus tôt, une femme du village avait accouché, et Julia avait vu la mère et l'enfant peu après. Cela avait ressemblé à un portrait classique de la saine maternité : la mère assise dans son lit de l'infirmerie, les cheveux défaits, un cardigan épinglé sur les épaules. L'enfant pleurait dans ses bras, rose, humide et tout petit. Les yeux de la mère étaient grands et las, les draps avaient été tirés sur elle. Rien ne s'était passé de travers, pas de soucis : la mère et l'enfant allaient bien. Julia n'avait jamais connu de crise chez aucun des habitants du village : il y avait des épidémies de grippe, et les enfants se passaient la rougeole et les oreillons... mais elle n'avait jamais vu personne se casser une jambe en tombant, aucune grossesse n'avait jamais mal tourné, et personne n'était mort de mort violente. Il y avait un cimetière à l'extrémité occidentale de l'enceinte du Château, mais les rares décès se produisaient tranquillement, discrètement.

C'était un endroit abrité, sans danger ; tout se passait comme si les plus rudes réalités de la vie y étaient remises à plus tard.

Alors, comme pour contredire ses pensées, Tom gémit, et tourna la tête, agité.

Mais Tom, c'était autre chose ; Tom reconnaissait l'affinité. Pour elle, il avait toujours été sur le devant de la scène ; un des acteurs principaux, non pas un membre du chœur. Cette analogie s'était souvent imposée à Julia, comme si elle allait tout expliquer, mais cela ne faisait jamais que renforcer son sentiment.

Avant d'en parler à David Harkman, elle n'avait jamais directement confié ce sentiment à personne. Ni à Nathan, ni à Mary... pas même à Tom. Mais c'était David Harkman lui-même qui en avait parlé, qui l'avait désigné.

Nous sommes différents, vous et moi, avait-il dit. Nous sommes différents, parce que nous sommes semblables.

L'infirmière apparut à l'entrée de la salle, tenant un petit enfant par la main. Elle avança lentement vers le lit et Julia se tourna vers elle, anxieuse, sans lâcher la main de Tom.

— Le docteur va venir ? demanda-t-elle.

— Je vous l'ai dit, ma petite, il arrive. Ils doivent avoir du travail à Dorchester, avec tous ces étrangers qui débarquent.

— Voulez-vous essayer de le trouver ? Tom va très mal. Je ne sais pas quoi faire.

La femme passa devant elle et posa la paume de sa main sur le front du vieillard.

— Il n'a pas de fièvre. Il dort, c'est tout.

— Je vous en prie, allez chercher Allen ! Je suis très inquiète.

— Je vais voir où il est.

L'enfant grimpait sur le bord du lit, retombait sur le ventre et riait, sans se soucier des jambes de Tom, sur lesquelles il s'appuyait, et qui le faisaient peut-être souffrir. La femme reprit la main de l'enfant, et retourna lentement à la porte. Julia voulait lui répéter de faire vite, consciente que Tom en était à un stade critique. Sa tête se déplaçait toujours lentement d'un côté à l'autre, et ses yeux étaient ouverts, mais ne voyaient pas.

— Pensez-vous qu'il lui faudrait à manger ? demanda la femme en se retournant sur le seuil.

— Non. Allez chercher Allen... et s'il vous plaît, pour le bien de Tom, trouvez-le dès que...

Tandis qu'elle parlait, Julia sentit la main de Tom s'éloigner de la sienne. Toujours tournée vers la femme, elle tendit la main sous la couverture, à sa recherche. Elle se retourna vers le lit, craignant le pire... mais loin de s'attendre à ce qu'elle vit.

Le lit était vide.

La couverture était toujours froissée là où il avait été couché, et le drap du dessous gardait un peu de la chaleur de son vieux corps, mais Tom avait disparu. Le souffle coupé, Julia recula, écartant bruyamment sa chaise.

— Tom ! Pour l'amour de Dieu, Tom !

L'infirmière la regardait depuis la porte. « Qu'est-ce qu'il y a ? »

— Il n'est plus là !

Incrédule, Julia rejeta la couverture, comme si le vieillard avait pu se ratatiner sous les draps, tel un enfant qui joue à cache-cache. La couverture glissa du rebord métallique du lit, tomba en tas sur le sol. Le drap du dessous portait encore l'empreinte du corps de Tom.

— Que faites-vous là, Julia ? Vous savez qu'il n'y a personne ici...

Julia se jeta sur le lit, s'agenouilla dessus, se pencha de l'autre côté, dans l'espoir fou que Tom était tombé du lit, qu'il était toujours là... Mais le sol était nu.

La femme avait laissé l'enfant à la porte et marchait vers elle à grands pas. Arrivée au lit, elle saisit Julia par le bras et la tira vers elle.

— Si c'était vous qui deviez faire ces lits...

— Tom a disparu ! Il était là ! Je lui tenais la main !

— Qu'est-ce que vous racontez ? Il n'y a personne ici.

Julia avait envie de crier. Muette de douleur, elle indiqua le lit, preuve évidente de ce qu'elle disait par le simple fait qu'il était vide.

La femme tira la couverture que Julia avait rejetée.

— Ces lits doivent toujours être prêts. Que faites-vous ici ? Vous ne vous sentez pas bien ?

Les paroles de la femme n'avaient aucun sens. Julia s'écarta du lit et resta devant elle, essayant encore d'exprimer l'impossibilité de ce qui venait de se produire.

— Tom ! Tom Benedict ! Vous l'avez vu... Il était ici.

La femme frottait le drap du dessus de la main, pour

l'aplanir, comme pour effacer la dernière preuve de la présence de Tom. Dans une dernière tentative désespérée, Julia arracha follement l'oreiller, comme si le frêle corps de Tom pouvait être caché dessous. La femme le lui reprit, lui redonna forme et le remit en place.

Julia recula, regarda l'infirmière refaire le lit. L'enfant était à la porte et donnait des coups de pieds paresseux dans le chambranle. Le reste de l'infirmerie était nu, vide, silencieux. Ça dépassait l'entendement : Tom ne pouvait pas s'esquiver, disparaître de la face de la Terre !

Toujours sans comprendre, Julia s'adressa de nouveau à l'infirmière.

— Je vous en prie ! Vous avez vu Tom dans ce lit. Il était mourant ! Vous avez tâté son front. Vous avez dit qu'il n'avait pas de fièvre, et que vous alliez chercher Allen.

A la mention du docteur, la femme la regarda.

— Allen ? Il est à Dorchester, je crois. Je ne l'ai pas vu de la journée.

— Mais vous avez vu Tom Benedict ici ?

La femme secoua lentement la tête. « Tom... Benedict ? Qui est-ce ?

— Vous savez bien ! Tom ! Tout le monde le connaissait ! » La femme borda la couverture sous le matelas, l'égalisa de la main et se redressa.

— Je regrette, Julia. Je ne sais pas de quoi vous parlez. Je vous trouve ici toute seule, en train de mettre le lit sens dessus dessous. Que voulez-vous que je pense ? Est-ce que vous dites que quelqu'un est malade ?

Julia reprit son souffle, prête à recommencer son histoire à zéro, mais elle saisit tout à coup que la femme n'avait sincèrement aucune idée de ce dont elle parlait. L'atmosphère de l'infirmerie avait un côté aseptisé, vacant : il y avait des semaines que personne n'avait été malade dans la communauté.

— Excusez-moi... je ne sais pas ce qui m'a pris.

A pas lents elle sortit de la salle, passa devant l'enfant, et se trouva dehors, sous le soleil. Les écoliers jouaient toujours, une balle bondissait de l'un à l'autre. L'un des enfants, en pleurs, sortit du groupe en courant. Deux autres suivirent, puis retournèrent jouer. Au loin, Julia pouvait voir les gens qui travaillaient dans les champs.

Devant le bâtiment, elle attendit la sortie de la femme. Celle-ci ferma la porte, regarda Julia avec curiosité, puis s'en fut vers le village.

Julia resta près de l'infirmerie, toujours incapable de comprendre ce qui y était arrivé, toujours réticente à quitter ce lieu, comme si le fait de rester pouvait ramener Tom... son vieux sourire, quand il confessait un canular.

Peu après elle contourna le bâtiment pour voir si Tom aurait eu le moyen de sortir sans qu'elle le remarque. Il y avait deux autres portes, toutes deux fermées à clé.

Le soir elle parla à Nathan Williams.

— Tu as vu Tom ?

— Tom ? Tom qui ?

— Benedict. Tom Benedict.

— Jamais entendu parler.

Personne ne le connaissait. Plus tard encore elle retrouva Allen.

— Tu as soigné Tom aujourd'hui ?

— J'étais à Dorchester, Julia. Il est toujours malade ? Qui est-ce ?

— Tom...

Alors elle découvrit qu'elle ne se souvenait pas de son nom de famille. Elle prit un repas avec un groupe, en essayant d'y penser... mais à la fin du repas, elle n'arrivait pas même à se rappeler le prénom.

Elle ressentit une impression de grande perte, d'une tristesse envahissante, et la conscience que quelqu'un qu'elle avait aimé n'était plus là.

Quelqu'un était mort ce jour-là, ou avait quitté la communauté. Elle ne savait pas très bien. Et elle ignorait de qui il s'agissait. C'était très vague. Etait-ce un homme ou une femme ?

Lorsqu'elle s'étendit auprès de Greg, ce soir-là, le sentiment s'était transformé en une tristesse générale, qui ne s'attachait pas à un seul événement ou à une personne en particulier.

Elle dormit bien, et quand, au matin, elle fut réveillée par les avances insistantes de Greg, elle n'avait pas de souvenir de ce qui s'était passé le soir précédent. Sa tristesse était partie, et tandis qu'elle était couchée, que Greg la pénétrait, c'est à David Harkman qu'elle pensait, et à son intention de lui rendre visite le soir. Elle était toujours aussi intriguée et excitée, et, parce qu'elle pensait à David Harkman, Greg, pour une fois, ne la laissa pas insatisfaite.

IX

Avant le départ de Greg pour l'atelier, Julia lui dit qu'elle passerait la journée au stand à Dorchester, et qu'elle reviendrait en fin d'après-midi chercher l'aquaplane pour David Harkman.

— Pourquoi ne pas le prendre maintenant ?

— Le bateau va être chargé à plein. De toute façon il faut que je revienne au Château cet après-midi. Je peux faire un voyage exprès.

Greg la regarda, soupçonneux, et Julia pensa un instant qu'il allait dire qu'il livrerait lui-même l'aquaplane à Harkman. Elle était préparée à cela : bien qu'elle fût résolue, au sujet de David Harkman, il lui restait un doute quant aux conséquences, et elle serait soulagée de voir quelqu'un prendre la décision à sa place. Mais Greg ne dit rien, et partit bientôt à l'atelier.

Une fois seule, Julia fit une toilette hâtive, puis alla trouver Mark et Hannah. Mark était déjà parti à pied, et Hannah préparait l'embarcation sur laquelle les marchandises du Château étaient transportées en ville. Il s'agissait d'un petit canot auquel avait été fixé un moteur à fuel de vieux modèle. C'était le seul bateau à moteur — en fait, le seul véhicule motorisé — que possédait le Château, et, la nuit, il était amarré sur un banc de sable sous les remparts nord-est du Château.

— J'aurai besoin du bateau ce soir, Hannah. Je reviendrai au Château dans l'après-midi. Mark et toi, vous pouvez rentrer à pied ?

Hannah, une femme tranquille entre deux âges, approuva de la tête.

Julia dit :

— Je vais à Dorchester à pied ce matin. J'ai plusieurs choses à faire ici d'abord.

Hannah acquiesça de nouveau, les yeux dans le lointain. Julia l'avait toujours trouvée d'un abord difficile, et les deux femmes se connaissaient à peine. Parfois deux ou trois jours pouvaient s'écouler au stand sans qu'elles s'adressent la parole. Cela ne semblait pas les gêner. Julia l'aida à lancer le bateau, et poussa celui-ci en eau plus profonde avant que Hannah ne démarre le moteur. De la plage, elle regarda la petite embarcation s'éloigner en crachotant, puis elle rentra en longeant les remparts du nord. Le bas de sa blouse s'était mouillé quand elle était entrée dans l'eau. Elle ôta le vêtement et le mit au soleil pour quelques minutes.

La chaleur du soleil sur son corps lui rappela la veille, quand, allongée sur le sable de la crique, elle avait vu David Harkman nager, et qu'elle avait ressenti le piquant de l'attente sexuelle. Cette attente était toujours là. La perspective de la soirée lui donna l'impression d'avoir de nouveau seize ans, quand tout était plein de mystère et de promesses dangereuses, et que chaque jeune homme de la ferme coopérative s'était mis à la regarder avec un intérêt nouveau, et qu'elle avait entrepris d'en savoir plus long sur la nature de cet intérêt.

Ces premières expériences semblaient maintenant lointaines et irréelles ; peut-être avaient-elles été changées rétrospectivement par les longs mois de monotonie sexuelle avec Greg, ou peut-être leur unique charge émotionnelle, en réalité, avait-elle tenu à la nouveauté.

Julia pensa à David Harkman, elle pensa au magnétisme insaisissable qui les attirait l'un à l'autre, et elle sentit une moiteur dans sa bouche, un nœud dans l'estomac : l'excitation physique, la montée de l'émotion.

Après quelques minutes à paresser dans ces pensées agréables, elle se leva et toucha le bas de sa blouse. Elle était toujours humide, mais Julia avait envie de marcher et se rhabilla. Elle escalada le premier rempart et fit halte un instant pour contempler la baie toute bleue. La marée était haute, mais le reflux commençait, des douzaines d'embarcations de plaisance voguaient sur les eaux calmes. Une légère brume flottait dans l'air, et les collines entourant Blandford Passage étaient invisibles depuis le Château. Parfois Julia enviait les riches touristes, eux qui pouvaient acheter cet endroit magnifique et en jouir, abrités qu'ils étaient des soucis quotidiens plus prosaïques de la population. Personne, dans cette partie du Wessex, ne connaissait vraiment la pauvreté, mais il y avait un monde entre les villas, les appartements, les hôtels offerts à la vue des visiteurs, et les conditions locales de logement. Les mois d'hiver étaient durs pour tous dans le Wessex, et quand le mascaret déferlait dans le Passage, dans sa furie hivernale, c'était comme un rappel des forces élémentaires qui avaient modelé la région, non plus une attraction touristique pour les riches et les oisifs.

Il y avait pour Julia une double ironie dans le fait qu'une part substantielle des revenus de Maiden Castle provenait de la fourniture d'équipement en vue de cette attraction. La première était implicite — car la communauté du Château n'aurait pas pu survivre sans la vente de ses aquaplanes — et la seconde tenait à ce que ce commerce lui avait amené David Harkman, et elle ne rangeait celui-ci ni parmi les riches ni parmi les oisifs.

Elle fit demi-tour et se dirigea vers l'intérieur des terres, suivant la ligne de faîte du premier rempart. Un peu plus loin elle descendit la pente et emprunta un chemin qui serpentait dans les prés entre le Château et Dorchester, sans mener à un endroit précis, mais en s'écartant de la mer. Il y avait, le long de ce chemin, un de ses coins préférés, un creux tranquille, un sanctuaire secret.

La mer, aussi calmc et plate fût-elle, imprégnait toujours l'air de la côte ; une fois dans les terres, Julia sentait sa présence glisser au loin derrière elle, et l'air semblait plus chaud, plus tranquille, plus chargé de poussière et de vie. Les insectes volaient et bourdonnaient, l'herbe bruissait, les plantes poussaient vertes et humides, sous ses pieds le sol était plus doux, plus brun. Julia avançait lentement, avec un sentiment de liberté, d'insouciance.

Elle arriva enfin au lieu qu'elle cherchait : un monticule couvert de fougère. C'était à quelque distance du

Château, mais sur un versant du monticule une partie de celui-ci restait visible, à travers un trou dans les arbres, autour du petit hameau de Clandon. Julia gravit la pente, se frayant un chemin à travers la fougère sauvage qui lui arrivait par endroits à hauteur des épaules. Le sol était couvert de mousse, peuplé de toutes sortes de petits animaux et insectes. Sur le versant opposé il y avait une brèche naturelle dans la végétation : le sol y était plus pierreux, et la fougère y poussait moins dense.

Julia s'assit, ceignant ses genoux de ses bras, et regarda vers le sud. Elle n'avait jamais vu personne du Château ici. C'était le seul endroit où elle pouvait venir, sûre d'être seule.

Elle resta à rêver pendant une heure, jouissant de la chaleur, prenant plaisir à la solitude. Puis elle retraversa la fougère ; elle voulait prendre le plus longtemps possible pour arriver à Dorchester, et passer le reste de la journée au stand avant de ramener le bateau au Château.

Un éclair aveuglant frappa son visage à l'improviste ; elle cligna des yeux et se retourna, chercha la source de lumière : c'était venu de sa droite, à travers la fougère.

Elle fit un pas de côté, pour percer du regard la végétation épaisse. Il n'y avait rien, aucun mouvement, aucun signe. Elle avança, mais vers la droite, pour en avoir le cœur net. En écartant une grosse touffe de fougère, elle vit un éclat de lumière blanche qui se déplaçait rapidement vers elle, zigzaguant à travers les fourrés et les feuilles. Il l'eut bientôt trouvée, et le reflet du soleil l'éblouit à nouveau. Elle se pencha sur le côté et découvrit aussitôt la source de la lumière : un jeune homme était accroupi dans les fougères à une vingtaine de mètres d'elle, un morceau de verre à la main.

Il se dressa dès qu'il se vit repéré.

— Que faites-vous ? appela-t-elle, tenant la main levée, s'il avait voulu recommencer à jouer avec la lumière.

— Je te regarde, petite.

Un accent et un ton de la région, mais ses doutes furent immédiatement éveillés par quelque chose qu'elle devinait dans la voix, comme si l'accent était imité.

Il marchait vers elle, repoussant la fougère à deux

mains. Elle vit qu'il était beau, les cheveux sombres, une démarche et un physique dégagés ; pourtant, le sourire qu'il arborait avait quelque chose d'inquiétant. Elle pressentit le danger, mais vit alors qu'il portait une blouse semblable à la sienne, ce qui voulait dire qu'il était du Château. Mais elle ne le reconnut pas.

— Qui êtes-vous ?

— T'occupe, dit-il, toujours avec un fond du vieil accent du Wessex. Je sais que toi, tu es Julia. Pas vrai ?

Elle fit oui de la tête, malgré elle. « Vous êtes du Château ? »

— Si on veut.

— Je ne vous ai jamais vu.

— Je viens juste d'arriver, pour ainsi dire.

Il était devant elle maintenant, nullement menaçant, mais il semblait amusé par sa vue. De la main droite il tenait un miroir, un petit disque de verre poli et argenté, très ordinaire. Il jouait avec devant elle, le faisait tourner sur lui-même à la hauteur des épaules, et Julia distinguait des reflets tourbillonnants de fougère, de ciel, d'elle-même.

— Que voulez-vous ?

— Tu sais sûrement ce que je veux, petite.

Le ton ne suggérait encore aucune menace, mais il semblait surpris qu'elle ne sache pas.

— Je retourne au Château, dit-elle, tentant de passer devant lui.

— Moi aussi. Nous allons marcher ensemble.

En parlant il s'écarta, et le soleil frappa le visage de Julia. Une fois encore le miroir attrapa le soleil, et il lui renvoya la lumière dans les yeux.

Elle tourna la tête. « Ne faites pas ça, s'il vous plaît !

— Regarde dedans, Julia. »

Il le brandit à la hauteur de ses yeux. D'abord elle essaya de ne pas regarder, elle ne voulait pas à nouveau se laisser étourdir, mais cette fois il le tenait de telle manière qu'elle pouvait y voir sa propre image. Sa main était ferme, mais le miroir était très légèrement incliné, lui laissant voir un reflet de son menton et de son cou.

Automatiquement, elle se baissa un peu pour pouvoir mieux s'observer.

— Ne bouge pas, Julia.

Elle l'entendit à peine, car contempler ses propres yeux, c'était comme scruter l'intérieur d'une profonde caverne. Cela l'effrayait et la fascinait, parce que plus son regard s'attardait, plus celui de son reflet devenait profond.

Elle recula involontairement et cligna des yeux.

— Tu t'es vue, Julia ?

— S'il vous plaît... Je ne comprends pas. Qu'est-ce que vous faites ?

Il tenait toujours le miroir braqué sur elle, mais elle s'était écartée et n'était plus pétrifiée par son propre regard. Alors, dans le miroir, elle vit un second reflet. Il y avait quelqu'un derrière...

Elle se retourna, affolée. Un autre homme s'était approché derrière elle, sans bruit, à travers la fougère. Lui aussi tenait un miroir, essayait de l'obliger à regarder son propre reflet.

Une conscience trouble, un souvenir éloigné...

— Non ! dit-elle. Je vous en prie !

Le premier homme faisait encore virevolter son miroir, captant le soleil, envoyait les rayons brillants papillonner autour de sa tête, zébrer son visage.

Elle ferma les yeux, s'efforçant d'éviter la lumière, de chasser la terreur qui était en elle.

Le deuxième homme dit :

— Julia, regarde le miroir.

Il était à côté du premier maintenant, et tous deux lui mettaient leurs miroirs sous le visage. Elle avait beau reculer, trébuchant dans la fougère, ils étaient toujours devant elle, et bientôt il était inévitable qu'elle...

Son regard s'accrocha à celui de son moi reflété. La même peur et la même fascination s'y trouvaient, l'attirant, la maintenant dans les limbes de l'illusoire monde du reflet. Elle devint bidimensionnelle, étalée sur le plan entre le verre et le tain. Elle sentit une dernière et terrible impulsion à fuir, à se cacher, mais il était trop tard et elle était prise dans le miroir.

Plus tard, elle se trouva en train de reparcourir le chemin qu'elle avait suivi, un homme devant elle, l'autre derrière. Sa transe excluait toute conscience du monde extérieur, sinon la vue du dos de l'homme qui marchait devant, le son de l'autre derrière.

Ils arrivèrent à Maiden Castle, et elle escalada les remparts avec eux. Ils passèrent la première éminence de terre, puis la seconde, puis continuèrent entre seconde et troisième. Quelques personnes étaient là, mais Julia ne leur accorda aucune attention, et on ne la remarqua pas.

Ils arrivèrent enfin à une construction artificielle dans le fossé : un édifice bas, en béton. Il était ouvert sur un côté, et ils entrèrent. Là il n'y avait rien : le sol était couvert de blocs de pierre, les murs et le plafond étaient fissurés. Le jour passait en de nombreux endroits. Au fond, des marches descendaient ; le premier homme s'y engagea. Ils marchaient lentement, prudemment, posant les pieds sur des petits tas de débris de plâtre et de béton. L'air était glacial et sentait la terre. Au bas de l'escalier il faisait sombre parce qu'une ampoule électrique fixée au mur avait claqué, mais un long corridor s'engageait devant eux, un tunnel conduisant sous le village de Maiden Castle, et celui-ci était bien éclairé. Ils parcoururent le tunnel, et Julia vit que le sol était couvert de papiers sales, de verre brisé, de flaques d'eau. Des miroirs circulaires, qui semblaient avoir été jetés là, lançaient des reflets sur son passage.

— Ici, Julia.

Ils entrèrent dans un long hall, glacial et presque complètement obscur. Une seule ampoule électrique brûlait, émettant une flaque de lumière dans un large cercle au centre du sol. Elle se sentait engourdie et apeurée, compromise par le sentiment d'obéir contre sa volonté aux deux hommes. La chaleur du soleil, les vents, la vaste étendue de la baie, les gens dans sa vie... ils étaient déjà loin derrière elle, presque oubliés.

Sur toute la longueur d'un mur, à peine visible dans la pénombre, il y avait une rangée de cabinets de métal, peints d'un gris sans éclat. Le deuxième homme, celui qui marchait derrière, les passa en revue jusqu'à trouver celui qu'il cherchait. Il posa les mains sur une poignée argentée, tira... un long tiroir, bas de fond, apparut.

Julia s'y dirigea sans qu'on le lui dise.

Le plus jeune, le brun à l'accent du Wessex, se mit derrière elle.

— N'aie pas peur, Julia.

Elle vit en lui l'affinité, le sentiment de reconnaissance.

— Que voulez-vous que je fasse ?

— Enlève ton vêtement. Etends-toi dans le tiroir.

Le fait de parler avait atténué son état de transe. Elle détourna les yeux, sentant revenir la conscience de son identité. « Non », dit-elle, mais sa voix était incertaine et tremblante. Les yeux fixés sur elle, l'homme leva à nouveau le petit miroir, et elle se rétracta devant lui, ne voulant pas voir son propre visage. Elle sentit le coin froid du tiroir de métal contre sa hanche.

— Enlève ton vêtement, Julia.

— Non.

— Je vais la tenir, Steve. Fais-le.

Avant de pouvoir résister, Julia était repoussée contre le tiroir, et l'un des hommes l'agrippa par derrière, lui enserrant les épaules d'un bras. L'autre attrapa les lacets du devant, ouvrit le vêtement, et le fit tomber. D'abord elle se débattit, mais elle était encore en partie sous l'influence du miroir, et, en quelques secondes, elle fut nue.

— Voilà.

Ils la firent tourner sur elle-même et la poussèrent sur la longueur du tiroir. Le métal était froid contre son corps, et elle résista encore... mais ils étaient trop forts et trop déterminés. Elle eut conscience que leurs mains la tiraient et tenaient ses bras et ses jambes. Sa tête fut poussée contre un support moulé, et elle sentit une piqûre aiguë dans la nuque.

Immédiatement, elle fut comme paralysée.

Les hommes la lâchèrent, et tous deux repoussèrent ensemble le tiroir.

Julia glissa à la renverse, dans l'obscurité.

Alors que le tiroir se fermait une lumière vive s'alluma, et Julia vit qu'au plafond du petit compartiment, juste au-dessus d'elle, il y avait un miroir rond, d'environ cinquante centimètres de diamètre. Elle y vit un reflet de son corps nu, couché sur le dos. Un instant, désorientée, elle se crut debout devant le miroir, en train de se regarder... mais alors elle vit le reflet de ses propres yeux, et le miroir la tint absolument, et elle s'abandonna.

Pendant un moment la lumière à l'intérieur de la cabine sembla devenir plus claire, mais ensuite elle diminua rapidement.

X

Le retour de Julia fut instantané. Quand les lumières à l'intérieur du cabinet furent éteintes, une sonnerie se déclencha et elle sentit le tiroir glisser à nouveau au-dehors, de par sa propre volonté. L'instant d'après, un courant d'air froid soufflait sur elle, et une femme parlait d'une voix forte.

— Docteur Trowbridge ! C'est Mlle Stretton.

— Les sédatifs, infirmière, s'il vous plaît.

Julia essaya d'ouvrir les yeux, mais avant d'y arriver elle sentit quelque chose d'humide et froid au creux de son coude, et une seringue s'y planta. Elle entrouvrit faiblement les paupières et eut une vision brumeuse du Dr Trowbridge qui la regardait.

— N'essayez pas de parler, Julia. Tout va bien. Vous êtes en sécurité.

Elle fut soulevée du tiroir, et quelqu'un baigna son cou et ses épaules d'un liquide qui picotait et sentait l'iode. Peu après on la souleva à nouveau pour la déposer sur une civière sur roues, et on la borda sous quelques couvertures.

Le chariot fut poussé le long d'un couloir ; des rampes fluorescentes glissaient dans son champ de vision comme de minces fenêtres verticales sur un monde plus clair ; un instant, elle crut qu'elle s'élevait, comme dans un ascenseur, mais ce n'était que le chariot qui roulait régulièrement. Sa perception était facilement troublée ; elle ferma les yeux quelque temps et put tout de suite imaginer que le chariot était poussé dans l'autre direction, les pieds devant, tout comme elle l'avait parfois fait, enfant, lors de voyages en train, au passage dans les tunnels. Quand elle ouvrit les yeux et vit le plafond qui glissait au-dessus d'elle, l'effet aliénant fut le même ; c'était une secousse pour revenir à la réalité. Elle allait essayer une nouvelle fois quand le chariot s'arrêta. Des portes de métal s'ouvrirent, et elle fut poussée dans la cabine d'un véritable ascenseur ; il s'éleva avec des secousses, elle perçut un ronflement loin au-dessous, mais elle ne voyait pas les murs de la cage, aussi n'essaya-t-elle pas davantage de mettre à l'épreuve sa perception.

En haut, on la fit rouler à l'air libre, et elle sentit un vent froid et une giclée de pluie sur ses joues. Une Land-Rover attendait, le moteur en marche, et les deux hommes qui poussaient le chariot le firent glisser à l'arrière de la voiture. L'intérieur était propre et chaud, la pluie tambourinait sur le toit de métal. Les portes furent fermées, et le véhicule démarra. Par une vitre au-dessus d'elle, Julia pouvait voir glisser l'angle de l'un des remparts de Maiden Castle. Le conducteur roulait lentement, prenant l'itinéraire le moins accidenté.

Il y avait une fille assise avec elle à l'arrière de la Land-Rover, et elle lui souriait.

— Bien rentrée.

— Ma... Marilyn

Il était difficile de parler, parce que la drogue faisait son effet, et que les couvertures pesaient sur son menton.

— Ne parle pas, Julia. Nous allons à Bincombe House.

Elle se souvint alors, son premier vrai souvenir. Bincombe. La vieille maison de campagne qui servait à l'équipe du projet Wessex. La familiarité du souvenir lui donna envie de pleurer. Marilyn étendit le bras et lui tapota la main.

La Land-Rover fit sa dernière embardée en arrivant au parking, et accéléra doucement, faisant crisser le gravier. Julia aurait voulu pouvoir s'asseoir et regarder au-dehors. Au-dessus d'elle, la pluie tombait en rafales diagonales sur la vitre, et quand la Land-Rover passa sur une route pavée, la carcasse métallique du véhicule se mit à vrombir, à vibrer à l'unisson avec les pneus. Elle avait l'impression d'être toujours dans le Wessex. Les derniers événements s'étaient produits seulement quelques minutes plus tôt :

les deux jeunes hommes avec leurs miroirs, qui l'avaient effrayée, arrachée à sa vie et à ses projets. Elle les reconnaissait maintenant : Andy et Steve, les deux qu'ils appelaient les récupérateurs, ceux qui entraient dans la projection pour ramener les participants à la réalité... Mais à l'intérieur de la projection c'était toujours la même chose, on n'était pas préparé, on ressentait une intrusion. Marilyn, assise à côté d'elle, lui tenait toujours la main, mais elle devait se raidir à cause des mouvements du véhicule.

— Ce ne sera pas long, dit-elle. On est presque arrivés.

La durée du trajet n'avait pas d'importance pour Julia. C'était toujours un soulagement d'être de retour, le même frisson instinctif de soulagement que l'on ressent quand on arrive à la maison après une longue promenade nocturne. Elle savait qu'elle était rentrée, qu'elle était à nouveau elle-même. C'était la cinquième fois qu'elle était revenue du Wessex, et ça ne changeait jamais. Elle rassembla ses souvenirs, comme s'ils étaient de vieux amis oubliés.

La Land-Rover ralentit et tourna, et Julia entendit ses roues traverser des flaques profondes en lançant des éclaboussures. Un instant plus tard elle s'arrêta, et le moteur fut coupé. Elle entendit le chauffeur manœuvrer sa portière, des bottes crissèrent sur le sol, et les grands panneaux à l'arrière s'ouvrirent. Le conducteur appela et un second homme apparut, sans doute de l'intérieur de la maison. Au-dehors, le vent et la pluie frappèrent à nouveau son visage, les couvertures volèrent, laissant un courant d'air froid passer sur elle, puis elle fut sur un second chariot, elle roula le long d'un couloir au carrelage gommeux. Il y avait une bonne odeur dans la maison : de la nourriture, des gens, de la peinture. Quelque part un téléphone sonnait, et derrière une porte fermée elle entendit une radio. Deux filles lui firent un sourire en dépassant le chariot, et elle vit qu'elles portaient des vêtements ordinaires, jeans et sweaters en laine.

Les bras de Julia étaient croisés sur son ventre ; elle les sortit de sous la couverture, les leva et les tint au-dessus de sa tête, comme pour s'étirer après un long sommeil, prenant plaisir à se servir à nouveau de ses muscles. Elle les laissa immédiatement retomber : elle était faible et raidie, épuisée mentalement.

Ils la firent rouler dans sa chambre — toujours le même lit, la grande fenêtre donnant sur le jardin — et placèrent le chariot à côté du lit.

Marilyn, qui les avait suivis, se tint près d'elle.

— Je vais dire au docteur Eliot que tu es là, dit-elle, et Julia acquiesça avec lassitude.

On la fit passer du chariot sur le lit, et on tira les draps sur elle. Marilyn et les deux infirmiers sortirent. Julia poussa un grand soupir de plaisir en s'installant contre le doux oreiller et en fermant les yeux. Elle ne sut pas si le Dr Eliot vint la voir, car en quelques secondes elle était tombée dans un profond sommeil naturel.

Elle s'éveilla à la lumière du jour, et au contact de ses cheveux, qui lui recouvraient le visage. D'instinct, elle fit le geste de les brosser sur le côté. Aussitôt une infirmière, qui attendait dans un fauteuil de l'autre côté de la pièce, s'approcha du lit et se pencha sur elle.

— Vous êtes réveillée, mademoiselle Stretton ? dit-elle doucement.

— Mmm.

Sans ouvrir les yeux, Julia s'étira, fit remonter le drap sur ses épaules.

— Voulez-vous une tasse de thé ?

— Mmm.

Elle était encore dans le monde vague entre la conscience et les rêves. Elle entendit l'infirmière parler au téléphone, le déclic de l'appareil qu'on raccroche. Elle voulait dormir pour toujours.

— Le docteur viendra dès que vous aurez pris votre thé.

On n'allait pas lui permettre de repartir à la dérive.

— Le petit déjeuner, dit-elle en se débattant avec l'oreiller. Elle regarda l'infirmière, les yeux embrumés. Je peux prendre mon petit déjeuner ?

— Qu'aimeriez-vous ?

— Quelque chose de chaud. Du bacon... beaucoup de

bacon. Et des œufs. Et j'aimerais du café, pas du thé.

— Il ne faut pas exagérer, dit l'infirmière.

— Je ne suis pas malade, j'ai faim. Je n'ai pas mangé depuis... ça a duré combien de temps cette fois ?

— Trois semaines.

— Ça correspond à ma faim.

Seulement trois semaines ! Ils l'avaient ramenée si vite ! Jusque-là, elle n'avait jamais été dans la projection pendant moins de deux mois et d'habitude c'était beaucoup plus long. On aurait dû la laisser tranquille, parce qu'il y avait toujours tellement à accomplir. David Harkman... elle se souvint alors que sa récupération l'avait empêchée de le voir le même soir, et bien que son intelligence eût repris le contrôle, elle connut à nouveau les sensations de curiosité et d'excitation qui avaient tant distrait son double.

Mais il s'y ajoutait maintenant un sentiment de frustration. L'infirmière, tout en considérant la demande de petit déjeuner de Julia d'un air désapprobateur, était retournée au téléphone et parlait à la cuisine.

Julia s'assit dans le lit et installa l'oreiller dans son dos. Beaucoup de ses affaires étaient sur la table de chevet, et elle prit sa brosse à cheveux. Il était impossible de laver les cheveux des participants pendant qu'ils se trouvaient en projection, et les siens étaient toujours gras et emmêlés après la récupération. Elle les brossa, les entendit crépiter. La peau de son crâne en fut comme régénérée. Elle trouva un miroir et un peigne, se refit une beauté.

Elle se dévisagea calmement dans le miroir circulaire. Son regard était droit, assuré. Elle tira la langue : blanche et sèche. Elle sentait ses pores obstrués ; elle prendrait un bain au sortir du lit.

C'était bon d'être à nouveau réelle !

Quand elle eut mangé son petit déjeuner, le Dr Trowbridge lui rendit visite. Il l'examina brièvement, puis la fit se lever et marcher dans la pièce.

— Un peu raide ?

— Un tout petit peu. Rien d'anormal.

— La colonne vertébrale vous fait mal ?

— Un peu. Je ne voudrais pas avoir à porter quelque chose de lourd.

Il hocha la tête. « Faites-vous faire un massage si vous voulez, mais pas trop d'efforts pendant un jour ou deux. Beaucoup d'exercice léger et d'air frais vous feraient du bien. » Julia trouvait toujours les contrôles médicaux excessivement méticuleux, mais, du point de vue des participants, les choses s'étaient améliorées depuis les premiers temps. A son premier retour elle avait dû subir plusieurs jours de tests et de rayons X.

Sa chambre avait une salle de bains attenante, et après le départ de Trowbridge Julia prit son bain avec plaisir. Le point endolori de sa nuque était sensible à l'eau chaude, mais elle barbota longuement, voluptueusement, après quoi elle sécha ses cheveux et mit une de ses robes préférées. Curieuse du temps au-dehors, elle regarda par la fenêtre. Il ne pleuvait pas, mais le vent était fort. Elle s'interrogea paresseusement sur la date. L'infirmière avait dit qu'elle n'était restée absente que trois semaines, donc on devait approcher de la mi-août.

— Vous avez encore besoin de moi, mademoiselle Stretton ?

C'était l'infirmière qui passait la tête par la porte.

— Je ne crois pas. Le docteur Trowbridge m'a examinée.

— Vous voulez que je vous commande un massage ?

— Pas pour l'instant. Peut-être ce soir. Au fait, quelle heure est-il ?

— A peu près dix heures un quart.

Quand l'infirmière fut partie, Julia trouva sa montre, la mit à l'heure et la secoua pour la remonter. Elle se sentait toujours désorientée après un retour. Quand elle était arrivée à la maison hier ç'avait dû être pendant l'après-midi. Combien de temps avait-elle dormi ? Seize heures ? Quelle qu'ait été la durée de son sommeil, ça l'avait bien remise d'aplomb.

Un peu plus tard Julia était à sa table de toilette en train de se maquiller, quand Marilyn vint la voir.

— Tu te sens mieux, Julia ?

— Oui, très bien.

— Tu avais vraiment l'air malade hier. C'était la première fois que je te voyais sortir de la morgue.

— J'étais simplement très fatiguée. Et droguée.

Julia avait vu des participants immédiatement après leur retour, et elle avait assez d'amour propre pour espérer qu'aucun de ses proches ne la verrait jamais dans cet état. Elle jeta un coup d'œil au miroir sur la table et estima que le dommage avait été réparé.

Marilyn dit :

— Il y a réunion ce matin. A onze heures. Ils veulent que tu viennes.

— Oui, bien sûr. Ecoute, Marilyn, tu sais pourquoi j'ai été récupérée si vite ? L'infirmière dit que ça ne faisait que trois semaines.

— Le docteur Eliot ne te l'a pas dit ?

— Je ne l'ai pas vu. C'est le docteur Trowbridge qui est venu.

Marilyn dit :

— C'est à cause de Tom Benedict.

Julia fronça les sourcils sans comprendre. Puis elle se souvint : elle n'avait pas pensé à Tom depuis...

— Qu'est-il arrivé à Tom ?

— Il est mort, Julia. Dans le projecteur. Il a eu une attaque, et quand on s'en est aperçu il était trop tard.

Julia la dévisageait, sous le choc. Les doubles souvenirs créés par le projecteur la plongeaient toujours dans la confusion et l'alarmaient après chaque retour, à cause de la manière dont les réalités se chevauchaient... mais cette fois c'était comme si elle avait dû subir l'expérience deux fois. Elle se rappela Tom couché dans l'infirmerie du Château, lui tenant la main, et elle se rappela qu'après elle l'avait oublié, que l'identité de Tom avait glissé hors de portée de sa mémoire aussi sûrement que sa main lui avait échappé.

Et puis ceci : le retour à la vie réelle, et l'oubli qui avait duré jusqu'à maintenant.

— Mais, Marilyn... je ne savais pas.

— Il va y avoir une enquête. Tu devras peut-être y aller.

— Je ne m'étais pas rendu compte. Marilyn, j'étais là ! J'étais avec lui quand il est mort !

— En Wessex ?

— C'est la chose la plus étrange...

Tout lui revenait, à présent. « Je tenais sa main, il était malade. Il n'y avait pas de docteur, pas de soins corrects. Et puis il a disparu. Il a cessé d'exister. Et personne ne pouvait se souvenir de lui ! »

Elle se sentit les larmes aux yeux, se détourna et prit un kleenex.

« Tom était un ami à toi, n'est-ce pas ? dit Marilyn.

— Un ami de mon père. C'est Tom qui m'a obtenu ce travail. Sans lui je ne serais pas ici. » Elle se moucha puis fourra le carré de papier roulé en boule dans la manche de sa robe. « Bien sûr, ça s'explique maintenant. Je ne pouvais pas comprendre quand il a disparu ! Mais ça a dû correspondre au moment de sa mort. Il a simplement arrêté de se projeter. »

En Wessex elle n'avait aucun moyen de se rendre compte du fait, mais chaque fois qu'elle revenait elle était intriguée par les parallèles qu'établissaient ses sentiments profonds. Tom Benedict avait toujours été comme un membre de sa famille : dans l'un de ses tout premiers souvenirs, elle s'asseyait sur ses genoux à quatre ans, et essayait d'attraper des bulles de savon au fur et à mesure qu'il les soufflait. Son père et lui se connaissaient depuis des années, et Tom, qui ne s'était jamais marié malgré l'insistance de ses amis les plus proches, passait souvent ses vacances avec la famille. En grandissant, Julia s'était fait à son tour des amis, avait quitté la maison, et avait moins vu Tom, mais celui-ci, tel un bon oncle, l'avait toujours suivie de loin. Quatre ans plus tôt, alors qu'elle était toujours dans le vide de deux ans qui avait suivi la rupture avec Paul Mason, Tom l'avait recommandée pour un emploi à la Fondation Wessex. Il était l'un des administrateurs du fonds qui finançait l'opération et, grâce à son influence sur les autres responsables, elle avait été engagée après un entretien de pure forme. Elle éprouvait le sentiment d'avoir fait son propre chemin depuis, elle avait travaillé aussi dur et apporté autant que n'importe qui, mais elle et Tom avaient toujours été proches. Il était inévitable qu'une fois dans le projecteur, en Wessex, il y eût une harmonie entre eux, et ç'avait été le cas. Elle n'avait vu Tom qu'une fois depuis le début — du moins ici, dans le monde réel — et ils avaient pris plaisir à échanger leurs souvenirs du futur.

Dans la projection, comme dans sa propre vie, Tom avait été avisé, gai, chaleureux. C'était une mort impitoyable, solitaire, semblait-il, que celle du projecteur, mais sa conscience s'était trouvée en Wessex, et il avait su qu'elle était auprès de lui.

Julia se rendit compte qu'elle était restée muette quelque temps et que Marilyn l'observait, mal à l'aise.

— Tom a déjà été enterré ?

— Non, c'est pour demain. Tu iras ?

— Bien sûr. On a prévenu sa famille ?

Marilyn hocha la tête. « Je crois que tes parents seront là. »

Julia pensa qu'elle allait les revoir ; ce serait très étrange. Ses souvenirs d'eux se confondaient en partie avec ceux de ses « parents » du Wessex. Une fois, pendant une période de vacances, elle avait téléphoné à son père et au cours de la conversation lui avait demandé des nouvelles de la ferme coopérative. Il était propriétaire d'une grande et prospère ferme laitière près de Hereford, et le moins qu'on puisse dire est qu'il n'avait pas compris. Elle avait fait une mauvaise plaisanterie pour couvrir le lapsus ; s'expliquer aurait été beaucoup trop long. Ses parents n'avaient que l'idée la plus vague de ce qu'impliquait son travail.

Il était onze heures moins le quart.

Marilyn dit :

— Il vaudrait mieux que tu ailles à la réunion. Je pense que tu n'as pas encore fait de rapport.

— Je n'ai pas eu un instant.

Elles gagnèrent le couloir, et Julia dit :

— Au fait, j'ai trouvé David Harkman. Il travaille à...

— A la Commision régionale, dit Marilyn. Don Mander nous l'a dit.

— Don aussi est de retour ?

— Il veut te parler de David. Il pense que tu mijotes quelque chose.

En allant à la réunion elle passa au secrétariat et prit le courrier qui s'était accumulé pendant les trois dernières semaines. Au total une quinzaine de lettres, qu'elle tria rapidement. La plupart avaient été réexpédiées de son adresse londonienne, et c'étaient surtout des factures.

Elle confia celles-ci à une secrétaire ; les affaires des participants du projet Wessex étaient réglées pour eux quand ils étaient dans le projecteur.

Au moment où elle sortait du secrétariat une porte s'ouvrit de l'autre côté du couloir et un homme apparut.

— Bonjour, Julia. On m'a dit que je te trouverais ici.

C'était Paul Mason. Julia était si peu préparée à le voir qu'elle se figea. Elle s'appuya contre le mur. A le regarder, à voir son visage confiant, souriant, Julia eut envie de fuir. Elle sentit une impulsion irrésistible de retourner tout de suite à Maiden Castle, de s'enterrer pour toujours dans l'avenir.

XI

— Tu n'est pas contente de me voir ? demanda Paul.
Tout ce que Julia avait fait depuis son retour, tout ce à quoi elle avait réfléchi, fut chassé de son esprit par sa vue, aussi totalement et efficacement que les souvenirs de sa propre vie étaient effacés par le projecteur de Ridpath. Elle voyait Paul, seulement Paul, et tout ce qu'il représentait dans son passé : la destruction de son orgueil, de son sentiment d'identité, de son respect d'elle-même. Tout comme elle avait été morbidement obsédée par lui après l'avoir vu pendant son dernier week-end à Londres, elle le voyait à présent comme quelqu'un qui, par sa seule existence, exigeait et recevait son attention complète.

— Tu me suis ? dit-elle, reconnaissant dans sa voix, au moment même où elle parlait, le ton de la paranoïa.

— Que veux-tu dire, Julia ?

Son expression innocente était-elle feinte ?

— Ecoute, Paul, je te l'ai dit. C'est fini. Je ne veux plus rien avoir à faire avec toi.

— C'est ce que tu n'arrêtes pas de dire.

— Alors qu'est-ce que tu fais ici ?

Il sourit, d'un air protecteur et rassurant.

— Ce n'est pas pour te voir, si c'est ce qui t'inquiète. Il se trouve simplement que nous faisons le même travail.

Sans pouvoir se retenir, Julia s'écria :

— Tu n'es pas un membre du projet !

— Je travaille pour le Conseil d'administration.

Julia scruta le couloir. Marilyn était partie chercher une voiture pour les ramener au Château, et devait déjà se trouver hors de la maison. Personne d'autre n'était en vue, mais plusieurs portes étaient ouvertes le long du couloir.

— Nous ne pouvons pas parler ici, dit Julia. On va nous entendre.

— Mais tu n'as rien à cacher, n'est-ce pas ?

Julia l'écarta et entra dans la pièce d'où il avait surgi. C'était un bureau, avec une table encombrée de papiers. Elle les reconnut au premier coup d'œil : quelques-uns des nombreux rapports rédigés par les membres de la projection pendant leurs périodes de retour. Ces rapports étaient le matériau brut qui servait à compiler les comptes rendus périodiques présentés au Conseil d'administration. Pour Julia, le fait que Paul y eût accès constituait la violation la plus grossière de sa vie privée.

Paul se tenait dans l'encadrement de la porte.

— Si tu veux me parler, dit Julia, entre ici.

— C'est toi qui as l'air de vouloir parler, dit Paul, mais il obéit et ferma la porte.

— C'est ta chambre ? dit Julia.

— Pour le moment. Une autre chambre se libère cette semaine, et je vais m'y installer.

Il voulait parler de la chambre de Tom Benedict. Julia le sut sans qu'il le dît.

La porte fermée, l'attitude de Paul changea. Dans le couloir, il avait affecté, non sans ironie, de respecter les convenances, sans doute parce que d'autres personnes pouvaient passer, mais maintenant qu'ils étaient seuls Julia reconnut un Paul plus familier, celui du bon vieux temps. Dans un certain sens, ce changement soudain était un soulagement pour elle, puisqu'il confirmait ses préjugés ; il restait toujours le doute, quand elle n'était pas avec lui, qu'elle ait pu lui attribuer des instincts destructeurs imaginaires.

Paul prit place derrière le bureau. Il lança un regard entendu à Julia puis ramassa deux ou trois des rapports, qu'il lui mit sous les yeux.

— Je m'intéresse à ton monde de rêve. Il a l'air agréablement rassurant.

— Rassurant ? Qu'est-ce que tu veux dire ?

— C'est le genre d'évasion de la réalité qui est ta spécialité.

Paul ne se satisfaisait jamais de violer l'intimité des gens ; tôt ou tard, il fallait qu'il ajoute ses commentaires.

— Ecoute, Paul, c'est un monde réel.

— Mais c'est un fantasme, non ? Tu le façonnes selon tes propres désirs.

— C'est un projet scientifique.

— Ça devait l'être. J'ai lu tes rapports... C'est un joli petit coin de paradis que tu t'es installé.

Furieuse et gênée à la fois, Julia eut de nouveau envie de fuir, mais elle savait que cette fois elle devait lui faire face. L'accusation selon laquelle les membres du projet s'offraient la réalisation de quelques fantasmes avait été formulée à plusieurs reprises par le Conseil d'administration. C'était inévitable, quand on comprenait la nature du projet. Toute projection refléterait nécessairement les désirs inconscients des participants, et leur constituerait un environnement idéal. Néanmoins, la nature scientifique du projet restait le facteur déterminant.

Mais que Paul lance cette accusation, et la lui adresse à *elle,* cela mettait les choses sur un tout autre plan.

— Tu ne sais rien du Wessex, dit-elle.

— J'ai lu les rapports. Et je te connais, Julia. Est-ce que ce n'est pas tout à fait dans tes cordes ? Tu te souviens, quand tu allais au cinéma ?

— Je ne sais pas de quoi tu parles ! dit-elle, mais Paul lui adressa un sourire narquois, et elle savait exactement de quoi il parlait.

Neuf mois environ avant qu'elle ne le quitte, elle avait senti qu'elle ne pouvait plus tenir. Ennuyée, malheureuse, elle occupait un poste de secrétaire, encore un, et le soir, quand elle rentrait, Paul était là pour lui rappeler ses échecs et ses fautes, et le mépris qu'il éprouvait à son égard n'était que trop clair. Un soir, incapable de l'affronter, elle lui avait téléphoné qu'elle devait faire des heures supplémentaires... et était allée au cinéma. Les deux, trois heures de détente avaient été douces, et le lendemain soir elle avait recommencé. Pendant trois semaines, elle alla seule au cinéma plus souvent qu'elle ne rentra. Et, bien sûr, Paul finit par s'en apercevoir. Julia essaya de s'expliquer, de communiquer son désespoir ;

elle lui exprima tout nettement ce qu'elle ressentait mais cela ne lui valut qu'un surcroît de mépris au lieu de la sympathie espérée. De ce jour, « aller au cinéma » s'était ajouté au vocabulaire de critique destructrice de Paul comme une métaphore de son incapacité à regarder en face le monde réel.

Paul n'oubliait jamais ; le vocabulaire était resté intact, et il passait par-dessus les années où elle avait été libérée de lui.

— Tu t'enfuis toujours, dit Paul. Tu t'es même enfuie devant moi.

— C'est tout ce que tu méritais.

— Tu disais que j'étais la personne la plus importante de ta vie. Tu te souviens ?

— J'ai cru ça pendant une semaine.

La première semaine. Ces mortels premiers jours où elle lui avait fait confiance, où elle l'avait admiré et aimé — où elle l'avait cru. Les jours où elle s'était confiée à lui et lui avait parlé franchement d'elle-même, et où en même temps elle semait les germes des plantes empoisonnées qu'il récolterait sans relâche.

— Tu ne peux pas t'enfuir encore. Tu as commis l'erreur une fois... mais tu sais à quel point tu dépends de moi.

La colère l'envahit.

— Bon Dieu, je n'ai pas besoin de toi ! J'en ai fini avec toi, aussi complètement qu'il est possible d'être libérée de quelqu'un. Je me fous complètement de ne jamais te revoir !

— J'ai l'impression d'avoir déjà entendu ça.

— Cette fois c'est définitif. J'ai ma vie à moi.

— Ah oui. Ton petit rêve d'évasion. Comme je t'admire.

Julia lui tourna le dos et alla à la porte, tremblante de rage.

— Tu fuis toujours, Julia ?

La main sur la poignée, elle s'arrêta. Elle regarda Paul et le vit détendu et souriant. Il avait toujours pris plaisir à enlever la peau pour exposer les nerfs sensibles, puis à les agacer de ses ongles.

— Je n'ai plus besoin de te fuir. Tu n'es rien pour moi.

— Je vois. Nous testerons ça en projection.

— Qu'est-ce que tu veux dire ?

— Nous verrons comment ton inconscient réagit au mien.

Elle le dévisagea, horrifiée.

— Tu ne vas pas dans la projection !

— Non, bien sûr que non. Comment aurais-je pu penser que tu me laisserais troubler ta vie.

De toutes les armes dont il disposait, le sarcasme était la plus émoussée à force d'en avoir abusé.

— Paul, je t'assure que je ferai tout ce qui est en mon pouvoir pour t'empêcher d'approcher du projecteur.

Il rit, comme pour dénigrer le pouvoir qu'elle invoquait.

— J'imagine que les administrateurs n'ont pas leur mot à dire. C'est à eux que je rends des comptes, pas à toi.

— Je suis un participant de plein droit. Si je ne veux pas de toi dans l'équipe, je peux t'arrêter.

— Contre le vote majoritaire des autres, naturellement.

Il y avait un moyen... elle savait qu'il y avait un moyen.

— Je peux t'arrêter, Paul, dit-elle encore.

Dans les premiers temps, un accord tacite s'était établi entre tous les participants. La nature de la projection était déterminée si délicatement par les inconscients des participants que son équilibre pouvait être bouleversé par les réactions d'une personnalité à une autre. Dès le début, ils étaient tous tombés d'accord : pas de rapports hors de la projection. Pas de liaisons, pas de petits groupes. Les inimitiés personnelles se résoudraient d'une manière ou d'une autre avant le début de la projection, ou l'un des antagonistes devrait démissionner. Avec la même délicatesse qu'ils avaient mise à créer les nuances du monde projeté, les participants étaient arrivés à cet équilibre. Ils tenaient ensemble par un but, par une idée... mais hors de la projection ils vivaient leurs propres vies, et ne se rencontraient que pour discuter du travail.

Paul attendait, souriant.

— Il y a une règle à laquelle nous obéissons, dit-elle. Il me suffit de dire aux autres ce que tu es pour moi, et tu seras exclu.

— Alors tu leur dirais que tu m'aimes toujours bien ?

— Non, salaud. Je leur dirai comme tu me répugnes. Je leur dirai ce que tu m'as fait dans le passé, et je leur dirai ce qui est arrivé aujourd'hui. Je leur dirai n'importe quoi... rien que pour t'empêcher d'aller en Wessex.

Le sourire de Paul s'était effacé, mais ses yeux mi-clos avaient gardé la même expression calculatrice depuis le début.

— Je suppose que ça pourrait devenir une arme à double tranchant, dit-il.

— Comment ?

— Elle pourrait servir contre toi aussi bien que contre moi.

Il se leva soudain ; elle sursauta et recula. Sa main était toujours posée sur la poignée, mais elle n'avait pas la force de la tourner.

— Il y a longtemps que je suis à la recherche d'une occasion comme celle-ci. Je suis dans ce coup parce que c'est ma chance, et je vais la saisir. Personne ne va se mettre en travers, et sûrement pas une petite salope frigide qui a passé la moitié de sa vie à mettre ses propres faiblesses sur le dos des autres. Tu peux trouver un autre refuge. Si ça doit se régler entre toi et moi, alors ce sera moi.

Julia rassembla ses dernières forces, sachant qu'elle ne tiendrait pas plus longtemps :

— Je suis déjà dedans. On ne te laissera pas entrer.

— Nous allons faire l'expérience. Voir ce que les autres pensent. Qui va leur parler ? Toi ou moi ?

Julia secoua misérablement la tête.

— Et pendant que nous y sommes, est-ce que nous mentionnerons aussi ton amitié avec Benedict ? Est-ce que nous leur dirons comment tu as été engagée ?

— Non, Paul !

— Alors nous savons quoi dire aux autres. Ça me va.

Julia eut l'impression qu'elle allait s'évanouir. Dans les dix dernières minutes, un par un, chacun de ses cauchemars les plus profonds, les plus intimes, s'était réalisé. Elle avait su que Paul était impitoyable, qu'il était ambitieux, elle savait tout et plus sur les courants destructeurs qui circulaient entre eux, mais elle n'avait jamais compris que la combinaison des trois pouvait donner une aussi spectaculaire explosion. Elle émit un sourd gémissement de désespoir et se tourna vers la porte. Paul se rassit à son bureau, à nouveau souriant.

En sortant de la pièce, elle l'entendit remuer les rapports personnels qui jonchaient la table.

XII

Il était une heure du matin passée, mais les cafés et les boîtes de Dorchester étaient pleins, et les gens se pressaient dans les rues. La nuit était chaude, étouffante, un orage menaçait. La musique et les voix se faisaient concurrence aux terrasses des cafés, il se dégageait des entrées des bars et des boîtes une chaleur odorante : musique, chaleur des corps, fumée, lumières rayonnantes, comme les portes ouvertes d'une salle des chaudières. Les gens, visages luisants, minces vêtements collés aux corps, dansaient, chantaient, criaient.

Seul le bruit de la mer se brisant sur la digue de béton apportait une présence rafraîchissante, un rappel du vent.

Des lampes de couleur étaient accrochées aux arbres sur Marine Boulevard, et avec la lueur dorée et sifflante des becs de gaz contre les murs des maisons, elles jetaient un séduisant éclat multicolore sur les passants.

David Harkman descendait lentement la Promenade vers le port, le bras droit légèrement posé sur les épaules de Julia. Elle se tenait contre lui, la tête reposant sur sa poitrine ; cette proximité était comme un écho de leur intimité toute récente.

Elle semblait petite auprès de lui, il pouvait l'entourer de son bras. Il éprouvait beaucoup de tendresse pour elle, parce qu'elle était restée avec lui toute la soirée, depuis l'instant où elle avait frappé à la porte de sa chambre. Leur soirée avait été simple : ils étaient allés au port pour mettre son nouvel aquaplane au mouillage qu'il avait loué plus tôt dans la journée, après quoi ils avaient dîné chez Sekker. De là ils étaient retournés à sa chambre pour le reste de la soirée. Tout d'abord ils avaient été maladroits. Ni l'un ni l'autre ne voulait parler du lien étrange qu'ils devinaient entre eux, mais ensuite cette compréhension mutuelle avait été reconnue d'une manière physique, sans mots. Ils avaient fait l'amour avec une tendresse et une passion qui les avaient tous deux épuisés.

Malgré tout, en marchant dans la nuit humide, Harkman sentait que le lien était plus faible. Ce n'était pas seulement d'avoir consumé le désir sexuel, ni d'avoir dissipé des mystères. Il l'avait senti dès qu'elle était arrivée : le nœud imperceptible entre eux avait été défait.

En déambulant sur la Promenade, Harkman s'aperçut que déjà le souvenir de leur étreinte ressemblait à ceux qu'il gardait de sa vie avant la demande de poste à Dorchester. Il se rappelait ce qu'ils avaient fait ensemble, mais comme à distance.

Tout en pensant cela, Harkman savait que ce n'était ni juste ni exact. Il avait *ressenti,* il avait *vécu* ces moments. Il soupçonnait — craignait — que ce défaut lui fût personnel — une incapacité de sentiment — et tenta sans succès de ne plus y penser.

Julia était chaude sous son bras, et il sentait battre son cœur. C'était une observation clinique, comme une épreuve de réalité.

Quand ils arrivèrent au port, ils descendirent ensemble les marches de béton, et David aida Julia à monter dans son bateau. Ils s'embrassèrent brièvement, mais avec passion.

— Tu reviendras ?

— Si tu veux que je revienne, dit-elle.

— Tu sais que je le veux. Mais seulement si tu en as envie.

— Je viendrai... demain, je pense.

Elle était debout dans le bateau instable, lui tenant les mains tandis qu'il balançait au bord de l'escalier.

— David... je veux vraiment te revoir.

Ils s'embrassèrent encore une fois, puis Julia s'installa à l'arrière du bateau, mit le moteur en marche et eut bientôt traversé le port. Les eaux étaient noires et calmes, et les lampes colorées à l'autre bout se reflétaient à la surface, en parfaite symétrie. Les remous provoqués par le passage de l'embarcation semblaient jeter les couleurs les unes contre les autres et faire jaillir des éclairs.

Harkman resta en haut des marches jusqu'à ce qu'il n'entendît plus le moteur, puis rentra à travers la ville. Etrange, comme la mémoire semblait se détacher de l'expérience ; la vue du bateau de Julia traversant l'eau noire et multicolore semblait déjà loin de lui. C'était comme s'il y avait une expérience fausse dans la mémoire, un épisode qu'on lui avait donné. Il lui semblait qu'il avait parcouru la Promenade toute la soirée et jusqu'à la nuit avancée, et que des souvenirs contrefaits apparaissaient les uns après les autres pour fournir la fausse expérience.

La mémoire était créée *par* les événements, bien sûr ? Cela ne pouvait être l'inverse.

Il n'avait rien dit de ce dilemme à Julia, bien qu'il eût été conscient toute la soirée d'une réalité qui reprenait forme derrière lui.

Le repas chez Sekker : d'excellents crustacés à la nage, avec un vin français, ç'avait été son plus délicieux repas depuis son arrivée. Julia disait qu'elle n'avait jamais dîné chez Sekker avant. De petits incidents lui restaient en mémoire : le garçon qui avait donné une rose à Julia ; les quatre musiciens qui avaient assourdi tout le monde sur la terrasse jusqu'à ce que le maître d'hôtel les prie de partir ; la tablée voisine qui leur cassait les oreilles, six Américains des Etats-Unis vêtus de djellabas et chantant des chansons d'étudiants. Le repas *avait* eu lieu : son estomac en sentait encore le poids.

Et pourtant, même en sortant de Chez Sekker, Harkman avait ressenti cette irritante impression d'un souvenir trompeur.

Avec Julia, aussi : alors qu'ils faisaient l'amour, Harkman avait eu l'intuition soudaine que son arrivée dans son lit était spontanée, qu'elle avait toujours été là, et que les événements qui avaient mené à cet instant n'avaient de réalité que dans une mémoire implantée.

Après, leur rapport même se changeait en souvenir,

l'heure vidée, détendue, qui avait suivi, devenant à son tour la seule réalité.

Et maintenant, comme il marchait vers la Maison d'accueil, Harkman pensait à la séparation chuchotée au port, au bateau traversant l'eau noire et lisse, comme à des événements créés par la mémoire.

C'était comme si Julia n'avait pas été là, qu'elle n'existait pas sinon comme extension palpable de sa propre imagination. Tels les fantômes de son enfance, elle n'avait de substance que tant qu'il se concentrait dessus.

Il arriva à la Maison et se dirigea vers sa chambre, prenant garde de ne pas rencontrer de collègues de la Commission. Ils semblaient tous être couchés, car le bâtiment était silencieux.

Il se lava, se déshabilla, et ramena en arrière les couvertures froissées de son lit. Là, sur le drap du dessous, il y avait une petite tache humide, liée à un souvenir profondément intime. Harkman la contempla, pensif, conscient de ce qu'elle était aussi réelle pour lui que tous ses autres souvenirs de la soirée ; aussi réelle... et aussi éloignée dans la mémoire.

Plus tard, allongé nu dans le lit, attendant le sommeil, il sentait la tache humide contre son dos, froide et collante.

XIII

DONALD MANDER parlait au téléphone avec Wessex House à Londres. Il avait été ramené du Wessex un jour avant Julia Stretton et les autres, et toutes les traces résiduelles de tension étaient passées. Il se sentait reposé et en forme, bien que l'annonce de la mort de Tom Benedict l'eût rappelé sans ménagement à la réalité. A cinquante-quatre ans, il était maintenant le membre le plus âgé de la projection.

— ... l'enquête aura lieu après-demain », annonçait-il à Gerald Bonner, conseiller juridique des administrateurs. Oui, après l'enterrement.

Bonner s'inquiétait des possibilités de mauvaise publicité à la suite de la mort de Tom. Même si le projet Wessex n'était pas secret, après l'intérêt initialement manifesté pour l'entreprise, les moyens d'information s'étaient tournés vers d'autres sujets et, pendant la majeure partie de ces deux années de projection, le travail avait continué avec ce qui était devenu une intimité et une concentration jalousement protégées.

— ... non, pas besoin d'une autopsie, apparemment. Tom était, techniquement parlant, sous surveillance médicale. Oui, naturellement nous sommes prudents. Les contrôles médicaux seront intensifiés avant tout départ dans la projection.

Il écouta Bonner lui parler de la possibilité que la famille de Benedict demande son corps, et des frais éventuels

— Il n'était pas marié, dit Mander. Mais je vais voir si quelqu'un ici connaît sa famille.

Mander appela Maiden Castle et parla à John Eliot,

qui avait convoqué une réunion des participants le matin même.

« Nous serons prêts à commencer dans quelques minutes », dit-il. Eliot lui confirma que l'observation de tous les participants avait été intensifiée. L'unique motif d'inquiétude, en vérité, était David Harkman ; c'était maintenant le seul participant qui n'avait jamais été ramené. Qu'on l'eût enfin repéré signifiait qu'il ne s'agissait plus que d'une question de temps, mais le maintien en suspension pendant plus de deux ans pouvait avoir un certain nombre d'effets secondaires sur un corps humain. Les deux récupérateurs de la projection — Andrew Holder et Steve Carlsen — étaient en ce moment même à sa recherche, mais personne ne pouvait dire si la longue exposition de Harkman au futur avait affaibli sa mnémotechnie et ses déclenchements hypnotiques profonds.

Les récupérations étaient soumises à des facteurs de hasard, et Mander ne put s'empêcher de sourire en pensant à sa propre récupération cette fois-ci.

Andy et Steve s'étaient présentés à la Commission, demandant un visa touristique pour la France. L'employé de service avait remarqué la couture grossière des vêtements — à ne pas s'y méprendre, le style de la communauté de Maiden Castle — et leur avait fait barrage pendant une heure. Les deux jeunes gens avaient insisté jusqu'au moment où l'employé avait appelé Mander. Une fois dans son bureau, ils avaient sorti leurs petits miroirs, et il les avait suivis sans résistance au Château.

C'était toujours une opération aléatoire. Ni les participants, ni Steve et Andy n'avaient la moindre idée réelle, dans leurs rôles futurs, de la raison pour laquelle ils devraient se rencontrer, et c'était tout à l'honneur de leur initiative et de leur entraînement mnémonique qu'ils aient jamais pu trouver ceux qu'ils cherchaient.

Comme tous les autres, Donald Mander ressentait toujours une frustration aiguë dans les heures qui suivaient son retour. Dans la perspective des souvenirs réels, il était toujours si simple de voir ce qu'on aurait pu faire dans telle situation donnée. Mais le double de l'avenir dominait complètement ; personnalité et mémoire étaient laissées pour compte.

On touchait là au cœur du problème de Harkman : à l'intérieur de la projection il était motivé par les souvenirs et la personnalité de son double.

Le temps pour Mander de rassembler ses différents papiers et le rapport qu'il avait tapé la nuit précédente, et John Eliot arrivait du Château. Ils se retrouvèrent dans l'entrée.

— Vous avez déjà vu Paul Mason ? dit Eliot, tandis qu'ils suivaient lentement le couloir menant au salon qui servait à leurs réunions.

— Je lui ai parlé rapidement hier soir après vous avoir vu. Je n'ai pas appris grand-chose sur lui.

— Il a un bon diplôme. Durham University. Il a fait un peu de journalisme, mais il a passé les cinq dernières années dans le commerce. Techniquement, c'est exactement l'homme qu'il nous faut pour remplacer Tom. Il a travaillé avec un groupe de recherche sur la planification d'investissements de capitaux.

— Mais vous croyez vraiment qu'il va s'intégrer ? dit Mander, exprimant le seul doute qu'Eliot ne pouvait pas écarter par la mention de qualifications et d'expérience. La veille au soir, lui et Eliot avaient eu une longue discussion en privé. Mander formulait ce qu'il imaginait devoir être l'objection de tous les autres participants : un nouveau ne pouvait rejoindre la projection, à ce point si avancé de son existence, sans y provoquer des modifications radicales.

— Qu'il s'intègre ou non, vous feriez mieux de vous préparer à lui. Les administrateurs sont catégoriques. Mais je ne vois aucun problème. C'est un jeune homme très bien, et en tout cas il a mis peu de temps à saisir le principe de la projection.

— J'imagine qu'il vient à cette réunion.

— Exact. J'ai pensé qu'il serait bon qu'il rencontre un ou deux des autres.

Ils étaient à la porte, et Eliot l'ouvrit. « Après vous. »

La projection était affaiblie par le retrait de participants, aussi considérait-on qu'à aucun moment plus de cinq personnes ne devaient être hors du projecteur, et avec la mort de Tom Benedict ce nombre avait été réduit à quatre.

Pour le moment, en plus de Don Mander lui-même, Colin Willment avait été ramené, car il approchait d'une période de congé. Mary Rickard aussi avait été récupérée, à la demande de sa famille, mais on ne comptait pas qu'elle resterait plus de quelques jours hors de la projection. De plus, Julia Stretton avait été récupérée pour des discussions supplémentaires au sujet de David Harkman, et de la situation provoquée par la mort de Tom.

Quand Mander et Eliot pénétrèrent dans le salon, Colin et Mary les attendaient. Julia n'était pas encore arrivée.

Mander les salua de la tête avec l'expression légèrement méfiante qu'il s'était surpris à adopter chaque fois qu'il retrouvait des camarades hors de la projection.

Lui excepté, Mary Rickard était la plus âgée des membres présents. C'était une biochimiste de l'université de Bristol, et elle avait suivi le projet depuis ses premiers jours. Mary, un juge de caractère perspicace, et une fougueuse théoricienne de la nature de la projection, s'était acquis le respect des autres dans les débuts de la planification, mais depuis, en raison de son rôle secondaire en Wessex, elle s'était quelque peu effacée. Le double de Mary dans le futur était un membre de la communauté de Maiden Castle, et ni elle ni Mander n'avaient le souvenir de s'être jamais rencontrés en Wessex.

Colin Willment était l'économiste du projet, et il avait connu une absence prolongée, comparable à celle de Harkman. On avait fini par retrouver sa trace aux docks de commerce de Poundbury, où son double travaillait comme débardeur.

En attendant l'arrivée des autres, Mander et Eliot se servirent du café au percolateur électrique fourni par le personnel de Bincombe.

Mary Rickard dit :

— Don, j'aimerais aller à l'enterrement de Tom. Ce sera possible ?

— Oui, bien sûr. Je pense que Julia voudra y aller aussi.

— Elle a été récupérée ? dit Mary.

— Hier. Elle devrait nous rejoindre. Vous ne savez pas où elle est ?

John Eliot dit : « Trowbridge l'a examinée ce matin. Elle est au courant de la réunion... elle devrait être là. »

Mander et Eliot se trouvaient des chaises quand Julia entra dans la pièce. La première idée de Mander fut qu'elle était toujours en train de se remettre du choc post-récupératoire : pâle, les traits tirés, elle semblait en proie à une grande tension. Elle salua les autres, puis alla se servir une tasse de café au buffet. Il remarqua que ses mains tremblaient, et qu'en versant du sucre dans sa tasse elle en répandait beaucoup dans la soucoupe.

En l'observant, Mander se rappela les fois où il avait vu son personnage futur au stand à Dorchester. Son propre double était légèrement lubrique, et faisait exprès de passer devant le stand pendant ses promenades du soir. La première fois qu'il avait rencontré Julia hors de la projection, il lui avait expliqué que ses fréquents clins d'œil et ses sourires entendus étaient de toute évidence un symptôme de la reconnaissance subliminale que les membres de la projection constataient souvent entre eux dans le Wessex.

A l'embarras amusé de son vrai moi, le Mander de Wessex avait continué à se montrer aussi paillard après, et ne semblait pas vouloir se calmer. Une fois elle l'avait surpris dressé sur la pointe des pieds pour plonger les yeux dans son décolleté à un moment où elle se penchait en avant... et le coup d'œil qu'elle lui avait alors lancé n'avait pas manifesté de « reconnaissance projective ».

Comme Julia s'asseyait, John Eliot dit :

— Nous avons pas mal de travail à abattre ce matin, mais il nous faut d'abord décider qui va retourner à la projection cette semaine. Mary, vous devez aller à Londres ?

Mary acquiesça : sa maison avait été occupée par des squatters, et il lui fallait obtenir une mise en demeure du tribunal.

Elle dit :

— Je serai probablement partie deux ou trois jours.

— Le problème, dit Eliot, est qu'Andy et Steve vont sans doute récupérer David Harkman très rapidement. Julia, j'imagine que vous pourriez retourner dans les deux ou trois jours ? Et vous aussi, Don ?

Tous deux le confirmèrent, Julia détournant les yeux, regardant par la fenêtre.

— Et vous, Colin ? Vous avez une période de congé qui tombe.

Colin dit : « Je la prendrai s'il le faut... mais si on a besoin de moi je reprendrai demain.

— Vous êtes tous empressés de rester. Parfois je pense que vous êtes plus heureux dans le Wessex qu'ici. »

Personne ne lui répondit, et Mander, en passant le groupe en revue, perçut un peu de leur attachement, du lien qui les unissait à l'intérieur de la projection. On en discutait rarement au cours de ces réunions, mais dans des conversations privées il s'était aperçu que son expérience était typique : le Wessex était devenu la retraite idéale, un endroit où il n'y avait pas de danger, où les caprices de l'inconscient étaient satisfaits. La vie avait une qualité hypnotique de paix et de sécurité, une langueur ordonnée ; c'était un lieu serein et sûr. Même le climat était doux.

La plupart des participants venaient des villes ou y habitaient ; la moitié au moins de Londres. La vie dans les villes était rien moins qu'agréable aujourd'hui. Il y avait de moins en moins de logements, ce qui entraînait l'occupation presque automatique par des squatters de toute résidence abandonnée pendant plus d'une journée ; c'était ce qui était arrivé à Mary Rickard. De plus, avec le prix phénoménal de tous les types de chauffage et des carburants, avec la fréquente pénurie d'alimentation et le marché noir qui en résultait, la vie quotidienne du citadin moyen approchait du niveau de la sauvagerie urbaine — à en croire ce qui restait de presse responsable. Tout cela se mêlait à l'accroissement incessant de la criminalité et du terrorisme, et tout ce qui se trouvait à plus de trente kilomètres d'une ville devenait un refuge provisoire. Le Wessex, île touristique dans un avenir imaginaire, devenait le fantasme d'évasion suprême, une porte de sortie de la réalité.

Mander savait qu'aucun des participants ne voudrait l'avouer, parce que cela équivalait à donner des couleurs criardes d'affiche à une réaction qui était pour lui, pour ceux à qui il en avait parlé, une expérience teintée des délicates nuances de l'aquarelle.

L'attirance qu'il ressentait pour le Wessex était subtile ; il savait que son double était insatisfait de son travail, l'avait été depuis des années, et lui-même n'avait rien eu à subir de comparable à la monotonie routinière de la vie à la Commission régionale depuis un emploi de bureau, pendant des vacances universitaires, trente-cinq ans auparavant. Néanmoins, Mander se sentait toujours impatient hors de la projection, il avait hâte d'y retourner.

Eliot dit :

— Il y a une autre question très importante, à savoir les conséquences sur la projection de la mort tragique de Tom Benedict.

Mander jeta un coup d'œil aux autres, qu'il vit aussi mal à l'aise que lui. Il y avait la tragédie humaine de la mort, certes, mais la projection devait continuer. La majorité des participants, autrement dit ceux qui se trouvaient actuellement dans la projection, ne sauraient rien de ce qui était arrivé.

— Tom était très centraliste, dit Colin Willment. J'étais dans la projection jusqu'à hier, et je n'ai remarqué aucun changement.

— Je crois que nous sommes tous conscients de cela, dit Eliot. Le vrai problème concerne le Conseil d'administration. Vous savez tous que, de Londres, on a laissé entendre à plusieurs reprises que la projection avait épuisé son utilité et qu'il faudrait bientôt la laisser s'arrêter. Je sais que quand ils ont appris ce qui était arrivé à Tom, leur première réaction a été : voilà une raison qui en vaut une autre de l'interrompre tout de suite.

— Mais la mort de Tom a-t-elle été directement provoquée par sa présence dans le projecteur ? dit Mary.

— Je ne crois pas. Je dois témoigner à l'enquête, et, en tant que médecin et membre le plus ancien du projet, mon opinion est que la mort a eu une cause naturelle.

— Et vous avez dit ça aux administrateurs ? demanda Mary.

— Bien sûr. Comme je disais, ça a été leur première réaction. Après réflexion, ils ont jugé que la projection pouvait continuer, mais qu'en même temps il serait possible de corriger en partie ce qu'ils prennent pour ses défauts actuels.

Eliot regarda brièvement Mander en disant cela. C'était s'avancer sur une zone sensible, car les participants étaient fièrement jaloux de leur création. Eliot poursuivit :

— Vous avez déjà entendu cette critique... Quelques administrateurs sont persuadés que, sous certains aspects, la projection est devenue une fin en soi.

Chez Mary Rickard et les autres, Eliot vit à nouveau un reflet de ses propres pensées. Contre cette accusation, ils étaient plus ou moins sans défense. Au début, les rapports des participants avaient reflété l'état d'esprit de la projection : ils découvraient une société et spéculaient sur son fonctionnement. Avec le temps, cependant, au fur et à mesure que les participants s'enracinaient dans cette société, leurs rapports avaient pris progressivement un ton plus factuel, mettant la société future en rapport avec elle-même plutôt qu'avec le présent. Formulé différemment, cela voulait dire que les participants traitaient la projection comme un monde réel, plutôt que comme une extrapolation consciente du leur.

Mais cela était inévitable et l'avait toujours été, même si personne ne s'en était aperçu à l'époque. Parce que le Wessex était en partie créé par l'inconscient, il devenait réel en période de projection.

Le Conseil d'administration, qui ne perdait pas de vue les considérations budgétaires, n'avait pas obtenu les résultats qu'il escomptait.

C'était une conception audacieuse, inventive : postuler une société future tellement en avant du présent que les préoccupations et problèmes contemporains du monde auraient été résolus dans un sens ou dans l'autre. Il n'y aurait pas de famine, parce que la projection créait un monde avec de la nourriture en abondance. Il n'y aurait pas de menace de guerre à l'échelle mondiale, parce que la projection imaginait une situation politique mondiale stabilisée. L'explosion démographique aurait été maîtrisée, parce que la projection en décidait ainsi. L'utilisation de la technologie et des carburants fossiles aurait trouvé son équilibre, parce que la projection créait un monde où cela était accompli.

La projection elle-même créait les buts ; les participants, en s'insérant dans cette société, découvriraient les moyens par lesquels ceux-ci avaient été obtenus... et tel était l'objectif de la projection.

Deux ans après le début de l'expérience, les processus des solutions n'étaient toujours pas compris. Le Wessex, dans les premières années du XXIIe siècle, la place qu'il occupait dans le monde en général, étaient imaginés et compris dans le moindre détail, mais on ne pouvait transmettre à la Fondation qui finançait la recherche que les plus vagues indications sur les moyens qui avaient permis cette stabilité.

— Certains d'entre vous, disait Eliot, sont au courant du fait que les administrateurs ont engagé un certain Paul Mason pour remplacer Tom Benedict. Je crois savoir que M. Mason a été nommé il y a deux ou trois mois, pour aider le Conseil d'administration à estimer la valeur des découvertes du projet, mais après la mort de Tom ils ont suggéré que Mason le remplace. Ils sont convaincus qu'il a les qualités nécessaires pour mieux diriger notre travail en vue d'obtenir les renseignements qu'ils recherchent.

Mander dit :

— Le Conseil d'administration comprend-il bien l'effet qu'un nouvel arrivant pourrait avoir sur la projection ?

— Vous voulez dire des changements possibles dans la société projetée ?

Eliot semblait mal à l'aise dans son rôle d'avocat du Conseil d'administration. « Je crois. Il est clair que Mason est un homme d'une intelligence hors pair, et il a passé les dernières semaines à se familiariser non seulement avec les programmes originaux mais aussi avec les rapports. J'ai moi-même passé beaucoup de temps avec lui, et il saisit remarquablement bien ce que nous sommes en train de faire. Je crois que les changements qui pourraient résulter de son arrivée dans la projection seraient mineurs. En fait, rien de plus que ceux provoqués par la mort de Tom.

— Mais la part projective de Tom était surtout fondée sur le consensus général, dit Mary Rickard.

— Qu'est-ce qui vous dit que ce n'est pas le cas pour celle de Mason ? Je voudrais que vous fassiez sa connaissance ce matin. Il attend dehors. Vous pourrez vous faire une opinion sur lui.

— Et si nous ne le jugeons pas apte ? dit Mander.

— Alors on peut penser que les administrateurs demanderont l'arrêt de la projection dans les semaines à venir.

— Nous n'avons pas vraiment le choix, dit Mary.

— Je crois que vous vous apercevrez que Mason ne représente pas la menace que vous imaginez. Il semble vouloir servir la cause de la projection. »

Encore une fois, Mander croisa les regards de Mary Rickard et Colin Willment. Il connaissait leurs doutes sans avoir à en parler, car c'étaient les siens. Personne ne pouvait vouloir « servir la cause » de la projection sans y être entré. On ne pouvait pas en faire l'expérience en feuilletant les rapports, la comprendre en lisant les programmes. Il fallait la vivre pour la ressentir... et ce n'était qu'alors qu'on pouvait parler d'engagement.

Mais la projection était un monde intensément privé ; tout nouveau venu, aussi bien intentionné soit-il, serait un intrus. Paul Mason ne serait pas le bienvenu avant qu'il n'ait amené le monde à refléter sa propre personnalité... et personne dans la projection n'était prêt à lui laisser faire cela. Mander dit :

— Je pense qu'il faudrait voir M. Mason.

— Alors je peux le faire entrer ? Eliot chercha l'approbation des autres. Bien. Je vais le chercher.

Eliot sortit, et à peine la porte fermée Mander se tourna vers ses compagnons.

— Qu'est-ce qu'on fait ?

Colin haussa les épaules. « C'est un chantage. Si nous

l'acceptons, il affectera la projection. Si nous le refusons, la projection s'arrêtera.

— Alors, qu'en pensez-vous ?

— Il va falloir l'accepter.

— Julia ? Et vous ? »

Pendant toute la discussion, Julia, dans son fauteuil, était restée muette. Son aspect était pâle et frêle, elle n'avait pas touché au café qu'elle s'était servi.

— Vous ne vous sentez pas bien, Julia ? dit Mary.

— Non... je vais bien.

A ce moment Eliot rentra, suivi d'un jeune homme de haute taille, élégamment vêtu, visiblement à l'aise.

Mander se leva, marcha vers lui et lui tendit la main.

— Monsieur Mason. Enchanté de vous revoir. Il se tourna vers les autres. Je vous présente vos nouveaux collègues. Mme Rickard, Mlle Stretton, M. Willment...

Paul Mason leur serra la main, et Colin Willment secoua le percolateur pour voir s'il restait du café.

XIV

JULIA se sentit mieux dès que Paul fut entré. Elle avait été tellement obsédée par le bref affrontement dans le bureau de celui-ci qu'elle avait à peine entendu ce que disaient John Eliot et Don Mander. Ce n'est qu'à la fin, quand Eliot était sorti de la pièce, qu'elle avait compris que Mary et Colin possédaient leurs propres raisons pour ne pas vouloir de Paul dans la projection.

Puis Paul entra, et le danger invisible qui rôdait au-dehors devint un antagoniste visible, et d'autant moins effrayant. « Enchanté, mademoiselle Stretton », avait-il dit, comme s'ils étaient totalement inconnus l'un à l'autre... et la menace qu'il représentait devint maîtrisable. Au moment des présentations, il aurait pu révéler qu'ils se connaissaient, mais il avait laissé passer sa chance, et au lieu de cela il jouait un rôle.

Il avait le Conseil d'administration derrière lui ; il n'était pas obligé d'imposer une confrontation avec elle pour rejoindre la projection.

Elle se laissa aller dans le fauteuil, s'efforçant de respirer plus calmement, et observa Paul. Elle avait eu une fois la force de le défier, et elle devait le faire encore. Penché en avant sur son siège, il écoutait Mander et Eliot et leur parlait. Son visage avait une expression attentive et intéressée... celle qu'il réservait à la bonne compagnie, quand il voulait impressionner et plaire à ses interlocuteurs. Elle n'avait pas vu cette expression depuis des années, mais la reconnut sur-le-champ. Cela lui rappelait la fois...

Ce fut comme un coup de poing, et elle se sentit rougir comme si une main lui avait labouré le visage.

Ce souvenir enterré dans le passé, la présence de Paul l'en sortait aussi aisément que s'il était resté à la surface pendant tout ce temps.

C'était peu après qu'elle fut allée vivre avec lui à Londres, longtemps avant les dernières bagarres. Une sorte d'instinct de conservation s'était fait jour ; rien de plus qu'un instinct, alors, parce qu'elle était trop fortement influencée par lui pour rationaliser ses malheurs, et qu'elle croyait ce qu'il lui disait sur elle-même. Pour tenter d'exprimer ses incertitudes elle s'était mise à tenir un journal, un journal secret, honnête, du genre qui n'est pas fait pour être lu, pas même par son auteur. Elle y parlait d'elle-même, de ses rêves, de ses ambitions, de ses fantasmes sexuels ; tout cela se déversait en un torrent de mots abrégés, sans grammaire et sans ponctuation, comme un cri de l'inconscient. Le journal était toujours bouclé, scrupuleusement, méticuleusement, mais c'était l'appartement de Paul et il avait toutes les clés. Quelques semaines après le début du journal, ils allaient dîner chez le rédacteur d'une revue sur qui Paul s'efforçait de faire impression. Il s'était assis à la table du dîner avec cette expression d'intérêt poli, d'ouverture aux idées des autres... et puis, quand le rédacteur raconta une anecdote, Paul répliqua en citant quelque chose qu'elle avait griffonné dans son journal la nuit précédente. Ce ne pouvait être que délibéré, mais dans le contexte cela se présentait comme quelque chose qu'il avait trouvé ; il alla jusqu'à rire de lui-même et à s'excuser de la banalité du propos.

Puis il lui sourit, l'air de chercher son approbation, mais ses yeux disaient ce qu'elle allait apprendre des centaines de fois dans les mois à venir : je te possède et je te contrôle. Tu n'as rien que je ne puisse toucher et colorer. Tu n'as rien que tu puisses affirmer t'appartenir en propre.

Et, pendant que Paul écoutait les autres, il regardait parfois dans sa direction, et ses yeux répétaient le message. Au moins Don Mander semblait avoir accepté que Paul soit de la projection, même si le silence de Colin et Mary, selon Julia, était éloquent.

Mander parlait : « ... puisque le Ridpath agit sur l'inconscient aussi bien que sur le conscient, notre programme original a dû se conformer à une vue réaliste, acceptée par tous, de ce à quoi cet avenir pourrait vraiment ressembler. S'il restait des doutes profonds dans l'esprit des participants, il fallait qu'ils soient dissipés avant que nous ne commencions. »

Julia se rappelait les premiers temps, où se déroulaient les interminables discussions de planification. Parfois il semblait, pendant des semaines, qu'on était dans une impasse, que pour toute proposition avancée il y aurait une minorité de dissidents.

— Je m'intéresse à la notion de contrôle communiste, disait Paul. C'est quand même quelque chose qui semble improbable ? Serait-il vraiment possible que la Grande-Bretagne accepte jamais le socialisme d'Etat ?

— C'était notre sentiment, dit Eliot. Souvenez-vous, ce n'est pas la Grande-Bretagne en tant que telle qui est prise en considération. Un facteur important est d'admettre que l'Ecosse finira par rompre avec l'Union, et gardera le contrôle des réserves de pétrole de la mer du Nord. Nous avons aussi supposé un rôle économique différent pour le pétrole ; les réserves naturelles deviennent des réserves d'Etat, comme l'or. Le pétrole resté dans le sol aurait plus de valeur que celui extrait et utilisé. Sans l'atout de ce genre de richesse, l'Angleterre n'aurait aucune force économique. Elle serait mûre pour la prise du pouvoir.

— Mais pourquoi le bloc oriental, docteur Eliot ?

Il y avait une raison à tout, pensa Julia. Malgré elle, malgré l'intensité de ses sentiments, elle était fascinée par l'attitude rationnelle de Paul. Au fond, il ne posait que le genre de question que tout le monde pourrait poser. Il lui vint à l'esprit, à peu près pour la millième fois, que c'était peut-être seulement elle qui ne voyait jamais que le mauvais côté de Paul, que ses préjugés étaient injustes.

Elle s'aperçut que le café qu'elle s'était servi avait refroidi, et retourna au buffet en prendre une autre tasse. Comme elle regagnait sa place, Mary lui jeta un coup d'œil ; elle et Colin demeuraient aussi silencieux que Julia. Colin, affalé sur le divan, affectait l'indifférence.

Julia avait toujours bien aimé cette pièce, avec ses poutres noircies et sa grande cheminée en pierre de Portland. Quelqu'un de célèbre avait vécu ici pendant le XIXe siècle, et la maison était classée comme monument à préserver pour les futures générations. Mais, un jour, Julia avait parcouru ces dunes — un jour, en Wessex — et la maison n'avait plus été là. Cette découverte l'avait attristée après sa récupération, et, couchée dans sa chambre à l'autre bout de la maison, elle s'était souvenue de l'avenir, quand la maison aurait disparu. Bincombe House était vivante de toutes ses années, pleine de souvenirs heureux d'autres siècles. Le type de tension que créait Paul n'y avait pas sa place.

Elle tenta de se concentrer sur ce qu'Eliot et Mander expliquaient à Paul, espérant dominer la nouvelle situation en s'y plongeant davantage.

Mander parlait du profil politique du XXIIe siècle, tel qu'il était conçu dans la projection : les Etats des Emirats, à domination musulmane, qui se trouveraient dans cette moitié du monde, et qui incluraient les deux Amériques, la majeure partie de l'Afrique, le Moyen-Orient, le Sud de l'Europe. Le bloc communiste qui comprenait l'essentiel du reste : Europe du Nord, Angleterre, Islande, Scandinavie, la plus grande part de l'Asie, y compris l'Inde. Quelques pays indépendants : Canada, Ecosse, Suisse, Irlande, Australie. Pas de tiers monde, à moins d'y compter l'Afrique du Sud, qui se disait indépendante.

Une partie du scénario se concentrait sur les ressources énergétiques. Le pétrole ne serait plus raffiné à l'échelle universelle : il y aurait de l'essence, mais seulement pour les très riches, ou pour les usages réservés. Le charbon et l'énergie hydraulique seraient toujours générateurs d'électricité, mais les ressources locales seraient beaucoup plus mises à contribution : l'énergie solaire, sous les tropiques ; la combustion du bois ; les forages géothermiques ; l'énergie des vagues et des marées.

Julia avait travaillé quelque temps avec l'équipe des ressources énergétiques. On savait qu'il y avait un peu de pétrole sous le Dorset, et, en quantité beaucoup plus exploitable, une strate profonde de roches chaudes.

Don Mander décrivait à Paul la nature géophysique de ce monde futur spéculatif, et pour la première fois Julia entendit mentionner son nom. Paul lui jeta un coup d'œil ; il jouait toujours son rôle, car il salua poliment de la tête.

Le forage géothermique n'avait jusque-là été expérimenté qu'à petite échelle, et avec des succès limités. Julia, en travaillant avec les autres, était arrivée à la conclusion que si ce dépôt rocheux à huit kilomètres au-dessous de la vallée de la Frome était exploité pour son contenu énergétique, plusieurs dangers se présenteraient. Le principal était que la roche refroidirait sous l'injection d'eau destinée à canaliser la chaleur. Cela provoquerait sans doute une activité sismique. Le projet Wessex comprenait un sismologue — Kieran Santesson, qui était actuellement dans la projection — et il avait calculé que dans une zone sismique autrement stable, d'importants tremblements de terre et de vastes affaissements du sol pouvaient se produire. Dans un des premiers essais du Ridpath, les résultats indiquaient que certaines parties du Dorset pouvaient s'effondrer de quatre-vingt-dix mètres et plus, coupant ainsi effectivement la province occidentale du continent.

Cette idée que le Wessex pouvait devenir une île avait séduit tout le monde, et était immédiatement devenue une des images dominantes du programme.

Eliot disait : « ... voyez-vous, Mason, la forme consciente de la projection peut être prédéterminée. Ce que nous ne pouvons pas contrôler, c'est la nature inconsciente du paysage, et les rôles tenus par les doubles. »

Cela avait été le département de Don Mander pendant la planification. Mander, l'un des deux psychologues du projet, avait défini la projection comme un psychodrame, et pour Julia le terme avait des sous-entendus sinistres, comme si c'était une expérience clinique qui se préparait. Elle n'avait pas été la seule à réagir ainsi. Bien des participants avaient eu leurs doutes dès le début ; il y avait quelque chose de presque indécent dans l'idée de mettre son inconscient en commun avec celui de relatifs inconnus. Mais personne ne pouvait violer l'esprit d'un autre, car le résultat du Ridpath était la fusion des inconscients, la production d'une sorte de rêve de groupe.

L'inconscient produisait ses illogismes, surtout dans la manière de traiter les vies des doubles. Les participants prenaient des rôles qui ne reflétaient ni leur formation ni leurs qualifications, mais quelque désir plus profond. Mander était devenu un bureaucrate, Mary une potière ; Kieran, le spécialiste de sismologie, travaillait comme chef cuisinier dans un des restaurants de la côte ; Colin Willment était docker. Jusqu'à un certain degré, on pouvait remonter à la source dans les vies réelles des participants : Mary Rickard faisait de la poterie pour se détendre, Colin parlait souvent de l'aspect frustrant de la nature purement théorique de son travail d'économiste, Kieran avait la réputation d'un excellent cuisinier. Le paysage, lui aussi, reflétait l'inconscient. Il avait ses particularités, ses illogismes — le climat était soit terriblement bon, soit terriblement mauvais, les jours semblaient plus longs, les collines plus élevées, les vallées plus profondes — mais c'était toujours une version reconnaissable du véritable Dorset.

Quelqu'un avait fait remarquer au début que l'inconscient collectif produirait des archétypes d'horreur, des images de cauchemar, des situations de rêve. La remarque avait été à demi facétieuse, mais on l'avait prise au sérieux. A la différence de l'état de rêve, cependant, le Wessex de l'esprit collectif était contrôlable. Il y avait des corrections constantes dues à la raison, au bon sens, à l'expérience ; le conscient pouvait prévaloir sur l'inconscient. Les fantaisies de cauchemar n'étaient pas apparues.

Mais le caractère onirique était toujours présent, et tous le partageaient. Les participants s'étaient habitués les uns aux autres. Le Wessex avait pris forme, et appartenait à ceux qui lui avaient donné forme. Un intrus qui tenterait de s'y ingérer représenterait une menace touchant aux niveaux les plus profonds de l'identité, de la mémoire et de l'intelligence.

Quand cet étranger était quelqu'un comme Paul, de

son propre aveu ambitieux et arriviste — même si Julia laissait de côté ses sentiments personnels — le caractère inconscient de la projection serait inévitablement affecté.

Elle essayait d'être rationnelle, de s'opposer des arguments. Il y avait toujours une chance, si Paul entrait dans la projection, que les résultats ne soient pas aussi mauvais qu'elle le craignait. Après tout, il était suffisamment intelligent, et à en juger par son attitude il semblait prêt à collaborer, à fondre sa volonté avec celle des autres.

Elle se demanda ce qu'il était devenu ces six dernières années. Il avait dû y avoir une autre femme dans cette période, peut-être plusieurs. Il ne lui en avait pas parlé, ni aujourd'hui ni lors de son dernier week-end à Londres. Peut-être était-il lié à quelqu'un maintenant. Etait-il possible qu'il n'ait cette pulsion de la contrôler et de la dominer que dans les visions paranoïaques de Julia ? Cette aventure meurtrissante et dévastatrice n'aurait-elle été qu'un produit de leur jeunesse, avaient-ils tous deux mûri depuis ?

Et s'il arrivait le pire ? Si Paul entrait dans la projection et qu'ils se retrouvent en Wessex, était-il possible que les vieux différends soient oubliés en même temps que leurs souvenirs du monde réel ?

C'était une possibilité. Beaucoup de participants avaient parlé de cela dans les sections personnelles de leurs rapports. Ils avaient découvert que les préoccupations de leurs vies réelles étaient ignorées de l'identité assumée par leur double.

En pensant à cela, Julia se souvint de Greg. Il n'existait pas dans le monde réel ; ce n'était pas un membre de la projection. Greg était un des habitants du Wessex, appelé à la vie par l'imagination de l'inconscient du groupe. Pour reprendre l'analogie de Don Mander avec le psychodrame, Greg était l'un des milliers de rôles secondaires, les sujets auxiliaires. La plupart d'entre eux restaient à l'arrière-plan, comme des figurants dans un film... mais parfois les participants confiaient des petits rôles parlants à ces acteurs. L'inconscient de Julia avait écrit un scénario pour Greg, un scénario qui avait pour elle une conséquence directe sur un besoin intérieur. Greg était devenu un amant physique, un incube de l'esprit. Mais l'inconscient jouait des tours : Greg était un partenaire sexuel insatisfaisant.

Dans ses propres comptes rendus, Julia avait mentionné le rapport sexuel avec Greg comme un fait, mais elle n'avait jamais détaillé l'insatisfaction qu'il laissait presque invariablement chez elle. En cela ses comptes rendus n'étaient pas complets, mais Julia comprenait que la nature de sa relation avec Greg aurait révélé une inadéquation très personnelle, intime, aussi estimait-elle cette omission justifiée.

Tout cela était en rapport direct avec Paul Mason. Il y avait longtemps qu'elle était arrivée à la conclusion que l'attitude destructrice et venimeuse de celui-ci à son égard venait d'un besoin intérieur, qu'elle compensait un certain échec physique.

Si Paul ressentait encore cet échec, et qu'il entrait dans la projection, il était presque certain que lui aussi se trouverait dans un rapport imaginaire, inconscient, avec un sujet auxiliaire qui lui serait propre. Il en tirerait peut-être un enseignement, comme ç'avait été le cas pour elle avec Greg.

C'était un vœu pieux, mais néanmoins un espoir... et quand la discussion fut interrompue par la cloche du déjeuner, quelques minutes plus tard, Julia envisageait ces perspectives avec plus de calme qu'après la rencontre du matin avec Paul.

XV

DAVID HARKMAN avait mis son réveil à six heures et demie, et malgré la brièveté de sa nuit, il fut éveillé en quelques secondes. Le jour précédent, sachant que Julia allait lui livrer son nouvel aquaplane, il s'était renseigné sur les heures des marées. Généralement une seule des barres quotidiennes pouvait être chevauchée, et, comme l'horaire des marées avançait d'une demi-heure par jour environ, la vague du soir était maintenant trop proche de la tombée de la nuit pour être sûre. La vague convenant aux amateurs devait apparaître ce matin-là vers huit heures quarante-cinq, et Harkman brûlait de mettre son adresse à l'épreuve.

Il s'habilla en hâte, mettant un maillot de bain sous son pantalon, et sortit de la Maison d'accueil de la Commission.

Dorchester avait un aspect morne et gris. Le temps humide de la veille avait fait place à un crachin fin et pénétrant qui flottait sur la ville et donnait aux maisons un air froid et morose. Il était difficile d'imaginer, dans la lumière feutrée du petit matin, que Marine Boulevard pouvait avoir vu des réjouissances hautes en couleurs à peine quelques heures auparavant. Les lumières étaient éteintes, les rideaux des bars et des cafés baissés.

Il y avait peu de monde dans les rues, et presque tous les passants, comme lui, se dirigeaient vers le port.

Il se rendit d'abord à la boutique d'aquaplanes, qui adaptait ses horaires d'ouverture à ceux des marées. A cette heure, la direction connaissait exactement ses clients et leurs besoins, et il n'y avait pas trace de l'indifférence négligente que Harkman avait constatée à sa première visite. A son entrée dans la boutique un vendeur s'avança, et dans l'espace de vingt minutes Harkman était équipé de la combinaison imperméable de caoutchouc et de l'appareil respiratoire nécessaires.

A marée basse le port n'était pas navigable, et la vedette de Child Okeford attendait en haute mer à l'extérieur de l'enceinte. Une trentaine de personnes étaient déjà assises sur les bancs du pont avant, la plupart vêtues de la combinaison noire luisante, semblables à des phoques agglutinés sur un rocher.

L'arrière du bateau était occupé par les équipements : les aquaplanes étaient rangés sur des porte-bagages de bois spéciaux, pour ne pas reposer les uns sur les autres, et il y avait plusieurs piles de vêtements, combinaisons et appareils respiratoires.

Harkman descendit les marches de béton vers les deux contrôleurs au bas de la rampe de la vedette, paya son billet et posa ses nouvelles acquisitions sur le pont.

Plusieurs enfants de la ville se tenaient là — de telles occasions les attiraient inévitablement — et Harkman se fit aider par deux d'entre eux pour chercher son aquaplane au mouillage et le porter à une place sur les râteliers. Puis il se rendit sur le pont avant et attendit avec les autres le départ.

Le crachin persistait, trempait les vêtements et plaquait les cheveux sur le front. Assis au milieu de la foule, Harkman se dit que l'idée de porter une combinaison n'était pas si mauvaise.

La plupart des autres surfers étaient des hommes, mais il y avait aussi un petit groupe de femmes, assises ensemble. Elles avaient un côté musclé, masculin, dans leurs combinaisons rembourrées, et Harkman tenta d'imaginer le corps délicat de Julia dans ce costume. L'idée lui rappela immédiatement cette impression insolite que sa mémoire le trompait, ressentie le soir précédent — en fait, ce rappel même avait le caractère abstrait qui l'avait tant déconcerté — et il détourna les yeux des femmes, portant son regard vers le port, vers les rangées de yachts privés, trempés et mélancoliques au mouillage.

Enfin l'embarcation se détacha lentement de l'enceinte du port, cherchant les eaux profondes. Le navire était plat, ce qui ne l'empêchait pas de heurter et de racler sur les galets. A peine sorti des petits fonds, le capitaine baissa la dérive, et la vedette accéléra sur sa lancée vers l'est.

Harkman regardait la côte qu'ils longeaient, il voyait les plages larges et plates qui attiraient tant de visiteurs dans la journée.

La traversée pour Blandford Passage prit plus d'une demi-heure, et huit heures étaient passées quand la vedette aborda lentement dans le port de Child Okeford. Okeford était en Angleterre continentale, et il y eut un léger retard dans le débarquement pour le contrôle des visas des touristes étrangers.

C'était ici, à Blandford Passage proprement dit, que se trouvait la brèche la plus étroite entre l'Angleterre et l'île de Wessex. Pendant les bouleversements sismiques du siècle précédent, la vallée de la rivière Stour avait été transformée, de passage peu profond à travers les dunes du nord du Dorset qu'elle était, en un gouffre abrupt et étroit bordé de chaque côté par de friables falaises de craie. Au nord, la mer du Somerset s'étalait des collines de Quantock sur l'île de Wessex jusqu'aux collines de Mendip en Angleterre, et s'ouvrait sur ce qui avait été le canal de Bristol. Cette mer triangulaire, qui au sud se terminait en entonnoir dans le passage sur les restes de Blandford Forum, subissait les effets de la marée montante une heure avant les eaux abritées de la baie de Dorchester, laquelle donnait dans la Manche à l'extrême est. Entre les Quantocks et les Mendips, elle était imperceptible ; au niveau de la ville de Crewkerne, sur la côte de Wessex, on la distinguait clairement comme une vague de deux ou trois mètres de haut ; en arrivant à Child Okeford, à l'entrée de l'étroit goulet, elle avait rarement moins de vingt mètres, et aux grandes marées de printemps on avait vu des vagues de cinquante mètres et plus.

Quand le vent soufflait du sud-est, la vague devenait un brisant mortel qui déferlait et faisait irruption hors du Passage dans une cascade spectaculaire de ressac écumant. C'était ce phénomène unique qui avait d'abord attiré des visiteurs dans la région, et qui avait été à l'origine du développement du tourisme en Wessex et sur le continent.

Child Okeford, perché sur la colline de Hambledon, était devenu le centre des amateurs de surf, mais c'était Dorchester qui attirait les visiteurs, avec sa vie nocturne et ses plages, son casino et sa mosquée.

Quand Harkman eut débarqué son équipement avec l'aide des stewards et fut descendu de la vedette, il alla se changer dans un pavillon voisin. Les sportifs étaient astreints à de nombreux règlements de sécurité, l'un — et non des moindres — précisant que tous devaient avoir quitté le port de Child Okeford quinze minutes avant l'arrivée de la vague. Cela pour que l'estacade puisse être mise en place à l'entrée du port pour prévenir la catastrophe possible d'un raz de marée dans le port au passage de la vague. En tout cas, les surfers devaient être prêts au centre du passage bien avant que la vague n'arrive.

Harkman se débattit pour enfiler sa combinaison neuve par-dessus son maillot de bain. A la boutique, le vendeur avait pris ses mesures, mais malgré cela elle était plus serrée que la normale. Le Parti avait décrété de nouvelles mesures de sécurité pour les surfers, et la combinaison était plus rembourrée que quand il avait chevauché la vague dans sa jeunesse. Lorsqu'il l'eut enfin passée, il sortit se faire aider pour l'appareil respiratoire. Un steward devait vérifier que celui-ci était réglementaire, et on lui demanda si c'était sa première course ; dans ce cas il aurait dû être suivi par un surveillant qualifié, pour le prix supplémentaire de dix mille dollars.

Le moteur de l'aquaplane démarra en souplesse, et après l'avoir laissé chauffer quelques secondes, Harkman descendit sur la large surface de la planche, trouva son équilibre, et accéléra régulièrement à travers le port. En arrivant dans le Passage il vit qu'il y avait déjà une bonne trentaine de sportifs devant lui, et que d'autres suivaient ; il y avait plus de monde qu'il ne l'aurait souhaité, mais c'était encore acceptable.

Sur le trajet il fit encore quelques exercices de virages, sans subir la honte d'une seule chute. C'était une chose de s'exercer dans les eaux abritées de la crique à Maiden Castle, c'en était une autre de le faire sous les yeux des stewards d'Okeford restés sur le rivage.

Il se rappela sa première chute, quand il apprenait à monter l'appareil. Le moteur était resté en marche, et le petit engin avait disparu dans l'étendue de la mer de Somerset. Trois jours s'étaient écoulés avant qu'un hélicoptère de l'armée ne le repère et ne le récupère.

Un autre souvenir : plat et froid dans son esprit. Etait-ce vraiment arrivé ?

Un surfer le dépassa, dans la même direction.

« Trente mètres ! » cria-t-il, mais sous le bruit du moteur, la tête couverte par le casque de la combinaison, Harkman l'entendit à peine.

« Quoi ? » cria-t-il en retour, mais l'autre était passé. Un peu plus tard, un autre passa la même information. Cette fois Harkman l'entendit, et, se prenant au jeu, le cria à un autre à la première occasion. On avait dû obtenir des stewards une estimation de la hauteur de la vague.

Il regarda vers le nord, mais ne put encore distinguer aucun signe de la barre. Harkman se rappelait, des anciennes années, que les distances étaient souvent trompeuses, et que le seul indice sûr était de guetter des signes de remous sur les parois du gouffre.

Ses muscles étaient contractés ; aussi, dans les quelques minutes qui lui restaient, repassa-t-il la routine de son vieil entraînement, fléchissant les bras et les jambes, s'efforçant d'assouplir le corps. Il ne pouvait s'empêcher d'être tendu par l'attente ; il avait vécu beaucoup de chutes sur la vague, et il connaissait trop bien la violence du brisant.

La position la plus sûre, pour un amateur incertain, était au centre du canal, mais c'était là que se regroupaient la plupart des surfers. Harkman tenait à sa liberté de manœuvre, et il se déplaça sur le côté Wessex, sachant que si la vague était trop haute pour qu'il la monte sans danger, la douceur des falaises de ce côté maintiendrait une relative stabilité des remous pendant qu'il revenait au centre.

Il y eut une forte explosion dans le lointain : on tirait le canon pour avertir les navires, mais c'était par tradition le son qui donnait le signal aux surfers, lesquels se mettaient à caracoler dans l'attente de la vague. Harkman jeta un coup d'œil vers le nord, et cette fois il vit la vague comme une ligne noire à travers la mer plate. Elle était déjà plus proche et plus haute qu'il ne s'y attendait. Il fit tourner l'aquaplane, dans une dernière virevolte d'exercice, pas encore très à l'aise dans le nouvel équipement, mais sachant qu'il était trop tard maintenant pour éviter la vague. Quelques instants plus tard arriva le bruit de l'eau qui se brisait, et Harkman vit les remous écumants à la base de la falaise.

Il ouvrit la manette et se déplaça sur le côté, loin de la falaise et vers le centre du canal ; après quelques mètres il fit demi-tour, revint encore. Puis il sentit le remous qui le soulevait et accéléra en avant, au travers de la vague, restant devant elle mais sentant la planche basculer vers l'avant. La vague s'élevait rapidement en se ruant dans le passage engorgé.

Après quelques secondes, Harkman vit qu'il se rapprochait dangereusement des autres, aussi fit-il un classique virage en épingle à cheveux, tournant sur la longueur de l'aquaplane et revenant dans l'autre sens. Il filait toujours devant la vague, mais celle-ci le rattrapait progressivement en sorte qu'il courait sur son versant antérieur.

La vague n'était pas encore brisée, sinon là où elle se ruait contre la muraille de la falaise, où elle rugissait et rebondissait dans une fureur blanchâtre. Harkman bascula à nouveau la planche, vers le centre, et s'aperçut qu'il regardait la vague sur toute sa largeur, une terrifiante montagne d'eau qui fonçait à travers le Passage. Beaucoup des sportifs du centre avaient atteint la crête de la vague trop tôt et se penchaient en avant sur leurs appareils, faisant donner les moteurs pour tenir sa vitesse.

Beaucoup tombaient ou glissaient en arrière, disparaissant à la vue derrière la masse d'eau qui s'élevait toujours.

Harkman était à peu près à mi-hauteur de la vague, filant toujours pour éviter la crête, mais en faisant de larges zigzags pour se régler sur elle aussi exactement que possible. Il fit volte-face, s'écartant des autres surfers, mais vit tout de suite que la vague l'avait emporté beaucoup plus loin dans le Passage qu'il n'avait cru, et que la falaise n'était qu'à quelques mètres de lui. Alarmé, il fit demi-tour, et d'un rapide mouvement de la main déclencha l'arrivée d'air. La gueule du Passage était devant : une passe aux rochers déchiquetés débouchant sur les eaux ouvertes de la baie. Elle était à moins de deux cents mètres. C'était le moment d'atteindre la crête !

Il réembraya et laissa l'aquaplane remonter la pente en diagonale. L'inclinaison était raide, et par endroits une écume blanche apparaissait déjà au sommet. Harkman manquait de pratique : il arriva trop tôt à la crête, avant que la vague n'ait commencé de friser, et pendant un instant il glissa en arrière. Il mit le moteur à fond et regagna la crête.

La vague était arrivée à l'embouchure du Passage, et elle frisa.

Harkman vit pendant un instant le spectacle que seuls ceux qui chevauchaient la vague voyaient jamais : le calme miroir de la baie, gris sous le ciel nuageux, déployé de Dorchester à l'ouest aux collines lointaines de Bournemouth à l'est ; l'île de Purbeck était un mont noir au-devant.

Comme la vague frisait, la crête s'amenuisa et propulsa Harkman vers l'avant. Il glissa vers le bas, devant lui, traversant la pente tremblante de l'eau dressée sous lui. Un sportif aguerri aurait été préparé, aurait essayé de se rattraper sur la pente, et d'accélérer en descendant la vague pour être en sécurité avant qu'elle ne s'écrase sur lui. Mais Harkman fut pris au dépourvu, et la planche s'abattit la queue la première. Il crut un instant qu'il avait retrouvé son équilibre, mais l'aquaplane se retournait sur le côté... et le sombre tunnel de l'immense vague cylindrique se referma au-dessus de lui.

Il ferma les yeux et força ses membres à se détendre. Il fut arraché de la planche avec une violence qui manqua lui faire perdre conscience, puis il se trouva dans un noir capharnaüm de bruit, de pression, de courants gigantesques, qui l'écartelaient vers le haut, le bas, le côté.

La vague s'effondrait, déferlant dans la baie de Dorchester, enveloppée d'une écume blanche déployée sur plus d'un kilomètre. Harkman, à l'intérieur du tourbillon d'eau déchaînée, plongé par le poids de la vague dans les profondeurs de la baie, était broyé, retourné, tordu. Il se força à respirer régulièrement par son masque, essayant de ne pas résister aux pressions sur son corps, conscient que la violence finirait par s'apaiser.

Elle s'apaisa enfin, et Harkman fit surface, la tête entourée du jaune brillant des sacs de flottaison qu'il gonfla avec sa réserve d'air au moment où il vit le ciel.

Une demi-heure plus tard, la vedette de Winterbourne le trouva et l'arracha à l'eau. Seuls sept autres surfers étaient arrivés jusqu'à la baie et, tandis que la vedette pénétrait à travers le flux de la marée, désormais navigable, vers Child Okeford, Harkman apprit des amateurs que la vague avait été satisfaisante, mais pas aussi grande que d'habitude.

Il frissonnait, mais ce n'était pas de froid, car les nuages s'étaient enfin éclaircis et le soleil brillait.

Dès qu'il fut rentré à Dorchester, il alla voir Julia à son stand, et ils convinrent de se retrouver le soir. La course l'avait laissé dans un tel état d'exaltation qu'il lui était impossible de travailler, et il passa la journée à tourner en rond dans son bureau.

Au cours de l'après-midi il apprit que son aquaplane avait été récupéré sans dommage dans la baie, et qu'il devait payer une indemnité de sauvetage.

XVI

MARILYN était revenue du Château pour le déjeuner, et Julia s'assit à une table avec elle. Elle était contente d'échapper aux tensions émotionnelles de l'heure précédente. Elle vit que Paul partageait une table avec Eliot et Mander à l'autre bout de la pièce, lui tournant le dos. C'était comme si on avait écarté d'elle un radiateur électrique, et que la chaleur en fût dirigée ailleurs.

La salle à manger était une grande pièce solennelle, avec de petites fenêtres en vitrail, dans la partie ancienne de Bincombe House. Des reliques du passé étaient fixées aux murs : des hallebardes croisées, des vieux boucliers, des haches. Dans deux vitrines se trouvaient des assortiments de pièces et de poteries tirées des fouilles archéologiques sur le terrain, et la moitié d'un mur était couverte d'une tapisserie ancienne, protégée par une housse de plastique transparent.

Marilyn lui fournit les informations et les ragots qui s'étaient accumulés pendant son séjour dans le projecteur. Les potins n'intéressaient pas beaucoup Julia — la vie sous deux identités distinctes impliquait assez de relations personnelles pour ne pas encore aller s'interroger sur les vies privées des autres — mais elle demandait toujours, parce que Marilyn était drôle quand elle racontait les cancans.

Les nouvelles étaient plus préoccupantes, et plus déprimantes. Depuis que les troupes britanniques s'étaient retirées d'Irlande du Nord, les extrémistes loyalistes avaient engagé toutes leurs forces avec des groupes paramilitaires écossais partisans de l'indépendance, et depuis deux ans une intense campagne d'attentats avait été menée contre les villes d'Angleterre. Pendant deux des trois semaines passées en projection par Julia, il y avait eu une accalmie, mais le jour où l'Assemblée d'Ecosse avait été entourée de troupes britanniques — pour protéger les représentants élus, à en croire Westminster — deux grosses bombes avaient été placées dans des autobus, l'une à Londres, l'autre à Bristol. En même temps, une bombe avait explosé dans un métro londonien à une heure de pointe. Le nombre de victimes était effroyable. A la suite de cela, les transports publics s'étaient pratiquement arrêtés dans toutes les villes d'Angleterre. Il y avait aussi d'autres nouvelles : encore une guerre au Moyen-Orient, une crise du dollar, une grossesse royale.

Julia écoutait avec un sentiment croissant de détachement ; c'était l'effet de la projection, et elle savait que les autres réagissaient de la même manière. On avait beau parfois les accuser de fuir le monde réel, une fois qu'ils avaient vécu en Wessex, les participants prenaient leurs distances avec la vie réelle, et il n'y a nul besoin de se cacher de quelque chose d'immatériel.

Dans un autre sens, cependant, le bavardage de Marilyn sur les questions extérieures étaient bienvenu, parce qu'il détournait ses pensées de Paul. Elle se sentait plus forte à ce sujet, et comme Marilyn continuait de papoter, la présence néfaste de Paul devenait plus floue.

Après le déjeuner ils se rassemblèrent au salon, et ils se servaient d'autres cafés quand John Eliot fut appelé au téléphone. En l'attendant, Paul offrit une cigarette à Julia, et elle refusa. D'autres étaient présents ; aucun signe ne passa entre eux, qui pût donner à penser qu'ils étaient autre chose que des connaissances récentes.

Eliot revint, l'air soucieux, et alla au buffet se servir un café sans ouvrir la bouche.

Puis, en s'asseyant, il dit :

— C'était Trowbridge, au Château. Andy et Steve viennent de rentrer de Wessex.

— Ils ont repéré Harkman ? dit Mander.

— Apparemment, oui. Mais ils n'ont pas pu le récupérer.

— Ça s'est mal passé ?

— Je n'ai eu qu'un compte rendu partiel, parce qu'ils sont en train de se remettre. Mais d'après ce que j'ai compris, Harkman n'a pas réagi aux miroirs.

— Mais c'est impossible, dit Mander. Ils en sont sûrs ?

— C'est ce qu'ils ont dit.

Les petits miroirs circulaires utilisés par Andy et Steve étaient le seul moyen connu de ramener quelqu'un de Wessex. C'était un système que Ridpath et Eliot avaient élaboré entre eux : en raison de la perte d'identité réelle à l'intérieur de la projection, les participants auraient besoin d'un déclenchement post-hypnotique indépendant pour abandonner le monde inconscient. Ils avaient décidé de se servir de miroirs. Il n'y avait nulle part en Wessex — ni, à leur connaissance, dans tout le monde futur imaginaire — d'autre miroir circulaire. Des miroirs carrés, des miroirs rectangulaires, des miroirs ovales... mais pas un miroir circulaire. Les seuls existant étaient à Maiden Castle.

— Vous croyez possible que Harkman soit devenu rebelle ?

— C'est ce qu'il semble, dit Eliot. Apparemment, Steve l'a trouvé au stand à Dorchester. Il a essayé de lui vendre un miroir, mais quand il le lui a tendu Harkman a simplement dit « Non merci », et Steve n'a pas insisté. Je crois que vous étiez là aussi, Julia.

Elle était surprise. « Au stand, vous voulez dire ?

— Steve dit que vous lui avez pris le miroir et l'avez jeté. Puis il y a eu une discussion sur le genre de produits en vente au stand.

Julia sourit : son double avait des idées arrêtées sur la question.

— Quand est-ce arrivé ? dit Mander.

— Ce matin.

Quand les participants avaient découvert que leurs doubles continuaient de vivre en Wessex *après* leur récupération, cela avait d'abord créé une confusion considérable, surtout pour ceux qui étaient encore projetés. Comment l'identité future pouvait-elle garder une substance sans la personnalité projetée ? La réponse était que durant l'absence de l'individu, son double existait dans l'inconscient des autres ; pendant cette période, il devenait un sujet auxiliaire, projeté par ceux qui étaient les plus proches de lui dans le monde futur.

Quand le participant était hors projection, bien sûr, il lui était impossible de découvrir ce que faisait son double, mais au retour en projection ses souvenirs de la période intermédiaire étaient complets.

Julia se rendait compte que quand elle retournerait en Wessex elle saurait exactement ce que la Julia imaginaire avait fait entre-temps ; elle le saurait, parce que cela semblerait appartenir à son expérience.

Le soir du jour où elle avait été récupérée, elle avait l'intention de retrouver David Harkman à Dorchester. Elle se demanda s'ils s'étaient rencontrés comme prévu.

Tout comme elle avait une image double, et parfois contradictoire, d'elle-même et de sa propre personnalité future, Julia éprouvait des sentiments mêlés quant à David Harkman. Pour elle ici, vivant sa vie réelle dans le monde réel, Harkman n'était qu'un membre de la projection parmi d'autres, même si sa situation était inhabituelle. Mais le souvenir qu'elle avait du double de Harkman était entièrement différent : chaleureux, curieux, excité, profondément personnel. Si elle avait été vue à Dorchester avec David Harkman, cela ne pouvait vouloir dire qu'une chose : que son moi était projeté par lui. Il avait des liens étroits avec elle, elle était parvenue jusqu'à son inconscient. Tout comme les participants projetaient des sujets auxiliaires pour satisfaire des aspirations inconscientes, Harkman projetait une image d'elle en son absence.

Cette réalisation produisit une réaction profonde chez Julia ; si le Wessex était devenu un refuge inconscient pour tous les participants, David Harkman devenait pour elle un refuge tout personnel. Elle éprouvait à nouveau l'appel du futur, mais cette fois il émanait d'une source particulière.

Ses rapports omettaient déjà les insatisfactions personnelles de la vie avec Greg ; il n'y avait aucune raison pour qu'elle rendît compte des satisfactions qu'elle trouvait avec un autre. Ce serait quelque chose que personne n'avait besoin de découvrir, une région de sa vie dont elle pouvait exclure le reste du monde.

Elle remarqua que Paul la regardait à travers la pièce, et elle lui rendit son regard. David Harkman était devenu une source de force ; cela, Paul ne pourrait jamais le changer !

Perdue dans ses pensées, Julia accordait peu d'attention à ce qui se passait autour d'elle. Le but d'une réunion comme celle-ci était habituellement de faire raconter aux différents participants leurs dernières expériences en Wessex. Les rapports écrits étaient toujours rédigés, mais les échanges verbaux, malgré leur côté non-officiel, étaient considérés d'une importance égale. On estimait qu'un processus dit d'assimilation consciente se déroulait : des trous inexpliqués dans la structure du monde projeté, selon le point de vue de l'un, pouvaient parfois être comblés par les observations d'un autre.

C'était Colin Willment qui parlait et décrivait les dernières semaines en Wessex. Normalement, Julia écoutait avec intérêt les rapports des autres, mais aujourd'hui son esprit était ailleurs.

C'était toujours Paul qui la distrayait. Cela lui faisait peur, de penser qu'il pouvait lui tendre de nouveaux pièges, mais elle était plus calme, plus capable de faire front.

Pour l'instant il y avait équilibre des forces. Paul devait rejoindre la projection, et elle avait des réserves de résistance intérieure.

Colin termina son rapport verbal en quelques minutes, et Mary Rickard lui succéda. Julia savait que son tour allait venir et pensa plus directement à ce qu'elle allait dire. Elle ne voulait rien laisser échapper par inadvertance, surtout sur David, rien qui donnât à Paul plus de renseignements sur son rôle dans la projection qu'il n'en avait déjà.

Une partie de la difficulté tenait à la présence de Don, Mary et Colin. Combien fallait-il en dire, combien devait rester privé ?

Julia se demanda si son intérêt pour le double de David leur était déjà connu. Des questions comme celle-ci s'infiltraient dans la conscience. Elle savait, par exemple, que Colin Willment était « marié » en Wessex, tout comme il était marié dans la réalité. Elle savait aussi, bien que personne ne le lui eût dit, que sa femme projetée était bien différente de la vraie femme.

C'était une chose qu'elle comprenait instinctivement, et elle mettait un point d'honneur à ne pas l'explorer plus avant.

Aussi, même si les autres participants pouvaient déjà avoir l'intuition que quelque chose se développait entre elle et Harkman, Julia ne voyait aucune raison d'en parler. Si c'était assimilé à un niveau inconscient, pourquoi accélérer le processus en attirant l'attention dessus maintenant ?

Elle attendit, tandis que Mary Rickard parlait, sans écouter celle-ci, mais occupée à organiser ses pensées et ses souvenirs. Paul l'observait toujours.

Puis John Eliot dit : « Julia, puisque nous nous intéressons à David Harkman pour le moment, et que vous étiez en train de le repérer, vous pourriez peut-être prendre la parole. »

Elle ne s'était pas aperçue que Mary avait terminé. Elle se pencha en avant sur sa chaise et tenta de faire semblant d'avoir suivi ce qui avait été dit.

— Mlle Stretton est la géologue de l'équipe, dit Eliot à Paul.

— Oui, je sais, dit Paul. Nous sommes de vieux amis.

C'était tellement inattendu, et dit avec tellement de naturel, que pendant un moment Julia eut du mal à comprendre que Paul venait de lancer la grenade dont il avait arraché la goupille le matin même. Mais elle avait eu le temps de se remettre de la surprise, et quand le projectile atterrit elle fut capable de le ramasser et de le renvoyer.

— Pas exactement de vieux amis, dit-elle avec un petit rire affecté. A ce qu'il paraît, nous étions ensemble à l'université. Une coïncidence, vraiment.

Mary, assise à côté de Julia, intervint de façon inattendue :

— Monsieur Mason, vous savez que nous avons une

règle dans ce projet ? Nous décourageons les rapports en dehors de la projection.

— Mary, tu mets Julia dans l'embarras, fit Don Mander.

— Pas du tout, dit Julia, soudain consciente que Mary avait révélé où allait sa loyauté. Nous nous connaissons à peine. Je n'avais pas reconnu M. Mason avant qu'il ne se présente.

Eliot, dont les regards allaient de Paul à Julia, sembla soulagé par le ton détaché de sa réponse.

— Alors, Julia... Parlez-nous de David Harkman.

— Il n'y a pas grand-chose à raconter.

Elle essayait d'éviter de penser à la conséquence de ce qui venait de se passer. Paul avait essayé de mettre sa menace à exécution, et avait échoué. Est-ce qu'il essaierait à nouveau ? Que ferait-il maintenant ?

— Je crois que j'étais en projection depuis une quinzaine de jours lorsque David Harkman est apparu, dit-elle, cherchant ses mots. Vous savez que le stand se trouve sur le port, et un soir...

Elle parlait trop vite en essayant de déballer son histoire. Le censeur qu'elle avait invoqué restait à son poste, mais elle enjolivait son rapport de trop de détails hors de propos. Elle ne voulait pas avoir l'air désarçonnée par Paul, ni par personne, et c'était un soulagement de parler de ce qu'elle connaissait le mieux. Après avoir discouru cinq minutes elle se contrôla mieux, et son récit s'en tint aux faits. Elle décrivit la rencontre avec Harkman devant la boutique d'aquaplanes, et sa visite au Château le lendemain. Elle décrivit les lieux où elle savait que Harkman habitait et travaillait, et où les récupérateurs auraient les meilleures chances de le retrouver. Après quoi elle parla de Tom Benedict et de ce qui lui était arrivé.

Si les autres percevaient sa tension, ils ne le montrèrent pas. Ils écoutèrent avec intérêt, posant de temps en temps des questions.

Mais Paul, assis en face d'elle, demeurait muet. Il était renversé sur sa chaise, les jambes croisées, et pendant tout le temps qu'elle parla ses yeux durs ne s'écartèrent pas une seule fois d'elle.

XVII

La réunion dura toute la journée. Le soir, alors qu'ils se rendaient à la salle à manger, Paul vint à sa hauteur. John Eliot et Mander avaient quelques mètres d'avance sur eux ; Mary et Colin marchaient à quelques pas derrière.

— Je veux te parler, dit Paul.

Elle regarda devant elle, s'efforçant de l'ignorer.

Il y avait quatre couverts par table, et Julia se dirigea vers celle où elle s'était mise au déjeuner. Paul la suivit, et s'assit à la même table.

John Eliot l'aperçut, et vint vers eux.

— J'imagine que vous deux devez avoir beaucoup de choses en commun, dit-il en souriant à Julia.

— Des vieux souvenirs d'université, dit Paul. En quelle année avez-vous passé vos examens terminaux, mademoiselle Stretton ?

Eliot se dirigea vers une autre table et s'assit avec Mander, et Julia dit à mi-voix :

— Tu peux laisser tomber ton numéro, Paul. Je vais leur dire.

— Quoi ? Tout ? Tu n'oserais pas.

— Tout ce qu'ils ont besoin de savoir. Je ne suis pas seule à ne pas vouloir de toi ici.

— Raconte-leur tout ce que tu veux. Ça me va. Tu vas leur parler de l'argent ?

— Quel argent ? dit aussitôt Julia.

— Ces cinquante livres que tu me dois.

— Je ne sais pas de quoi tu parles.

Elle perçut un mouvement à la porte, et se détourna

de lui en rougissant. C'était Marilyn. Julia lui fit signe de venir à la table.

Elle accomplit les formalités des présentations, mais elle sentait en elle une terreur profonde et familière. Elle savait ce qu'il voulait dire avec ces cinquante livres, mais ça n'avait pas d'importance. Plus maintenant.

Paul dit à Marilyn :

— Vous venez de sauver Julia d'une vieille dette. Elle me doit cinquante livres.

Marilyn rit.

— Je croyais que vous veniez de faire connaissance !

— Il plaisante, dit Julia, se forçant à rire.

Un jour ils s'étaient disputés. Pour quelle raison ce jour-là, cette dispute-là, peu importait... ce n'était qu'une fois parmi tant d'autres. A son travail, Paul avait gagné un pari sur les courses, et il était revenu du bureau en brandissant ses gains. Il faisait l'important à cette époque, il voulait se mettre à son compte. Julia — une Julia bien différente, songea-t-elle — avait passé la journée à traquer un emploi, elle était fatiguée et amère. Une discussion avait commencé, la dispute s'était développée. Pour finir, Julia s'était emparée de l'argent, et s'était précipitée hors de l'appartement. Stupidement, stupidement, elle avait perdu son sac, et dedans l'argent et sa clé. Plus tard, il ne l'avait laissée entrer qu'après qu'elle eut pleuré et se fut agenouillée à la porte, il l'avait poussée sur le lit et l'avait possédée violemment. Il y avait un trait final, comme toujours avec Paul : il n'en avait jamais eu aussi peu pour cinquante livres. Cette semaine-là.

Après, il avait raconté l'histoire comme une plaisanterie, en adaptant les faits à sa propre vanité. Il racontait toujours l'histoire en présence de Julia, et obtenait toujours un succès. Ensuite, chaque fois que l'argent était mentionné, n'importe quel argent, il s'arrangeait toujours pour l'identifier à la sexualité.

La surface de la table du dîner était d'un bois au grain profond, sombre et poli, et Julia contemplait le napperon devant elle, le déplaçant des doigts et faisant tinter les couverts. Paul parlait aimablement à Marilyn, il n'était pas question des cinquante livres.

Elle ne les lui avait jamais rendues, elle n'y était jamais arrivée. Elle était toujours fauchée à cette époque, et depuis — depuis qu'elle avait quitté Paul — elle les avait chassées de son esprit. Elle aurait pu les lui rendre maintenant, les lui rendre vingt fois sans qu'elles lui manquent... mais là n'était pas la question. Si elle le lui proposait, il refuserait ; sinon, il ne lui laisserait jamais oublier. Bien sûr, ce n'était pas l'argent en soi ; c'était devenu une dette symbolique, le remboursement dû pour l'avoir lâché. Mais ensuite, comme dans l'après-midi, Julia sentit son courage lui revenir.

Elle ne reconnaissait pas cette dette ; ce n'était pas l'argent qui était en jeu, et s'il y avait une chose dans sa vie qu'elle n'ait jamais regrettée, c'était d'avoir quitté Paul.

Pendant qu'on servait les hors-d'œuvre, Julia remarqua que Paul lorgnait le corps de Marilyn. C'était une fille plus grande, avec plus de poitrine que Julia, et ce soir-là elle portait un mince sweater sans soutien-gorge. Voilà qui devait plaire à Paul, Paul s'intéressait aux seins. Même à ce sujet, il avait essayé de lui donner un sentiment d'infériorité ; il lui faisait remarquer d'autres filles, se plaignait de sa maigreur et de ses épaules rondes.

Elle se sentait pleine d'énergie : l'idée lui vint tout à coup que les seuls points vulnérables qui restaient étaient mesquins et dérisoires. Une petite somme d'argent, son tour de poitrine : était-ce tout ce dont Paul pouvait la menacer ?

Son humeur moqueuse devait être lisible sur son visage, car Marilyn quitta soudain Paul des yeux et lui sourit.

— Tu as envie de sortir prendre un verre ce soir ?

Julia secoua la tête.

— Non... je ferais mieux de rester. Il faut que j'écrive mon rapport.

Paul ne dit rien, mais Julia remarqua son regard. Il arborait un grand sourire hypocrite, et lui fit un clin d'œil appuyé. Marilyn, qui cherchait le beurre, ne remarqua rien. Le geste semblait bien gratuit.

Julia parla très peu au cours du repas, et dès qu'elle eut pris son dessert, elle s'excusa.

Elle alla voir John Eliot, qui mangeait encore.

— Docteur Eliot, j'aimerais rejoindre la projection aussitôt que possible. Est-ce que ça peut être demain soir ?

— Vous allez à l'enterrement de Tom ?

— Bien sûr.

— Je ne sais pas. Vous venez seulement d'être récupérée. Il faudrait vraiment attendre trois jours.

— Qu'est-ce qui presse, Julia ? dit Don Mander.

— Rien ne presse. J'ai l'impression de perdre mon temps ici, et la projection est faible pour le moment. Même Andy et Steve sont dehors.

Eliot dit :

— Il nous faut votre rapport écrit, et...

— Je vais le faire maintenant dans ma chambre. Ecoutez, je suis en forme parfaite. Je suis la seule personne à pouvoir ramener David Harkman, et je veux essayer. Nous avons perdu toute la journée à parler, et ce qui devrait nous préoccuper, c'est David. Comment est-il possible qu'il ait développé une résistance aux miroirs ?

— Nous étions justement en train d'en discuter. Don pense que Steve a dû faire une erreur.

— Alors c'est ce que nous devons découvrir. Quand est-ce que lui et Steve seront prêts pour une nouvelle tentative ?

— Dans deux ou trois jours.

— Je veux être en Wessex avant eux. Vous m'avez confié sa responsabilité. »

Elle s'éloigna avant de les laisser répondre. Paul et Marilyn étaient à leur table, et elle passa rapidement devant eux. Elle vit Marilyn se tourner, mais ne regarda pas derrière elle.

Sa chambre avait été faite pendant la journée, on avait nettoyé les saletés qu'elle avait laissées dans la salle de bains. Il faisait froid, et elle alluma le chauffage au gaz, puis s'assit devant, sur le sol, en contemplant la lueur orange. Ses ongles avaient poussé pendant qu'elle était dans le projecteur. Elle chercha ses ciseaux et sa lime, et se mit à leur redonner forme, s'efforçant de ne pas penser à la journée.

Quand la pièce fut réchauffée, elle fit de la place sur

la table puis y installa une machine à écrire portative et une lampe.

Elle travailla pendant deux heures ; elle voulait présenter un compte rendu objectif de tout ce qu'elle avait vu et fait en Wessex. Les comptes rendus verbaux étaient utiles, mais leur efficacité se limitait à ceux qui les entendaient. Les rapports écrits étaient le seul moyen de communication avec les autres participants.

Ce qui lui rappela qu'elle avait beaucoup à lire : plusieurs rapports avaient dû s'accumuler dans les trois dernières semaines. Il faudrait qu'elle aille à Salisbury le lendemain matin pour l'enterrement ; elle verrait si elle pouvait monter dans la voiture de Marilyn et les lire en route.

Dans son rapport, elle décrivait en détail l'apparence de David Harkman en projection ; ils savaient où il était pour le moment, mais on n'était jamais sûr de ne pas le perdre à nouveau. La description était importante. Elle se souvenait du pâle David Harkman au teint cireux qu'elle avait vu dans la morgue avant de partir pour le Wessex, la dernière fois, et de la distance qui le séparait de l'homme qu'elle avait connu. Pâle, oui, mais du travail de bureau, pas de l'étrange demi-vie du projecteur. Elle pensa au corps élancé et musclé en train de chevaucher l'aquaplane, à sa démarche légère et athlétique sur le quai.

Elle décrivit aussi la disparition de Tom Benedict avec autant de détails qu'elle pouvait se rappeler ; c'était difficile, parce que l'amnésie dont elle avait souffert, aussitôt après, avait rendu l'incident vague. Elle se souvenait d'avoir tenu la main de Tom sous le drap, elle se souvenait de l'infirmerie froide et blanche, de la femme empressée, de l'enfant.

Il y avait les mêmes omissions dans ce rapport écrit que dans son compte rendu de l'après-midi. Des sentiments, principalement, et des espoirs. Elle parlait de l'affinité qu'elle avait détectée avec David Harkman, et avec Tom Benedict, du sentiment de reconnaissance quand Andy lui avait brandi le miroir sous les yeux... mais c'était bien connu de tous. Ce qu'elle omettait, c'étaient les choses qui avaient de l'importance pour elle, qui étaient aussi intimes à ses yeux que la projection l'était pour tous. Des instants comme ces quelques secondes sur le quai, quand elle avait vu David Harkman marcher vers elle, qu'elle avait retenu son souffle et senti ses seins se durcir sous le vêtement rugueux. Ou bien dans la crique, quand elle avait accepté de venir dans la chambre de David, avec Greg à quelques pas de là... et elle avait *vu* la démarche hésitante de Greg, elle l'avait *obligé* à détourner les yeux jusqu'à ce qu'elle puisse accepter.

Ecrire sur le Wessex, c'était s'en souvenir, même si le compte rendu n'était que partiel. Il en était toujours ainsi. Dans les heures suivant un retour, la vie réelle s'entrecroisait avec la projection, et les souvenirs se confondaient.

Le Wessex devenait une obsession, un rêve éveillé, une nostalgie constante.

Le Wessex lui avait donné sa première véritable fonction dans la vie ; il était devenu sa réalité première.

Tout ce qui s'était passé avant le Wessex paraissait la répétition sans enthousiasme pour une pièce à vrai dire improvisée. La pièce, c'était le Wessex, qui dominait sa personnalité comme un personnage fort domine un bon acteur.

Seul Paul, et tout ce qu'il avait représenté, exerçait une influence aussi puissante sur elle. Une influence destructrice, égoïste ; il était juste qu'elle la laisse derrière elle.

Le Wessex était réel, et la séduisait, de même que Paul l'avait autrefois séduite. Il l'enveloppait, s'adaptait à sa personnalité. C'était la réalisation d'un désir inconscient, une extension de sa propre identité qui l'embrassait totalement ; le parfait amant.

Elle contemplait la feuille tapée à la machine, pensant à quel point les mots ne font que rendre le caractère superficiel de l'expérience. Ce que John Eliot avait dit ce matin était vrai ; les rapports ne constituaient plus des observations de quelque chose de fonctionnel pour le projet. Maintenant les véritables expériences étaient dérobées, recyclées à travers l'inconscient pour l'enrichissement ultérieur de la projection.

Comme une liaison authentique et profonde, les vérités fondamentales n'avaient jamais besoin d'être formulées.

Julia décida qu'elle avait terminé son rapport, elle sortit la dernière page de la machine et la sépara de la copie carbone. Elle relut l'ensemble, fit quelques corrections mineures, puis le mit de côté.

Il était encore assez tôt, et elle se demanda un instant si elle allait partir à la recherche des autres. Ils étaient sans doute descendus prendre un verre à Dorchester. Mais Paul serait avec eux, et d'ailleurs les mois à l'intérieur de la projection lui avaient fait passer le goût de l'alcool et des cigarettes. Elle rangea le bureau, passa dans la salle de bains, se déshabilla et fit sa toilette. Puis, en robe de chambre, elle se rassit sur le tapis devant le chauffage au gaz et perdit son regard dans les flammes. Elle aurait aimé avoir un jeu de cartes ; elle avait envie de faire une réussite.

Puis la porte s'ouvrit, se referma, et Paul fut là.

XVIII

— PAUL, va-t'en, dit Julia.

Il traversa la pièce, s'assit dans le fauteuil.

— J'ai pensé que j'allais venir te dire bonne nuit. Nous n'avons pas eu beaucoup d'occasions de parler aujourd'hui.

— Je n'ai rien à te dire. Je te l'ai dit ce matin : j'en ai fini avec toi, pour de bon. Je suis heureuse maintenant.

— C'est ce que tu dis. Ce n'est pas ce que John Eliot dit de toi.

Un poisson mord à l'hameçon sans le reconnaître ; Julia reconnut l'hameçon, et ne put résister.

— Qu'est-ce que tu veux dire ?

— Il pense que tu es surmenée. Tu es restée trop longtemps en projection. Il veut que tu prennes une longue période de repos.

— Paul, tu mens. Elle ferma les yeux, tourna la tête. Bon Dieu, sors d'ici !

Elle l'entendit tapoter une cigarette contre le paquet, puis frotter une allumette. Quand elle le regarda, il tenait l'allumette à la verticale pour faire brûler la flamme en hauteur. Il la souffla avec un long cône de fumée, puis envoya le bout noir en l'air d'une chiquenaude. Il faisait toujours cela, et elle se demanda combien de milliers de fois il l'avait fait au cours des six ans où elle ne l'avait pas vu.

— Tu as un cendrier ? dit-il, roulant le reste de l'allumette entre ses doigts.

— Je ne fume pas.

Il laissa tomber l'allumette sur le tapis.

— Quelle volonté. Toi qui fumais plus que moi.

— Paul, je ne sais pas ce que tu fais ici, et je ne sais pas ce que tu veux, mais ça ne marchera pas. Je ne veux pas de toi ici, je ne veux pas de toi dans le projet, je ne veux jamais te revoir !

— La vieille paranoïa. C'est pratique de m'avoir à portée de la main, non ? Sans moi tu n'aurais personne à qui reprocher tes défaillances.

Elle lui tourna le dos. Où était la force intérieure qu'elle avait rassemblée pendant la journée ? Etait-ce une illusion ?

— Si tu n'es pas sorti d'ici dans cinq secondes, j'appelle les autres.

— Admettons qu'ils t'entendent. Qu'est-ce qui se passerait ? Nous réglons nos comptes ? D'accord, si c'est ce que tu veux. Nous leur dirons que, finalement, nous sommes de vieux amis intimes, et que tu as des doutes au sujet du travail. Je leur dirai que je suis d'accord, que tu es surmenée, et après tout n'ai-je pas vécu assez longtemps avec toi pour te connaître mieux que moi-même ? Tu es pâle et hagarde, Julia. Peut-être que tu devrais prendre des vacances.

— Alors tu veux que j'abandonne le projet !

— Seulement si tu m'y obliges.

Elle ne dit rien, les yeux fixés sur le tapis.

— Retourne-toi, que je te voie un peu, Julia.

— Pourquoi ?

— Je peux toujours dire ce que tu penses quand je vois ton visage.

Elle ne bougea pas et bientôt l'entendit se lever de son siège. Elle se raidit dans l'attente de son contact, mais il passa devant elle, jetant des cendres vers le chauffage au gaz. Il s'assit sur le lit, face à elle.

— Pourquoi tiens-tu tellement à entrer dans le projet ? dit-elle.

— Je te l'ai dit : c'est la plus belle occasion de ma carrière.

— Espèce d'ordure arriviste !

— Et toi, tu es dedans pour des raisons totalement désintéressées, je présume ?

— Je suis dedans parce que j'y crois.

— Pour une fois nous sommes d'accord, dit Paul. Il n'y a qu'un projecteur de Ridpath, et je veux l'utiliser.

— Je, je, je. Les autres ne comptent pas.

— Je suis nécessaire parce que j'ai quelque chose que n'a aucun de vous. Un point de vue objectif et intelligent.

Elle le regarda, indignée.

— Essaies-tu de dire...

— J'ai dit objectif. J'ai été engagé par le Conseil d'administration parce que la projection est subjective et complaisante. Ils paient pour des résultats, et ça veut dire des idées nouvelles.

— Que tu es censé avoir.

— J'ai une idée.

— Qui est... ?

Paul eut encore son sourire calculateur.

— Si je te la disais elle deviendrait ton idée, non ? Disons juste que votre petit monde souffre d'une omission tellement frappante que je suis étonné que personne n'y ait pensé avant. J'ai l'intention de rectifier ça.

— Tu vas changer la projection !

— Pas du tout. Je sais combien elle t'est chère. Après tout, il ne faut surtout pas changer la projection. Jamais.

— Paul, tu te mêles de quelque chose que tu ne comprends pas !

— Je ne comprends que trop bien. » La voix de Paul passait d'un ton faussement raisonneur à une vraie dureté. « C'est un monde de fantasmes pour universitaires émotionnellement retardés. On vient parler de psychodrame ! C'est d'échec qu'il faut parler, d'incapacité ! Regarde-toi, petite salope. Incapable de jouir dans la vie réelle, tu es obligée de rêver un mécanicien débile pour te faire baiser tous les soirs !

— Tu as lu mes rapports !

— Je ne suis pas obsédé par toi. Je les ai tous lus. Pas seulement les tiens.

Elle sentit une bouffée de rage hystérique, et se dressa d'un bond, voulut se jeter sur lui. Elle levait la main pour le frapper, mais il la saisit et lui tordit le poignet. Elle se dégagea, lui lança un coup de pied, puis se jeta la tête la première en travers du fauteuil et se mit à sangloter.

Paul attendait. Il finit sa cigarette, l'écrasa sur la grille, et en alluma une autre.

— J'aimerais rencontrer ce type que tu as fait apparaître. C'est comme si je le voyais. Bien monté, et aussi bête que...

— Paul, ta gueule ! » En larmes, elle essayait de se boucher les oreilles. « Va-t'en ! »

— Et bien sûr, il te baise mieux que je n'ai jamais pu. Je parie qu'il est tout ce que tu disais que je n'étais pas.

Elle ferma son esprit à la voix, à l'intrusion et aux ravages qu'elle provoquait. Il disait toujours des obscénités pour la mettre en colère, parce qu'il savait qu'elle ne le supportait pas.

Il l'avait fait penser à Greg, et du coup, le jeune homme du Wessex, aimé de tous, dont la seule faute était de ne savoir la satisfaire, semblait sûr, doux et rassurant.

Elle commença à se calmer, et s'aperçut que Paul s'était arrêté de parler. Elle resta effondrée sur le sol, la tête et le buste sur le siège du fauteuil, respirant profondément pour se détendre, tentant de rétablir l'ordre dans le chaos de ses émotions.

La projection faisait usage de techniques mentales ; la mnémonique entraînait l'esprit, enseignait la discipline et le contrôle de soi. L'expérience de la projection proprement dite avait un effet analogue : elle vous enseignait le pouvoir de l'inconscient, les manières de se servir de la conscience.

Elle pensa : c'est Greg ! Paul ne peut pas admettre le fait que mon inconscient a créé Greg !

Mais pas David Harkman... il n'a pas mentionné David. Il ne sait pas, parce que personne ne sait.

David était la force qui pourrait lui permettre de résister.

Une fois dans sa vie elle avait provoqué Paul, en le quittant, et soudain elle se rendit compte que, bien malgré elle, elle avait recommencé. Il ne pouvait pas admettre l'idée que son amant du Wessex était physiquement meilleur que lui.

Elle leva la tête du coussin et s'essuya les yeux sur la manche. Faisant face à Paul, elle s'aperçut que quand elle s'était étalée sur le siège, sa courte robe de chambre s'était ouverte.

Paul, assis sur le lit, la regarda essayer de se couvrir.

— J'ai déjà vu tout ça, Julia.

— Tu peux dire ce que tu veux. Je me fous de ce que tu regardes, je me fous de ce que tu imagines à propos du Wessex, et je m'en fous si tu vas là-bas et que tu peux voir par toi-même. Tout ce que je veux, c'est que tu sortes de ma chambre, sinon je vais faire venir toute la maison.

Elle avait dit ces mots calmement, d'un ton neutre ; pour une fois elle exprimait totalement ses sentiments vrais.

Paul resta silencieux un instant, puis se leva. Julia s'aperçut qu'il avait mis plus de muflerie qu'elle ne pensait à regarder son corps dénudé, car lorsqu'il se retourna elle vit que son état d'excitation ne laissait aucun doute. Il enleva sa veste et l'accrocha à la poignée de la porte.

— Ne te fais pas des idées, Paul.

— Je suis venu te dire bonsoir, pas vrai ? Tu sais ce que ça veut dire. Nous avons toujours été bons ensemble.

— Paul, je crie si tu t'approches de moi.

Mais elle ne cria pas, même alors. Elle était paralysée, de la vieille paralysie qu'elle connaissait bien. Paul avança rapidement vers elle et mit la main en travers de sa bouche, enfonçant le pouce et les doigts dans ses joues. C'était la première fois qu'il la touchait délibérément, et, comme si un ressort longtemps compressé s'était détendu, elle se débattit violemment pour se dégager. Il frappa sa tête à toute volée, l'étourdissant à moitié. Il passa derrière elle, appuyant toujours la main sur sa bouche, retenant sa tête en arrière.

— Tu aimes bien que j'y aille brutalement, petite pute. Eh bien, ça va te plaire comme jamais...

De sa main libre il saisit le devant de la robe de chambre et l'arracha. Un bouton sauta, un autre entraîna le tissu et pendit au bout du fil. La robe s'ouvrit et la main s'empara de son sein, tordant et tirant le mamelon. Elle essaya de reprendre son souffle, mais il la bâillonnait. Il libéra un instant sa bouche, mais avant qu'elle n'ait pu aspirer il avait emprisonné son cou dans un bras et l'étouffait. Elle le sentait se presser contre son dos, elle le sentait excité, dur, pousser dans ses reins.

Elle essaya de crier, mais elle n'avait pas de souffle. Elle lui griffait le bras, donnait des coups de pieds en arrière... N'importe quoi pour qu'il la relâche !

Il se débattait avec sa braguette, et elle sut que c'était le seul moment où elle avait une chance de se libérer. De toutes ses forces elle se pencha vers le sol. Le bras la tirait en arrière, l'étranglait. Elle se raidit, mais alors, dans un dernier sursaut d'énergie, elle porta de nouveau son corps en avant. Le bras faiblit, et elle s'écarta en titubant.

Elle se retourna vers lui. La moitié de la robe pendait, déchirée. Paul se tenait devant elle, le pénis jaillissant de son pantalon.

— N'avance pas ! dit-elle, et sa gorge meurtrie la fit tousser douloureusement. Pas un centimètre de plus !

Paul, le visage rouge, soufflant bruyamment, avança d'un pas. Julia vit les ciseaux à ongles par terre, près du chauffage au gaz, et s'en empara.

L'une des petites lames brandie comme un couteau, elle dit :

— Paul, je vais te tuer. Il fit encore un pas. Je vais le faire !

— Tu aimes que j'y ailles brutalement, dit-il une deuxième fois, mais la menace n'y était plus, le ton était presque implorant.

— Sors.

Elle n'avait jamais été aussi terrifiée de sa vie.

Ils se dévisagèrent avec haine, comme deux animaux qui s'affrontent, mais ce fut Paul qui abandonna.

Il tendit la main vers son pantalon, le rajusta, remonta la braguette. Il alla lentement à la porte, décrocha sa veste.

Julia surveillait chacun de ses gestes.

Une fois sa veste enfilée, il écarta les cheveux de son visage, et ouvrit la porte.

— Désolé, mademoiselle Stretton, dit-il à haute voix dans le couloir. Je pensais que vous vouliez jouer à l'inaccessible.

La porte claqua derrière lui. Julia lâcha les ciseaux, s'écroula en travers du lit, et sanglota sans retenue.

Une demi-heure plus tard, elle alla à la porte, tourna le verrou, puis prit un bain. Elle avait une contusion rouge en travers de la gorge, et sa joue était égratignée là où les ongles l'avaient labourée. Son sein droit était enflé et meurtri. Elle se sentait souillée, salie.

Mais plus tard, étendue dans le noir, alors qu'elle essayait de dormir, elle comprit que Paul ne pouvait plus la menacer. Psychologiquement, elle pouvait le contrer. Elle le connaissait comme elle ne l'avait jamais connu auparavant, et elle pouvait dominer cette connaissance. Et elle sentait, sans peur, que Paul avait la même connaissance d'elle.

XIX

En voiture, au retour de l'enterrement à Salisbury, Julia lut les autres rapports, comme prévu. Pourtant, le cœur et l'esprit n'y étaient pas, et elle les lisait en diagonale, dans l'espoir d'y glaner les informations nécessaires par un simple coup d'œil. Les enterrements la rendaient toujours tristes, et le columbarium battu par les vents, avec les processions de corbillards qui partaient et arrivaient à quelques minutes d'intervalle, ressemblait au décor d'une tragédie organisée, ininterrompue, mise en scène scrupuleusement et avec goût.

Après cela il y avait eu l'autre supplice : la bonne tasse de thé avec ses parents. Son père était grand et maladroit dans son costume sombre, et sa mère, en larmes pendant la cérémonie, avait transposé sa douleur pour Tom en une préoccupation inquisitrice pour Julia. « Tu n'as pas la mine de quelqu'un qui prend assez l'air frais, ma chérie », et « J'espère qu'on te nourrit bien », et « Tu as des nouvelles de ce gentil garçon que tu voyais à Londres ? » J'ai beaucoup de travail, maman, et je suis heureuse, et oui, c'est bien triste pour Tom, et j'ai tout l'air frais que je veux, et je pense que nous devrions bientôt rentrer...

Marilyn l'avait accompagnée au salon de thé et faisait mine de ne pas suivre la conversation.

Paul n'avait pas donné signe de vie dans la matinée, mais elle ne ressentait même pas de soulagement. S'il lui restait le moindre sentiment au sujet de Paul, il se réduisait à une sorte de fatalisme. Peut-être qu'il essaierait encore de se venger, mais elle était prête à tout. Elle était prête à retirer l'écharpe de soie de son cou, à montrer ce qu'elle cachait, à dévoiler ses seins meurtris si cela pouvait suffire à convaincre les autres que c'était Paul qui représentait une menace pour la projection, pas elle.

Marilyn avait eu l'intuition d'un désastre la veille au soir, mais Julia avait répondu évasivement à ses questions. Quand les membres du projet revenaient du Wessex, ils étaient souvent dans un état de bouleversement qui durait des heures, et Marilyn s'y était accoutumée. Bien que n'étant pas directement concernée par la projection, Marilyn avait appris à connaître les participants, et à plusieurs reprises elle avait fait remarquer à Julia la manière dont celle-ci les changeait.

— En quoi m'a-t-elle changée ? lui avait un jour demandé Julia.

— En mieux, avait été la réponse, mais elle était lancée en riant, et Marilyn n'en avait pas dit plus.

En sortant de Dorchester, pendant qu'ils traversaient la vallée de la Frome en direction de Maiden Castle et, au-delà, de Bincombe House, Julia regardait le paysage triste et balayé par les vents en essayant de le voir avec ses yeux du Wessex, de voir la baie calme et bleue, avec les petits points des bateaux. Le sud de Dorchester était laid, la silhouette des logements sociaux de l'après-guerre, à Victoria Park, se détachait sur les collines. Il n'y avait pas trace de leur existence en Wessex, preuve d'une antipathie unanime de l'inconscient des participants.

La grand-route dépassait Maiden Castle, dressé sur sa colline à leur droite. Julia y lança un coup d'œil et dit :

— Marilyn, tu vois une raison pour que je ne retourne pas en projection aujourd'hui ?

— Tu sais que ça ne dépend pas de moi.

— Oui, mais je me demandais si tu avais entendu dire quelque chose.

— Sur toi ?

— Pas particulièrement, dit Julia. Mais je ne suis revenue qu'avant-hier, et quelqu'un disait qu'après la mort de Tom il faudrait prolonger les périodes à l'extérieur du projecteur.

— La seule chose que j'aie entendu dire est que les examens médicaux vont être plus rigoureux.

— J'avais aussi entendu dire ça.

Avant de partir pour Salisbury, le matin, Don Mander avait convoqué une brève réunion. Il était urgent qu'au moins deux personnes retournent dans la projection, car il y avait maintenant un total de sept participants au-dehors, même si on ne comptait pas Steve et Andy comme participants à part entière. Après l'enterrement, Colin Willment était parti pour Londres, et il serait sans doute de retour dans un jour ou deux. Don Mander lui-même n'était pas décidé à prendre son congé. Mary et Julia s'étaient proposées pour un retour immédiat, bien que Mary eût besoin d'au moins un jour à Londres.

De Paul Mason, rien n'avait été dit.

Quand ils arrivèrent à Bincombe House, Julia se rendit dans sa chambre et se mit à trier ses vêtements en se demandant si elle en aurait besoin dans les jours à venir. Plusieurs d'entre eux étaient bons pour le nettoyage, et elle les mit de côté pour le personnel. Elle avait maintenant plus de vêtements ici qu'à son appartement de Londres, mais il ne lui en fallait jamais beaucoup. Elle en avait apporté la plus grande partie la dernière fois qu'elle était venue de Londres ; maintenant, elle pensait qu'elle pourrait en rapporter quelques-uns là-bas.

Sur la route de Salisbury elle s'était arrêtée pour manger un morceau avec Marilyn, mais elle n'avait rien avalé depuis... pas même de gâteaux secs, à la grande surprise de ses parents. Maintenant elle était affamée, et si elle regagnait la projection elle le resterait. Elle voulait voir John Eliot et savoir ce qu'ils attendaient d'elle. Malgré sa nouvelle sérénité devant Paul, elle n'avait pas oublié la pointe de celui-ci sur son besoin de longues vacances.

Elle descendit, mais ne trouva personne au salon. Indécise, elle resta près de la cheminée, pendant dix minutes, à se demander où Paul avait passé toute la journée. Marilyn lui avait dit, au retour de l'enterrement, qu'il était descendu à l'Antelope Hotel à Dorchester, ce qui expliquait qu'elle ne l'ait pas vu à Bincombe dans la matinée, mais elle comptait bien qu'il serait là à leur retour.

En haut, elle trouva Mary Rickard en train de faire une valise.

— J'espère que votre maison sera en bon état, dit Julia. Qu'est-ce que vous allez faire ?

— Il faudra que j'aille chercher une sommation demain, puis que je fasse une délégation de pouvoir à mon ex-mari. Ça devrait aller très vite, parce que la maison était à son nom.

— Quand espérez-vous être de retour ?

— Après-demain, dit Mary. Je ne pensais pas vous voir... Je croyais que vous étiez repartie en Wessex.

— J'attends toujours des nouvelles de John Eliot.

— A ce que je sais, il vous attend. Il m'a dit que vous repreniez le travail immédiatement après l'enterrement.

— Alors je repars !

Julia sentit un agréable soulagement, et aussi un frisson d'excitation. Le Wessex était toujours là pour elle.

— Mary, que pensez-vous de Paul Mason ?

— Il a l'air d'un jeune homme correct.

Mary pliait une jupe et ne regardait pas Julia.

— Allons, Mary.

— C'est un ami à vous, n'est-ce pas ?

— C'est lui qui vous a dit ça ?

— Non... mais vous disiez que vous aviez été à l'Université ensemble.

— Nous y avons été en même temps, dit Julia. Je me souviens vaguement de lui.

— C'est vous qui le dites, ma chérie. Ça n'a pas d'importance pour moi. J'ai remarqué sa manière de vous observer.

Pendant un instant Julia eut la tentation de lui raconter ce qui s'était passé la nuit dernière, mais elle avait pris depuis longtemps l'habitude de ne pas se confier à d'autres membres de la projection — tout au moins consciemment — et elle connaissait moins bien Mary que la plupart d'entre eux.

— Je suis sortie avec lui une fois ou deux.

— J'ai dit que ça n'avait pas d'importance. Malgré ma remarque d'aujourd'hui, je n'ai jamais été pour que nous nous traitions comme si nous n'étions pas humains. D'ailleurs, je sais qu'avant le début de la projection il y avait au moins une liaison en cours. Ça n'a pas l'air d'avoir changé grand-chose.

— Qui était-ce ? dit Julia, intéressée.

— Un homme et une femme, dit Mary avec un sourire. Ça s'est terminé sans larmes ni sang, autant que je sache. Alors, si vous avez jamais eu quelque chose avec Paul Mason et que vous ne vouliez pas en parler, c'est votre affaire.

— Vous ne m'avez toujours pas dit ce que vous pensez de lui.

Mary ferma le couvercle de la valise et s'assit au bord du lit. Elle avait des traits doux, des yeux bons.

— Je vais vous le dire, Julia, parce que ça a de l'importance pour moi. Je crois que c'est un homme dangereux et égocentrique. Je crois qu'il va nuire à la projection, et que nous ne pouvons rien faire pour l'empêcher.

Elle parlait tranquillement, calmement. Mary exagérait rarement : ses rapports étaient toujours exemplaires d'observation précise, d'images parlantes.

Julia dit : « Vous savez quelque chose de lui ?

— Rien que je ne puisse voir de mes propres yeux. Et rien que je ne puisse comprendre par moi-même. Les administrateurs l'ont engagé parce qu'ils s'imaginent que c'est exactement le genre de jeune homme malin qu'il faut à la projection. Mais ils ne voient pas ce que pourrait faire une ambition malveillante.

— Je croyais qu'il plaisait à Don Mander et John Eliot.

— Il plaît à Eliot, pas à Mander. De toute façon peu importe ce que pensent les participants. Les administrateurs en veulent pour leur argent, et ils croient qu'un jeune loup avec un passé dans la presse à scandale et la spéculation immobilière va leur obtenir ça. En fin de compte, j'imagine que c'est de notre faute. Les administrateurs ont toujours eu beaucoup trop peu de contacts avec la projection. Julia, le Wessex est *réel* pour moi. Je ne veux pas qu'on le change. »

Julia se souvint de Paul dans sa chambre ; le sourire calculateur avant qu'il essaie de la violer.

— Mary, la nuit dernière... j'ai parlé à Paul Mason. Il parlait de ce qu'il allait faire de la projection.

— Qu'est-ce qu'il a dit ?

— Rien de précis. Mais il a fait une allusion assez claire. Il disait qu'il y avait une omission évidente dans la projection.

— Je l'ai entendu parler à John Eliot, dit Mary. Il demandait comment l'équipement de la projection était utilisé en Wessex. Eliot a dit qu'il servait à récupérer les participants, et Paul a demandé s'il pourrait servir à autre chose. Vous pensez qu'il s'agit de cela ?

— C'est possible. Qu'a dit Eliot ?

— Il a dit que non, bien sûr. C'est tout ce que j'ai entendu.

— Il prépare quelque chose. Mary, qu'est-ce que ça va être ?

— Nous finirons par le savoir. Mais nous avons une consolation.

— Laquelle ?

— Nous connaissons la projection mieux que lui. C'est notre projection, et nous pouvons faire qu'elle reste la nôtre. Nous sommes trente-huit, Julia, et il est seul. Personne ne peut changer la projection tout seul... Le Wessex est trop profondément implanté maintenant.

Julia pensa à Paul, le diplômé ambitieux qui proclamait qu'aucun travail n'était trop important pour lui et pour ses talents, et qui avait eu raison. Paul l'opportuniste, l'homme du panier à crabes. Elle savait que Paul aurait la volonté.

Mary dit : « Si nous succombons devant Paul, il fera ce qu'il voudra. Notre seul espoir, c'est de rester unis.

— Mais nous ne sommes que quatre à être au courant, pour Paul ! Et Colin est en congé, et vous retournez à Londres.

— J'ai déjà parlé à Colin. Il est du même avis que nous. Il a droit à son congé, mais il reviendra dès que possible. Peut-être dans un jour ou deux. Je serai de retour dans deux jours. Quant aux autres... il faudra leur dire quand ils seront récupérés. Encore que, si Paul fait des changements, ils verront par eux-mêmes ce qui se passe pendant qu'ils sont en Wessex. »

Mary se leva, prit son manteau sur la porte.

— Je veux attraper le dernier train, dit-elle. Et il va falloir que j'appelle un taxi.

Julia regarda Mary vérifier la fermeture de la valise, puis donner un coup d'œil à la chambre pour s'assurer qu'elle n'avait rien oublié. Julia la suivit hors de la pièce, et elles descendirent ensemble. Don Mander les attendait dans l'entrée.

Au tournant de l'escalier, Julia prit Mary par le bras, pour la retenir avant que Don ne les voie. Elle comprenait tout à coup qu'après le départ de Mary, elle et Don seraient les deux seuls participants actifs à Bincombe. Cette idée l'effrayait, et lui faisait entrevoir comment Mary était devenue une alliée inattendue contre Paul. Elle ne faisait pas confiance à Don Mander ; il semblait beaucoup trop disposé à accepter la nomination de Paul par le Conseil d'administration.

— Mary, dit-elle doucement, nous ne pouvons rien faire pour arrêter Paul ?

— Je ne crois pas, ma chérie. Il est entré en projection cet après-midi.

— Alors c'est trop tard.

— Pour faire quelque chose ici, oui. Mais nous serons en Wessex.

Julia la suivit dans l'entrée et attendit avec elle l'arrivée du taxi de Dorchester. Quand la voiture fut partie, Julia remonta dans sa chambre, rangea ses affaires, mit ses vêtements de côté. Elle avait soif, et but un peu d'eau dans le verre à dents de la salle de bains, puis elle redescendit parler à Don Mander. On comptait sur son retour en Wessex le soir même ; il n'y avait pas de tâche particulière pour elle, sinon de rester en contact avec David Harkman. John Eliot et son équipe l'attendaient.

Plus tard, tandis que Julia repassait mentalement ses exercices mnémotechniques, elle songea à David Harkman et se souvint, quand elle était traquée par Paul, à quel point le fait de penser à lui lui avait donné des forces.

Autrefois le Wessex avait été un refuge inavoué contre Paul ; maintenant il n'y avait que David, et Paul ne le savait pas.

XX

Il faisait une chaleur suffocante dans le bureau de David Harkman, et il avait enlevé sa veste et dénoué sa cravate. La fenêtre était grande ouverte, mais il n'y avait pratiquement pas de courant d'air, et le bruit des touristes qui passaient dans la rue pavée au-dessous était une distraction continuelle. Il consultait les procès-verbaux du Comité de la Culture et des Arts, l'organe théoriquement responsable à l'intérieur de la Commission pour les subventions aux ateliers de théâtre locaux, aux galeries d'art, aux écrivains, aux bibliothèques et aux associations musicales. Très peu d'argent était attribué au financement direct des arts, parce que la plus grande part du budget de la Commission semblait consacrée à des frais de fonctionnement. C'était une lecture déprimante, et la page du carnet de Harkman sur laquelle il avait commencé de jeter des observations était encore presque blanche.

Il décrocha le téléphone intérieur et composa un numéro.

— C'est M. Mander ?

— Lui-même.

— David Harkman. Le commissaire a-t-il eu la possibilité d'approuver ma demande ?

— M. Borovitine a été pris toute la journée, Harkman. Voulez-vous essayer à nouveau demain matin ?

— Voilà déjà deux jours que j'attends. Je ne peux pas me mettre au travail avant d'avoir accès aux archives.

— Rappelez-moi demain.

Harkman avait pris l'habitude des retards bureaucratiques de Westminster, et il avait appris à emprunter des raccourcis quand c'était nécessaire, mais il ne s'était pas attendu à rencontrer la même obstruction ici. Les fonctionnaires devaient être les mêmes dans le monde entier, mais l'esprit de secteur ne faisait pas bon ménage avec l'atmosphère idyllique de Dorchester.

Harkman referma le dossier de la Culture et des Arts et se renversa sur sa chaise, regardant le mur opposé avec irritation. Il était bloqué de tous côtés. Le travail pour lequel il était payé ne pouvait pas vraiment commencer, Julia était occupée pendant la journée, et même la vague de Blandford lui était interdite. La marée haute arrivait trop tard maintenant, à une heure où il était censé se trouver au bureau. L'exaltation de sa chevauchée de la veille demeurait présente en lui, mais son prochain jour libre n'était pas avant une semaine, et ce ne serait qu'à la fin de la semaine suivante que la barre arriverait assez tard dans l'après-midi pour qu'il puisse prendre le temps d'y aller.

C'était en de pareils moments, quand ses impulsions extérieures étaient provisoirement contrecarrées, que Harkman ressentait le plus fort son désir le plus secret. C'était de cela qu'il avait parlé à Julia, ce matin-là au Château : le besoin inexplicable d'être en Wessex, de vivre et de travailler à Dorchester. Mais il y avait plus que Dorchester et le Wessex, parce qu'il y était à présent, et que le besoin n'était pas satisfait.

Maiden Castle se trouvait au centre de tout cela. Il en était obsédé, dominé. Il ne pouvait pas parcourir les rues de la ville sans regarder fréquemment vers le sud-ouest, il ne pouvait pas concevoir Dorchester sans le Château voisin, il ne pouvait pas se sentir bien s'il ne savait pas dans quelle direction celui-ci se trouvait. Tout comme les touristes des Etats-Unis se prosternaient cinq fois par jour en direction de La Mecque, Harkman rendait instinctivement de fréquents hommages au château-fort bas et arrondi qui dominait la baie.

Ressasser ces questions ne servit qu'à raviver sa frustration devant les retards bureaucratiques. Comme les jours passaient, Harkman se rendait compte qu'il lui faudrait laisser de côté son travail propre pour enquêter d'abord sur ce qui pouvait exister en fait de documents concernant Maiden Castle et sa communauté.

Sur un coup de tête, Harkman sortit rapidement du bureau, décidé à aller directement au Château, comme si cela suffisait à apaiser son désir, mais avant d'avoir fait la moitié du couloir qui menait au bureau principal, il avait changé d'avis. Il s'était déjà rendu au Château, et cela n'avait pas satisfait le désir.

Il poursuivit son chemin, moins résolu. Il traversa le bureau d'accueil et vit l'habituelle queue de touristes des Etats-Unis, qui attendaient patiemment pour faire leur demande de visas anglais.

Dès qu'il fut sur Marine Boulevard, Harkman dirigea son regard vers le sud-ouest, comme l'aiguille d'une boussole vire vers le nord. Il voyait le Château de l'autre côté de la baie : la journée était ensoleillée et humide, mais des nuages sombres s'accumulaient dans le ciel au-delà de l'édifice. Une lumière étrange auréolait le sommet de la colline, une lueur verte dorée, la lumière du soleil par temps d'orage ; Harkman pouvait presque percevoir l'augmentation de la chaleur, pareille au pouvoir hypnotique que le Château avait sur lui : une radiance invisible mais détectable, mystique et élémentaire.

L'heure matinale de la marée haute lui interdisait de chevaucher la vague de Blandford, mais cela voulait dire que le port était ouvert toute la journée, et quand Harkman arriva au stand il le trouva encombré de visiteurs. Il parvint à attirer l'attention de Julia.

— Tu peux t'éloigner ?

— Seulement plus tard. Nous avons trop de travail.

Tandis qu'elle parlait, une discussion éclata entre deux clients qui prétendaient chacun avoir été le premier à choisir un fragile cristal. Les deux hommes se querellaient dans un rapide dialecte nord-américain, riche en mots arabes, incompréhensible pour les Anglais.

— Cinq heures ? dit Harkman.

— D'accord. Si ça s'est calmé ici.

Elle se détourna, et prit délicatement le vase à l'homme qui s'y agrippait. Harkman la regarda intervenir adroitement dans la dispute, clairement favoriser l'un des deux mais apaiser l'autre en combinant la flatterie et la présentation d'un article légèrement plus cher. Elle parlait anglais, et rien que cela avait un effet tranquillisant. Harkman attendit la conclusion des deux ventes, puis s'éloigna au milieu de la foule des touristes et alla jusqu'au bout du quai, qui dominait l'entrée du port. Il s'assit sur les pavés et sentit à travers le tissu de son vêtement la chaleur du soleil, rappel du long été intemporel et de ses préoccupations incongrues dans ce centre touristique.

Beaucoup de yachts de plaisance profitaient de la marée, et l'activité du port continua bien au-delà de cinq heures. Harkman attendit la demie pour retourner au stand.

Julia avait l'air fatigué, mais elle sembla contente de le voir, et dès qu'elle eut parlé aux deux autres personnes qui tenaient le stand, elle partit avec lui.

— Qu'est-ce que tu aimerais faire ? dit-il, en gravissant la colline loin de la côte, vers les landes sauvages qui s'étendaient sur des kilomètres autour de la ville.

— Etre avec toi, dit-elle. Seule.

Ce qui se passait entre eux était encore une nouveauté, et les habitudes n'avaient pas eu le temps de s'installer. Ils marchèrent rapidement, malgré l'air chaud et humide, jusqu'à trouver un vallon abrité à l'écart du chemin, et là ils firent l'amour. La jeunesse, la fraîcheur de leur union leur communiquait l'excitation d'une rencontre récente, le sentiment d'une conquête mutuelle.

Harkman se sentait détendu et tendre, et quand Julia eut remis son ample vêtement, il l'attira contre lui, et ils s'étendirent ensemble dans l'herbe haute.

— Julia, je t'aime.

Elle avait tourné son visage vers le sien, et elle s'étira pour l'embrasser dans le cou, sous l'oreille.

— Je t'aime aussi, David.

La nuit dernière ils avaient répété les mêmes mots, une douzaine de fois en une heure, et chaque fois ils leur étaient apparus neufs, originaux, le sentiment se trouvait désavoué par l'impuissance des mots. Ce soir, c'était comme s'ils les disaient pour la première fois.

David avait passé une si grande partie de l'après-midi à méditer sur l'intangible désir lié au Château qu'il en avait négligé l'impression de souvenir déplacé que Julia suscitait en lui. Il avait à nouveau éprouvé ce sentiment en la retrouvant, et il l'éprouvait maintenant qu'elle était dans ses bras. S'il la tenait serrée le sentiment diminuait, mais rien ne pouvait entièrement l'écarter.

Ce n'était pas que Julia ne donnât qu'une partie d'elle-même, qu'elle fût distante ou peu affectueuse, parce que la première tendresse venait d'elle, les premiers baisers amoureux. Dans tous les sens, elle dépendait autant de lui que lui d'elle, et dans ses réactions, ses gestes, son abandon physique, elle le satisfaisait complètement.

Il possédait Julia de toutes les manières imaginables, hors celle qui naît de la vie commune, mais il ne la *vivait* pas. Il fallait ses souvenirs pour la faire exister.

La nuée orageuse que Harkman avait vue tout à l'heure était plus sombre à présent, mais ne semblait pas plus proche. Une brise avait surgi de la mer, et traversait les hautes herbes avec un son apaisant et impétueux, tranchant sur le calme qui traditionnellement précède la tempête. Ils avaient entendu le grondement du tonnerre tout l'après-midi, mais l'orage ne frapperait probablement pas avant une heure ou plus.

Harkman tenait Julia et ressentait le silence, le calme de la plénitude, il ressentait le souffle des désirs impérieux mais déroutants, et attendait le choc de l'inévitable.

Elle remua dans son étreinte, et se retourna pour s'allonger sur le dos à côté de lui, la tête reposant sur le bras de David. Elle leva les yeux vers le ciel. Si l'orage n'éclatait pas avant, il restait près de deux heures avant le coucher du soleil, l'heure à laquelle tous deux savaient qu'elle rentrerait à Maiden Castle.

Cet aspect provisoire, dérobé, de leur liaison avait commencé à ronger Harkman.

Bientôt il dit :

— Julia, je veux que tu quittes le Château. Viens vivre avec moi à Dorchester. Nous pouvons trouver un endroit...

— Non. C'est impossible !

Sa réponse, immédiate et catégorique, le choqua.

— Que veux-tu dire ?

— Je ne peux pas quitter la communauté.

— Est-ce plus important ?

Elle se retourna vers lui, posa la main sur sa poitrine

et le caressa. Le contact de sa peau était soudain étranger, importun.

— Ne discutons pas là-dessus, dit-elle.

— Discuter ? C'est trop important pour une discussion ! Est-ce que tu m'aimes ?

— Bien sûr.

— Alors la question ne se pose pas. Julia, je t'aime tellement que je ne pourrais pas...

— David, ça ne sert à rien. Je ne peux simplement pas quitter le Château maintenant.

— Maintenant ? Mais plus tard ?

— Je ne crois pas, dit-elle.

Il y avait un sujet que Harkman n'avait jamais abordé avec elle ; il préférait imaginer, plutôt que de savoir le pire, mais il n'était plus possible de tourner autour. Il fallait être fixé.

— Il y a quelqu'un d'autre, dit-il. Un autre.

Elle dit, très calmement :

— Bien sûr.

— Alors qui ?

— Mais ce n'est pas ça, David. Je le quitterais pour toi. Tu dois bien savoir ça ?

— Qui est-ce ?

— Tu ne le connais pas. Son nom ne te dirait rien. Elle s'assit et le dévisagea avec sérieux. La brise jouait dans ses cheveux, et derrière elle l'orage guettait.

— Ne me pose pas de questions sur lui. Si ça ne tenait qu'à ça je partirais aujourd'hui.

Harkman, toujours dévoré par la jalousie, l'entendait à peine.

— Mais je l'ai rencontré, dit-il. Le barbu... à l'atelier. Greg, c'est ça ?

Elle rit évasivement, mais son ton était forcé.

— Ce n'est pas Greg. Je te dis que tu ne l'as pas rencontré.

— Il se conduisait très bizarrement l'autre jour.

Elle secoua la tête avec fermeté. « Greg est toujours comme ça. C'est parce que tu étais de la Commission. Il voulait te faire payer davantage.

— Alors qui est-ce ?

— Quelqu'un d'autre. Tu ne le connais pas et ne le connaîtras probablement jamais. Peu importe qui c'est.

— Pour moi, ça compte. »

Il lui vint l'idée que Julia pouvait mentir. Greg avait eu une expression sans équivoque l'autre matin au Château ; une expression qui voulait entourer Julia de barrières chaque fois qu'il la regardait.

— David, je t'en prie, arrête de demander ça. Je t'aime, tu sais sûrement ça ?

— Alors viens vivre avec moi.

— Je ne peux pas.

Encore cette réponse catégorique.

— Donne-moi une raison, en dehors de cet homme, pour refuser.

Elle ne dit rien pendant un long moment, si long que Harkman pensa qu'elle allait éluder la question en gardant le silence. Mais elle finit par dire :

— Je ne peux pas quitter le Château parce que c'est là que je vis et que je travaille.

— Tu travailles à Dorchester.

— Je ne retournerai pas au stand. C'est fini pour moi là-bas.

— Tu ne m'avais pas dit ça.

— Tu ne m'as pas laissé l'occasion. J'allais te le dire plus tard. A partir de demain je serai tout le temps au Château.

— Alors je pourrais vivre avec toi là-bas ?

— Non, David...

— Et nous revenons à cet autre homme dont tu ne veux pas me dire le nom.

— Sans doute, dit-elle.

Harkman était déçu, furieux, blessé. Il avait pensé un instant avoir trouvé un moyen de contourner le problème, mais il revenait à son point de départ.

— Qu'est-ce que c'est ? Tu es amoureuse de lui ?

Ses yeux s'élargirent, non pas dans une affectation d'innocence, mais avec une surprise qui semblait authentique.

— Oh non, David. C'est toi que j'aime.

— Tu vis avec lui... c'est physique ?

— Ça l'était, autrefois. Plus maintenant. Il me répugne. Vraiment. Ce côté-là, c'est fini, mais il me faut plus de temps pour y réfléchir. Il n'y a que cinq jours que je te connais...

Il devait l'admettre. Quelque chose de profond passait entre eux, mais c'était pour le moins récent. Sa conviction que leur union était juste allait au-delà des conventions, et dans ce moment d'espoir il avait pensé qu'un moyen existait : il était prêt à abandonner son travail pour vivre avec elle, pour devenir un membre de la communauté du Château. L'idée le séduisait encore, par sa simplicité, mais il savait aussi que s'il devait en arriver à une décision — ici, sur cette lande, en ce moment précis — il voudrait du temps pour y réfléchir. Julia ne se contentait-elle pas de demander la même chose ?

Mais le flou de son rapport avec l'autre homme, ou tout au moins de sa manière de le présenter, était aussi blessant en puissance pour lui que la douleur que peut infliger une arme cachée. Il était nerveux, sur le qui-vive, il ignorait comment cette arme pouvait être tournée contre lui.

— Veux-tu essayer d'y réfléchir, Julia ? Tu peux faire ça ?

— Je crois. Donne-moi du temps.

— Dis-moi que tu m'aimes.

— Je t'aime, je t'aime, dit-elle fermement, et elle se pencha pour l'embrasser sur les lèvres, mais dès la fin du baiser elle s'écarta de nouveau.

— David, il n'y a pas que cet homme. Si je te disais le reste, est-ce que ça resterait entre nous deux ? Complètement confidentiel ?

— Tu le sais bien.

— Je pense à la Commission. Tu sais qu'il y a là-bas plusieurs personnes qui sont résolument contre le Château, et comme tu travailles à la Commission, je suis... enfin, je ne sais pas...

— Je n'y suis affecté que pour les archives, dit-il tout de suite. Je ne suis pas fonctionnaire, et je ne fais de confidences à personne là-bas.

Tout près de lui, elle le scrutait, et il se sentit mal à l'aise sous l'intensité de son regard.

— Au Château, nous faisons quelque chose que personne ne sait à la Commission. Ce n'est pas illégal... mais si le commissaire Borovitine ou l'un de ses adjoints étaient au courant, on nous mettrait tellement de bâtons dans les roues que notre travail deviendrait impossible.

— Alors il faut bien que ce soit illégal.

— Non... secret. Il y a une distinction.

— Borovitine ne verrait pas une grande différence.

— C'est justement là le problème.

Elle était assise à l'écart maintenant. Elle avait croisé les jambes mais se penchait vers lui, sérieuse.

— Tout ce que tu as vu au Château l'autre jour, l'artisanat, les aquaplanes, c'est un camouflage pour autre chose. La plupart des gens du Château sont des savants et des universitaires, venus de toute l'Angleterre. Ils ont un idéal commun et le Château est le seul endroit où ils peuvent chercher à atteindre cet idéal.

— On n'a plus d'idéaux, à l'université ?

— Les universités sont contrôlées par l'Etat. La seule recherche qui y est possible est gérée par des politiciens et des fonctionnaires. Ce qui nous intéresse, c'est la recherche sociale et économique, libre des pressions politiques. Le Château dispose des moyens pour cela, et c'est pourquoi la communauté a été fondée.

— Tu disais *nous*.

— J'en fais partie. Notre réel travail au Château est sur le point de commencer, et je vais m'y plonger complètement dans quelques jours. Quand ce sera fini, les choses seront différentes.

Il ne voyait pas en quoi cela devrait l'empêcher de vivre avec elle au Château, mais ensuite il comprit. Il y avait toujours l'autre homme. Il lui rendit son regard en silence, conscient que quelque chose qu'il plaçait au-dessus de tout lui avait été enlevé.

Julia se pencha à nouveau vers lui, plaça la main sur son poignet ; elle devait penser que ce qu'elle avait dit ne suffisait pas à le convaincre.

— Je suis absolument sérieuse, David. Je ne te demande pas grand-chose, sinon de la patience. Les résultats de ce projet pourraient finir par affecter toute l'Angleterre, et je dois m'y engager. Tu devrais comprendre : tu as ton propre travail.

— Il ne se met pas entre toi et moi.

— Si, tant que tu es attaché à la Commission.

Harkman dit :

— Qu'est-ce que c'est que ce projet au Château ?

— Il est évident que je ne peux pas te le dire. C'est... un peu comme ton travail, sauf que ta recherche concerne le passé.

— Et la tienne, l'avenir.

Il avait dit cela ironiquement, mais elle réagit sur-le-champ en retirant sa main et en baissant les yeux sur ses genoux.

« C'est une recherche sociologique d'un type nouveau, dit-elle. Un nouveau point de vue sur le présent. » Elle tourna la tête, leva les yeux vers le nuage orageux au loin. « J'en ai probablement trop dit. Mais est-ce que tu comprends l'importance que ça a ? »

Il la regarda, s'efforçant de ne rien exprimer.

— Je comprends que je ne te verrai pas. Que tu vis avec quelqu'un d'autre. Que pour toi, ton travail a plus d'importance que moi. Que tout ça est arrivé dans ces dernières minutes.

— Il y a autre chose, David. Plus fort que tout cela.

— Quoi donc ?

— Je t'aime. Je ne le dirais pas si je ne le pensais pas. Je t'aime plus que personne que j'aie jamais connu.

Il secoua la tête et ne dit rien.

Julia s'écarta et se leva. Elle regarda alentour : l'herbe de la lande ondulait sous le vent.

— Qu'y a-t-il ? David se redressa sur un avant-bras. Quelqu'un est là ?

— S'il te plaît, attends... rien qu'une minute.

Avant qu'il ait pu répondre elle s'éloigna de lui, gravit rapidement la pente de la cuvette où ils s'étaient étendus, et avança sur la lande vers l'ouest. Le grand cumulonimbus qui s'étendait sur l'horizon, bleu-noir à la base, une enclume blanche au sommet, paraissait sur le point d'obscurcir le soleil, car il se déployait latéralement et massivement vers lui. Julia marcha devant le soleil, et fut un instant aveuglée. Il la vit s'arrêter, porter les mains à son visage, baisser la tête.

Il crut qu'elle pleurait, mais son humeur ne laissait en rien prévoir cela... en l'observant il vit qu'elle était sans mouvement, comme si elle méditait ou attendait. Puis elle redressa la tête vers le sud, où Maiden Castle trônait sur sa colline.

Elle semblait dans l'expectative, et il attendit avec elle, conscient surtout de la juxtaposition des trois : le Château, Julia, et lui-même. Il y avait entre eux un lien incontestable, et pourtant c'était quelque chose qui menaçait aussi de les diviser. Dans ces moments où Julia se tenait sur le rebord herbeux du val, en silhouette contre le ciel troublé, Harkman essaya de comprendre tout ce qui avait été dit dans les dernières minutes. L'explication arriva à l'improviste, de l'énigme qui l'avait harcelé depuis la première nuit.

Ce qu'il avait entendu d'elle n'avait pas effectivement été dit : il l'avait fait exister par sa mémoire.

La seule réalité était la fille dans le soleil, sa silhouette noire se détachant contre le ciel. Harkman ressentait maintenant la sensation, plus marquée que jamais auparavant. Tout était illusoire, rappelé par lui, rappelé pour lui ; pas réel.

Avaient-ils parlé d'amour, d'un autre homme, d'un projet scientifique ?

Il savait qu'ils en avaient parlé, et que non. La contradiction était sans recours. La réalité commençait en cet instant, à chaque instant, et le passé devenait faux.

Alors Julia se retourna vers lui, revint en hâte, glissa dans l'herbe.

— David ! cria-t-elle. David, je suis là !

Il se leva comme elle courait vers lui, parce qu'il reconnaissait enfin quelque chose en elle, quelque chose qu'il avait cherché. Elle se précipita dans ses bras, l'embrassa, l'étreignit.

— David, disait-elle, essoufflée, le couvrant de baisers. Oh, je t'aime !

Il la regarda dans les yeux, et c'était là. L'intangible, la vie, la réalité.

Harkman la sentait dans ses bras et dans son cœur. Disparue, l'impression que c'était la mémoire qui la créait. Julia était là, et elle était réelle, et totale. Elle lui était revenue.

Mais alors qu'il l'enlaçait, la masse sombre de Maiden Castle se dressais derrière elle et la rappelait.

XXI

Ils se hâtèrent ; le soleil était caché derrière le nuage tentaculaire et l'orage était presque sur eux. La pluie ne tombait pas encore, mais le vent était mort et la campagne gisait dans son attente, humide et silencieuse.

Le chemin fourchait à la bande de côte que les habitants appelaient Victoria Beach. Julia et David s'étreignirent, et Julia remarqua que le sable était toujours couvert de touristes, apparemment indifférents à l'averse imminente. On aurait dit que les étrangers n'apprendraient jamais les caprices du temps anglais ; elle savait que dans quelques minutes ils s'égailleraient tous en quête d'un abri et pousseraient les hauts cris devant l'orage imprévu. Après avoir quitté David, sur le chemin du Château, elle reconnut plus charitablement qu'ils devaient attendre la dernière minute pour rentrer en ville ; les bains de mer étaient presque impossibles dans le monde entier, à cause de la pollution industrielle, et l'un des attraits indéniables du Wessex était sa mer pure.

Elle essayait de ne pas penser à ce qui s'était passé entre elle et David : elle lui avait présenté la vérité, et il l'avait trouvée intolérable. A la vue des visiteurs sur la plage, en avançant d'un bon pas vers le Château, elle ressentit une profonde et vague tristesse pour David, et regretta que son rôle ici ne fût pas aussi simple que celui des touristes.

Mais il en avait toujours été ainsi. Elle n'aurait pas dû s'offrir le luxe de David Harkman. La monotonie des préparatifs minutieux au Château, le besoin de se concentrer et de s'absorber dans son travail, avaient toujours existé.

(Puis : un fantôme. Un autre été, une autre vie. David au stand, puis son arrivée au Château un matin, l'essai des aquaplanes pendant qu'elle paressait sur la plage de la crique. Etait-ce cinq jours auparavant... ou jamais ? Quand avait-elle jamais eu du temps à gaspiller comme cela ?)

Elle était parvenue au premier des remparts du Château quand ce souvenir spectral la frappa, et elle fit halte, songeuse. Comme le rappel d'un rêve, il avait une présence passagère, mais, à la différence du rêve qui s'effiloche, le souvenir restait dans son esprit, elle pouvait l'explorer.

Il y avait une dualité : d'un côté la certitude absolue que pendant les derniers mois, tout au long de l'été, elle et les autres avaient été absorbés par leurs préparatifs dans les tunnels sous le Château ; de l'autre, un souvenir faible mais distinct d'un été différent, le stand, le port, la foule des touristes... et Greg.

David avait parlé de Greg, il le prenait pour son amant, mais elle avait nié. Bien sûr, elle avait nié : Greg n'était rien pour elle.

Le souvenir plus faible plaça Greg auprès d'elle, en train de la posséder.

Un éclair traversa le ciel, et Julia fit volte-face, guettant le fracas du tonnerre : un événement naturel mémorable pour marquer cette mémorable découverte... mais le tonnerre ne vint pas.

Elle leva les yeux vers le mur du rempart, vit le nuage qui s'amassait. Il était presque au-dessus d'elle, et, du fait de sa proximité, sa couleur avait changé du bleu-noir de tout à l'heure en un gris-jaune blafard. Elle regarda vers l'ouest, d'où approchait l'orage, et vit que le paysage avait déjà disparu dans une nuée grise ; la pluie était presque sur elle.

Elle pressa le pas, escalada le chemin qui longeait le premier rempart, suivit son cours sinueux et incliné vers le second. Elle courait, soudain effrayée par la puissance de l'orage.

Elle avait eu l'intention de rentrer à la maison qu'elle partageait avec Paul, mais c'était trop loin, à l'autre bout du village. Sa peur de l'orage devint panique, terreur d'être frappée par la foudre dans les espaces dégagés au sommet du Château. Elle abandonna le chemin et dévala le coteau vers l'entrée des souterrains. Plusieurs personnes du village se serraient dans l'entrée et regardaient le ciel avec appréhension.

Le tonnerre gronda sourdement, et la pluie s'abattit : de lourdes gouttes frappaient en sifflant la terre cuite par le soleil. En quelques secondes la pluie était devenue un déluge d'eau et de glace combinées qui s'abattaient en torrent. Julia courait avec le vent, et les grêlons cinglaient ses épaules, son cou, ses jambes, giclaient sur le sol devant elle. Dès les premiers instants de l'averse, son vêtement et ses cheveux trempés s'étaient plaqués à son corps.

Elle arriva enfin à l'abri en titubant, affolée. Sans réfléchir, elle s'attendait que le groupe s'écarte pour la laisser entrer, mais ils ne semblaient pas l'avoir remarquée et elle s'arrêta devant eux sous la pluie battante. La foudre frappa à nouveau, et le coup de tonnerre suivit presque aussitôt. Elle poussa les gens, les força à reculer, et se trouva enfin à couvert du plus fort de la pluie.

Les gens agglutinés dans l'entrée de l'abri continuaient de ne lui accorder aucune attention, bien qu'elle fût tassée contre trois d'entre eux au moins. Elle n'en connaissait aucun, sinon de vue : la plupart étaient des fermiers ou des artisans des ateliers. Pas un n'était mêlé au travail réel de la communauté.

Furieuse, elle se pressa contre eux, se fraya un passage, et ils s'écartèrent, réticents, se plaignant entre eux — mais pas directement à son adresse — de son insistance.

Quand elle eut échappé à la pression des corps, elle se retrouva bien à l'intérieur de la construction nue et sans éclairage, sous le toit de béton fissuré. Pour la première fois elle remarqua que Greg avait été parmi ceux qui obstruaient l'entrée, mais il n'avait pas manifesté qu'il la connaissait. Comme les autres, il était captivé par le spectacle du temps, depuis la sécurité du refuge.

Au-dehors il y eut un nouvel éclair brillant et blanc, accompagné d'un assourdissant roulement de tonnerre.

Julia se retourna vers l'étroit escalier tout au fond, et

parcourut le sol couvert de moellons. Elle prit le tissu trempé entre le pouce et l'index de chaque main et le décolla de ses cuisses, puis descendit rapidement l'escalier. Les tunnels et cellules des laboratoires étaient à une quinzaine de mètres sous la surface, et l'orage était devenu inaudible avant d'arriver en bas. Ici, dans les profondeurs de Maiden Castle, ils ne pouvaient pas être touchés par les éléments.

La chambre de John Eliot était vide, comme elle s'y attendait, aussi poursuivit-elle son chemin jusqu'au bout du couloir, et entra dans la salle de réunion.

C'était le seul endroit chauffé de tout le système souterrain, et d'un commun accord il était devenu le centre de toutes les activités préparatoires. Ici, en contraste avec les autres pièces, ils avaient fait un effort plus que minime d'ameublement, et apporté du village des chaises et des tables. Certaines des meilleures embarcations du Château avaient été disposées comme décoration, et des centaines de livres couvraient des rayonnages sur l'un des murs.

Une quinzaine de participants choisis se trouvaient dans la salle de réunion, ainsi que le Dr Eliot et quelques membres de son équipe. Il y avait là Marilyn, qui fit signe à Julia dès qu'elle l'aperçut. Elle était assise à la grande table du fond et écoutait l'une des interminables discussions stratégiques.

John Eliot aperçut Julia, quitta la discussion et s'approcha d'elle.

— Où étiez-vous ? Nous vous attendions.

— J'ai été prise dans l'orage, dit-elle, se rendant compte qu'Eliot n'était sans doute pas au courant du temps. Ni lui, ni aucun membre de l'équipe, ne semblait jamais sortir des souterrains.

— C'est ce que je vois, dit Eliot avec un coup d'œil à son vêtement détrempé. Vous voulez vous changer ?

— Plus tard. Il pleut toujours dehors. Je peux me mettre au chaud ici.

— Il y a encore de la lecture pour vous. Vous voulez faire ça dans votre coin, ou prendre part à la discussion ?

— De quoi s'agit-il ce soir ?

— De l'élection d'un nouveau membre. Pour l'instant, les opinions semblent partagées.

— Qui cela doit-il être ?

— Un nommé Donald Mander. C'est un fonctionnaire de la Commission. Il ferait un excellent administrateur.

— Quelqu'un de la Commission ? fit Julia en fronçant les sourcils. C'est une mesure inhabituelle.

— C'est ce que pensent certains. D'autres pensent que le jeu en vaut la chandelle.

Elle fixait Eliot, pensant à David. S'ils pouvaient sérieusement prendre en considération un fonctionnaire du gouvernement pour le projet, ils ne pourraient guère soulever d'objections contre David. Elle lui avait fait mal avec sa réponse négative à une demande simple et compréhensible... mais à ce moment, elle ne voyait pas d'issue. Maintenant, elle pourrait peut-être suggérer...

Non, il y avait Paul. Toujours Paul.

— Paul est ici ?

— Il est à la morgue pour l'instant, dit Eliot. Il va revenir plus tard.

— Que pense-t-il de Mander ?

— Il est pour.

— Moi aussi, dit Julia.

— Vous le connaissez ?

— Je l'ai vu ici et là, à Dorchester. Je ne sais pas grand-chose de lui, mais il me souriait quand j'étais au stand.

— Je ne vous savais pas coquette, Julia.

— Je ne suis pas coquette. J'ai une intuition, pour Mander. Ça a suffi pour nous tous, non ?

Eliot hocha la tête sans conviction. Julia et les autres avaient tenté de s'expliquer quant au sentiment intangible de reconnaissance, mais Eliot affirmait ne l'avoir jamais éprouvé. C'était maintenant devenu un critère fondamental pour inviter d'autres personnes à se joindre au projet. Julia elle-même connaissait bien ce sentiment, car c'était la même chose avec David.

La même chose, mais *différente,* avec David.

— Vous allez parler en faveur de Mander ? demanda Eliot, les yeux tournés vers la table où le débat continuait.

— Pas la peine. Il finira bien par être accepté. Inscrivez-moi pour un « oui » si ça vous dit. Où sont mes lectures ?

Julia chercha des yeux un siège pendant qu'Eliot allait prendre un livre sur les étagères. Dans la chaleur de la salle de réunion, ses habits mouillés ne la mettaient pas trop mal à l'aise. Elle se trouva une chaise près d'un radiateur pour laisser l'humidité s'évaporer à la chaleur. Elle rejeta ses cheveux en arrière, se demandant si Marilyn aurait un peigne ou une brosse à lui prêter.

Du regard, elle fit le compte de ceux qui étaient déjà là. Elle reconnaissait Rod, Nathan, Alicia et Clark, de la communauté du Château ; elle connaissait bien chacun d'entre eux, car ils se trouvaient en Wessex depuis des mois. Il y avait plusieurs autres membres à la table, certains qu'elle reconnaissait d'autres conférences, et à qui elle avait été présentée, mais dont elle avait oublié les noms. Ils étaient tous de Dorchester ou des environs. Un homme travaillait dans une ferme près de Cerne Abbas ; deux femmes venaient de villages sur la côte sud de la baie. Ils avaient tous des fonctions sociales ou universitaires ; tous menaient une double vie pour faciliter leur travail ici. C'était un étrange agencement, et elle était contente, en tant que membre de la communauté du Château, de ne pas devoir recourir à des machinations compliquées pour venir ici.

Eliot revenait avec le livre en l'ouvrant aux pages qu'il avait choisies.

— Voici le passage à lire.

Le livre, une œuvre ancienne, décrivait les couches inférieures de la région de Wessex avant les bouleversements sismiques du siècle précédent. L'idée — expliqua Eliot — était d'élaborer une théorie qui considérerait l'actuel affaissement du sol seulement comme une phase temporaire dans l'évolution géophysique, en sorte que le retour aux circonstances antérieures ou à une situation antérieure puisse être envisagé.

Julia prit le livre avec des sentiments mêlés : la géologie était sa spécialité, elle n'aurait donc pas de difficultés avec le langage technique — ce qui rendait son travail plus ardu dans d'autres domaines — mais en même temps cela voulait dire qu'elle devait revenir en terrain connu, dans un sens presque littéral. Ce qui l'avait passionnée, pendant ses études, c'était la structure géophysique *actuelle* de cette région qui, à l'échelle géologique, n'avait pris forme qu'hier.

Il fallait apprendre des théories anciennes, des faits anciens ; il fallait désapprendre le présent.

Néanmoins — malgré ses réticences — elle s'intéressa bientôt au livre, et elle lisait toujours, une demi-heure plus tard, quand Paul Mason entra dans la pièce.

Tout le monde remarqua son arrivée, c'était le type d'homme à ça. En tant que directeur du projet, il imposait immédiatement respect et attention. Tout le travail, toutes les fonctions ultérieures du projet, venaient de lui. Il avait travaillé des années pour réunir ces gens ; c'était un idéaliste qui avait atteint son idéal, une source d'inspiration pour les autres.

En traversant la pièce, il vit Julia, et lui lança un de ces sourires secrets qu'il réservait à elle seule. Elle le lui rendit automatiquement, avec l'orgueil instinctif et égoïste de la possession qu'elle ressentait toujours.

Elle ne partageait Paul avec personne ; elle était *sa* femme.

Le regard qu'il lui jeta parlait de choses où personne ne pouvait s'immiscer : la vie secrète, l'homme privé. Elle seule avait droit à ce point de vue intime sur l'autre Paul, et elle avait ce droit en raison de leur compréhension mutuelle.

Tout au fond d'elle-même, un souvenir spectral flamboya, comme la flamme d'une allumette dans une cave obscure... et une version spectrale d'elle-même recula d'horreur.

Comme Paul s'asseyait à la table avec les autres, Julia contempla le sol ; son identité spectrale se débattait pour se libérer. Elle pensa à David, elle pensa à l'amour qu'il avait pour elle, qu'elle avait pour lui.

Bientôt elle se mit à trembler.

XXII

La violence de l'orage avait amené un changement de temps, et six jours après il était à la fraîcheur, au vent et aux rafales. Les frustrations de David Harkman continuaient ; il n'avait pas vu Julia depuis l'après-midi sur la lande, et il n'avait abouti à rien en interrogeant discrètement les deux personnes du Château qui tenaient le stand. Elles semblaient ne rien savoir d'elle, et s'étonnaient de son intérêt.

Il était toujours bloqué par la réticence apparente de Mander à lui donner accès aux archives, et le quatrième jour, dans une crise de colère, il était sorti de l'immeuble de la Commission et s'était rendu à Child Okeford pour chevaucher la barre. Cela aussi l'avait laissé insatisfait ; la marée était basse pour la saison, et la vague était couverte d'amateurs incapables. En louvoyant pour éviter un groupe de surfers, Harkman avait glissé derrière la crête de la vague, et toute l'expédition en était restée futile et irritante.

La futilité et l'irritation étaient deux sentiments qu'il connaissait bien, et Harkman avait peu d'illusions sur leur origine.

L'ironie était que quelques instants après l'apparent retour de Julia — la conscience qu'il avait eue que « l'intangible » était à nouveau là — elle l'avait quitté. Et en dépit de ce qu'elle lui avait dit, Harkman restait convaincu qu'elle l'avait quitté pour un autre homme. Sa réaction était humaine, directe : il souffrait d'une jalousie durable et cruelle.

Le sixième jour, il s'était à nouveau enquis de la question des archives, et une fois de plus Mander lui avait dit que le commissaire Borovitine « examinait » sa demande. Harkman, pris de rage, partit de la Commission. Comme il n'avait rien de mieux à faire, il alla se promener le long de la mer et observer les vacanciers avec un mélange d'ennui et d'envie. Il parcourut la Promenade d'un bout à l'autre, passant devant la boutique d'aquaplanes et tous les stands, devant Chez Sekker, et suivit la route qui menait à Victoria Beach.

Deux colporteurs s'approchaient, tendant vers lui leurs marchandises. D'abord il ne vit pas ce qu'ils offraient, mais il remarqua qu'ils portaient les vêtements du Château.

« Regardez donc un miroir, monsieur », dit l'un, en lui mettant sous les yeux un petit morceau de verre circulaire.

Harkman vit en un éclair un reflet flou de lui-même, mais il écarta l'homme et passa son chemin. Le miroir était une babiole sans valeur, un bibelot vulgaire. C'était la deuxième fois que des marchands de rue essayaient de lui en vendre un.

Malgré le temps frais, Victoria Beach était couverte de monde, comme d'habitude. Beaucoup de touristes étaient allongés sur le sable et saisissaient l'occasion d'un exhibitionnisme à la mode, sans le risque d'un bronzage peu à la mode. Harkman s'arrêta un instant pour les regarder. Les gens avaient toujours l'air de se conduire de la même façon sur les plages : ils se débarrassaient de leur conduite normale en même temps que de leurs vêtements.

Au-delà de la plage, sur sa colline, Maiden Castle : symbole et incarnation de ses griefs.

Julia était là-bas ; mais la jalousie de Harkman était passive, et il n'osait pas aller la trouver.

Devant la balustrade qui surplombait la plage, Harkman ressentit à nouveau la pulsion primitive qui l'entraînait vers le Château. Celui-ci représentait la pérennité du temps, un lien inexplicable avec le passé.

Il venait du passé, du passé réel, du passé historique.

Maiden Castle avait été là, au sommet de sa colline, quand on reconstruisait Dorchester après les tremblements de terre. Il avait été là quand la terre avait tremblé et s'était affaissée, et que la mer avait rampé vers lui en submergeant les vallées alentour. Il se dressait sur sa colline, indifférent aux nations et aux races du monde, à leurs disputes et à leurs guerres pour les territoires et l'argent, le maïs, le pétrole et le cuivre, l'idéologie et la torture, l'influence politique et la course frénétique aux armements. Il avait été là quand le premier train à vapeur avait roulé sur ses rails de fer brillants vers Weymouth, au sud, et il avait été là quand les rois luttaient contre les parlements, et que les seigneurs féodaux levaient des armées privées pour agrandir leurs terres. Les Romains l'avaient mis à sac, les anciens Bretons l'avaient édifié. Le temps s'était déposé autour de Maiden Castle comme des sédiments rocheux, et Harkman pouvait le fouiller avec son imagination.

Il accaparait son attention, c'était le point de mire de son intérêt en Wessex.

Il n'était pas venu pour trouver Julia, mais il l'avait trouvée, et il n'était pas venu pour chevaucher la vague de Blandford, mais il l'avait fait et il recommencerait. Le Château était au centre de tout : un sentiment du passé, de continuité, de pérennité.

S'il longeait Victoria Beach, il serait au Château en dix minutes. Harkman mit en balance courage et jalousie, et le courage céda. Il jeta un dernier regard vers la colline verte embrasée, puis se retourna vivement et rentra à Dorchester.

Il n'était pas à son bureau depuis plus de dix minutes quand le téléphone intérieur sonna.

— Monsieur Harkman ? Ici Cro, de l'Information. On me communique que le Commissaire vous a autorisé à consulter nos archives.

— Je croyais que M. Mander en était responsable.

— M. Mander a pris quelques jours de congé. Avant son départ, j'ai pris sur moi de m'assurer que vous recevriez votre laissez-passer. Souhaitez-vous consulter les archives aujourd'hui ?

— Oui, bien sûr. J'arrive.

Il passa d'abord par le bureau de Cro, puis suivit le petit homme corpulent jusqu'à l'ascenseur.

Les archives étaient entreposées dans le sous-sol de

l'immeuble : un grand dépôt derrière un mur blindé, plein de rayonnages métalliques qui couvraient les quatre murs et formaient des allées artificielles dans la largeur de la pièce. Sur les rayonnages s'entassaient les dossiers : boîtes en carton remplies de papiers, livres, brochures, classeurs reliés, autorisations, registres d'état civil, procès-verbaux des tribunaux, innombrables classeurs de circulaires de Westminster et des autres Commissions régionales, statuts, comptes rendus de réunions, journaux, affiches gouvernementales, dossiers de police... toutes les minutes poussiéreuses du service de l'administration d'Etat : un testament en désagrégation dédié à la pédanterie de l'âme bureaucratique, qui ne tolère jamais qu'on jette quoi que ce soit.

— Je vais devoir vous enfermer, Harkman, dit Cro.

— Ça ne fait rien. (Harkman consulta sa montre : il était juste deux heures.) Venez me chercher à cinq heures, à moins que je ne téléphone avant. Et je voudrai sans doute passer toute la journée de demain ici.

Cro indiqua un écriteau jauni et effacé au-dessus de la porte.

— Vous n'avez pas le droit de fumer ici.

— Je n'en avais pas l'intention.

— Vous feriez mieux de me donner vos cigarettes, à tout hasard.

Harkman toisa Cro avec agressivité, s'efforçant de se contrôler. Il n'avait eu qu'un contact occasionnel avec l'homme, mais eut l'impression de le connaître et de le comprendre — lui ou ses semblables. Le statut d'universitaire détaché de Harkman faisait de Cro son subalterne dans la hiérarchie, mais les archives étaient le domaine de celui-ci. Pour éviter une scène inutile, Harkman lui tendit ses cigarettes, se rendant compte qu'il faisait la tête comme un écolier surpris à fumer derrière le gymnase. Il se força à sourire.

— J'imagine que j'aurais pu être tenté.

— Je vous les garderai, dit Cro, qui les plaça sur une étagère à l'extérieur de la pièce. Il ferma la porte à clé, puis salua Harkman de la tête à travers l'épaisse vitre et s'éloigna. Pensif, Harkman contempla ses cigarettes par la vitre, certain qu'il les aurait oubliées si Cro les avait emportées. Maintenant il avait envie de fumer. Il fit demi-tour, décidé à se mettre à ce qu'il était venu faire.

Jusque-là, le seul secteur des archives auquel il avait eu accès était une partie de l'index, aussi avait-il déjà une compréhension partielle du système de rangement et des codes numériques utilisés pour identifier les différentes classifications.

Il se promena dans les allées, examinant les boîtes et les chemises. Les additions les plus récentes à la collection se distinguaient des autres car leurs étiquettes étaient encore claires, sans le jaunissement de l'âge. Harkman essaya de lire les mots inscrits au dos de différents dossiers, souleva les couvercles poussiéreux des boîtes pour inspecter leur contenu. L'air de la cave était sec et vicié. Ses pas suffisaient à soulever des nuages de fine poussière qui le faisaient pleurer, et bientôt le nez lui démangeait.

Il travailla sans but pendant une demi-heure, sans savoir où regarder, incertain même de ce qu'il cherchait. Il se perdait dans les rangées de dossiers salis ; l'ordre dans lequel ils s'entassaient lui semblait erratique, les procès-verbaux d'une année placés, intentionnellement aurait-on dit, à côté du registre des mariages d'une autre, vingt-trois ans plus tôt.

Il revint à l'index et choisit au hasard quelques titres, pour essayer de débrouiller le système. Après quelques faux départs, il parvint à mettre la main sur l'une des pièces choisies : *Comité du logement, Comptes rendus des réunions, 2117-2119*. Il ne s'intéressait pas aux activités d'un comité qui avait siégé quelque vingt ans auparavant, mais le fait de le trouver l'aidait à comprendre le système.

Harkman entrevoyait un peu mieux comment s'y prendre, et il s'assit à un bureau, l'index posé devant lui. Il avait déjà relevé certains dossiers qu'il voulait consulter, et sortit son carnet pour cocher deux ou trois documents d'un intérêt particulier. A trois heures quinze, il disposait d'une liste d'une quarantaine de titres qui pouvaient contenir ce qu'il voulait et partit à leur recherche. Il ne les trouva pas tous, mais en peu de temps il avait sur son bureau un cadastre couvrant tout le XXIe siècle, des dossiers de presse, des annuaires de la Commission pour les trois dernières décennies, des procès-verbaux de réunions et de congrès du Parti, une histoire populaire du XXe siècle, plusieurs guides de Maiden Castle, et des copies de différents mémorandums échangés entre Westminster et le bureau de l'attaché aux Ressources au cours des deux dernières années. C'est dans cette chemise qu'il découvrit la première référence à Maiden Castle.

Le Bureau interrégional de Londres avait soulevé la question de la consommation d'énergie de la communauté du Château ; la réponse, au milieu des précautions rhétoriques d'usage, affirmait que la Communauté avait accès aux sources d'électricité principales, mais que sa consommation était négligeable dans la mesure où un certain équipement — non désigné — n'était pas en marche.

Plus tard, Harkman découvrit dans le même classeur d'autres lettres, concernant cette fois une demande sur la valeur de mise au rebut ou de récupération de l'équipement de recherche ; la réponse de la Commission — signée D. Mander — prenait la forme d'une lettre fixée à une circulaire imprimée. La circulaire était une instruction du Parti au sujet des coopératives indépendantes sur le plan énergétique, et du caractère souhaitable d'une ingérence gouvernementale minimale ; le mot tapé à la machine ajoutait simplement que l'état actuel de l'appareillage de Ridpath n'était pas connu, et qu'on l'estimait sans valeur.

Le nom propre du matériel n'avait pas de signification pour Harkman.

Dans le cadastre du siècle précédent, Harkman découvrit des extraits des actes par lesquels les terres où se trouvait Maiden Castle étaient officiellement transférées du duché de Cornouailles au Bureau soviétique de la Terre et de l'Agriculture, en l'année 2021. C'était l'un de centaines de transferts par lesquels toutes les terres non officiellement contrôlées par l'Etat avaient été remises à Westminster.

Suivit une recherche stérile au cours de laquelle il retrouva plusieurs documents traitant de Maiden Castle ou y faisant allusion, mais c'était la pâture bureaucratique habituelle : des estimations de population, des relevés de terrain, des rapports sanitaires, un document consultatif sur l'enseignement, les conclusions d'une équipe d'inspecteurs de la salubrité publique.

Harkman n'avait pas regardé les extraits de journaux après les avoir sortis, et il les gardait comme dernier recours. En fouillant, il s'aperçut qu'au moins dans les premières années de gestion de la Commission, il y avait eu des tentatives efficaces pour collationner les nouvelles d'intérêt local. Il y avait là toutes sortes de coupures : des précisions sur un projet de route (abandonné depuis), la reconstruction de Dorchester après les tremblements de terre, les premières discussions publiques sur le développement de Dorchester comme centre touristique.

Puis Harkman découvrit, fourrées dans une poche au fond du dossier, plusieurs autres coupures d'une période beaucoup plus ancienne. Il les sortit et les déplia soigneusement : elles étaient brunies par le temps et aussi sèches que la poussière qui les recouvrait.

La première avait une manchette à sensation, composée dans un caractère démodé : « UN VOYAGE DANS L'AVENIR ! » Dessous, en brefs alinéas, dans un langage racoleur, s'étalait un reportage sur la constitution de ce que le journal appelait « un réservoir à pensées électroniques » dont les membres « partiraient dans l'avenir » et « entreraient en contact avec nos descendants », le tout dans le but de « résoudre les brûlants problèmes du jour ».

Il y en avait d'autres du même acabit. Chaque article — sans doute à l'intention d'un public semi-analphabète — mettait l'accent sur des idées comme le voyage dans le temps, l'exploration du futur, un périple au bout du temps, etc. Les dates des articles allaient du début 1983 à l'été 1985. Maiden Castle « enveloppé d'antiquité » était cité plusieurs fois, et le nom du Dr Carl Ridpath (suivant les articles un « savant », un « inventeur » ou un « génie ») figurait en bonne place.

Harkman les lut dans l'ordre chronologique, apprenant davantage de chacun, en laissant de côté les éléments qui relevaient du sensationnel ou de la spéculation journalistique.

En reposant la dernière coupure, il avait l'impression

d'avoir trouvé ce qu'il cherchait. À la fin du XXe siècle — probablement en 1985 — une fondation de recherche scientifique avait mis au point un moyen d'explorer l'avenir. Ce n'était pas une forme de voyage dans le temps, au sens où les journaux utilisaient l'expression, mais une extrapolation contrôlée et consciente que le matériel de projection du Dr Ridpath visualisait et à laquelle il donnait forme. L'expérience devait se dérouler dans un laboratoire spécialement construit sous Maiden Castle.

De toute évidence, il s'agissait du matériel mentionné dans les dossiers de la Commission !

La curiosité de Harkman fut soudain frappée par une idée, et il revint sur les coupures. Les articles s'accordaient tous sur un point : la période choisie pour le « futur » projeté serait d'exactement cent cinquante ans.

Autrement dit, ils envisageaient l'année 2135... il y avait exactement deux ans !

Mi-figue mi-raisin, Harkman se demanda ce qu'ils avaient fait de ce qu'ils avaient trouvé.

Il examina le vieux journal pendant plusieurs minutes, conscient de ce que ces anciens bouts de papier étaient en eux-mêmes un lien avec ce passé optimiste, cette époque où l'homme et sa technologie n'en étaient pas arrivés à la stagnation, où ils pouvaient encore regarder vers l'avant. De même que Maiden Castle, construit pour la défense contre les ennemis du jour, avait survécu aux attaques du temps, de même ces mots, écrits à la hâte, avaient survécu à leurs auteurs. Les hommes étaient poussière, mais les mots et les idées vivaient.

Harkman remit les articles en paquet et les glissa dans la poche du classeur. Il sentit une légère obstruction, les retira et inspecta l'intérieur.

Tout au fond, poussée en accordéon par les autres, se trouvait une autre coupure. Harkman la dégagea précautionneusement, et la lissa de la main sur la surface de la table.

Le style était différent des autres, la présentation plus sobre ; le rappel en haut de page lui apprit son origine : le *Times* du 4 août 1985.

Le titre était :

« MAIDEN CASTLE — UN RÊVE COUTEUX ? »

Harkman parcourut rapidement l'article.

Aujourd'hui, dans un ancien château fort breton près de Dorchester, des intellectuels, des économistes, des sociologues et des savants vont rassembler leurs intelligences conscientes en un fonds commun pour tenter de voir dans l'avenir de la Grande-Bretagne et, par extension, du monde. Des questions ont été posées au Parlement, de nombreux commentaires sont parvenus de diverses sources bien informées, au sujet de ce que certains considèrent purement et simplement comme un fantasme complaisant auquel s'adonnent quelques-uns des plus éminents cerveaux d'Angleterre. L'argent ne serait-il pas mieux dépensé, disent les critiques, au bénéfice d'une recherche sociale plus concrète — le type même de recherche que, dans bien des cas, les participants ont abandonné au profit de celle-ci ?

En fait, bien que la fondation Wessex soit partiellement subventionnée par le gouvernement (par l'intermédiaire du Conseil de la Recherche scientifique), l'essentiel du financecement provient de sources privées et industrielles.

Le paragraphe suivant traitait du financement du projet. Harkman y jeta un coup d'œil et passa à la suite.

On a baucoup parlé des « voyages dans le temps » que les participants pourront accomplir quand leurs consciences seront électroniquement mises en commun, mais les démentis les plus catégoriques ont accueilli ces informations.

Le Dr Nathan Williams, de l'Université de Keele, a déclaré hier au cours d'une conférence de presse à Dorchester : « Nous imaginons *un monde futur, que le pro-*
« jecteur de Ridpath nous rend tangible. Nos corps seront
« à l'intérieur du projecteur et ne le quitteront pas. Notre
« conscience même, qui semblera vivre le monde projeté,
« restera en fait à l'intérieur du programme dicté par le
« matériel. »

Au nom du Conseil d'administration de la Fondation, M. Thomas Benedict, qui doit personnellement prendre part à l'expérience, a ajouté : « Quant à ce que nous espérons

« obtenir, nous sommes persuadés que ce que nous appren-
« drons du monde de 2135 justifiera largement chaque
« penny investi. »

Trente-neuf personnes au total participent au projet, et leurs compétences réunies représentent une impressionnante somme de talents. Beaucoup se sont mises en congé indéterminé de leurs postes universitaires pour apporter leur contribution à la projection de Ridpath, et d'autres encore ont abandonné de brillantes carrières dans l'industrie pour mettre leur savoir au service de cette expérience.

Le Dr Ridpath, qui a mis au point son matériel de visualisation et de projection mentale à l'Université de Londres, n'a pas pu assister à la conférence de presse d'hier. Depuis une clinique de Londres, où il se trouve en convalescence à la suite d'une opération, il a déclaré : « C'est l'accomplissement d'un rêve. »

L'article était accompagné de huit photos de participants, des petites figures qui regardaient Harkman pardessus les années. L'une représentait Ridpath, une expression intense ; une autre le Dr Williams, un homme mûr au front dégarni, au visage carré et intelligent.

Tout au bas de la double colonne de photos, il s'en trouvait deux que Harkman contempla sans comprendre.

Le premier visage était le sien. Dessous, la légende disait : *M. David Harkman, quarante et un ans. Enseignant en histoire sociale, Ecole d'Economie de Londres.*

La deuxième photo représentait une jolie femme brune : *Mlle Julia Stretton, vingt-sept ans. Géologue (Université de Durham), Mlle Stretton est la plus jeune des participants.*

La première réaction de Harkman fut l'incrédulité. Il ferma les yeux, tourna la tête, comme pour effacer une vision incroyable. Puis il considéra à nouveau les photos et parcourut l'article des yeux, le cœur battant plus vite. Il n'y avait pas à s'y tromper, la jeune femme était Julia ; sans le moindre doute, l'homme qui portait son nom était lui-même.

Harkman sentit quelque chose comme une décharge électrique dans le crâne, comme un court-circuit, et rejeta involontairement la tête en arrière : la réalité se brouilla.

Il s'efforça d'être calme, de comprendre.

A en croire le journal, il y avait cent cinquante ans — cent cinquante-deux, pour être précis — qu'un nommé David Harkman avait rejoint cette expérience de projection mentale. L'année choisie était 2135. *(Comment pouvaient-ils l'imaginer ? Sur quoi leur information se fondait-elle ?)*

Julia, ou une jeune femme du même nom et du même aspect, avait aussi pris part au projet.

Et pourtant lui, David Harkman, vivait ici en 2137. Julia vivait ici.

Il était né en 2094 (*il avait quarante-trois ans, l'âge qu'aurait son alter ego !*)... il était né en 2094, avait fait ses études à Bracknell State School, ses études supérieures à l'Université de Londres, il avait passé son diplôme en histoire sociale, s'était marié... il savait tout cela !

L'année, le monde, les gens... ils étaient tout autour de lui. Il était de *ce* monde, ce monde réel, inconfortable et dangereux.

Etait-ce le genre de monde que ces universitaires du XXe siècle pouvaient visualiser ?

Harkman secoua la tête, incrédule. Personne ne pouvait se débattre avec les innombrables subtilités de tout un ordre social.

(*1985 : avant la destruction de l'Union britannique, pendant les dernières années de la monarchie, avant la collectivisation de l'industrie et de l'agriculture, avant l'intégration dans le bloc soviétique. Personne alors n'aurait pu prévoir cette société !*)

L'extrapolation, au sens social, signifiait le contraire de l'histoire. Elle impliquait la capacité de tirer des déductions sur l'avenir à partir d'observations du présent. Harkman ne mettait pas en doute la compétence de ces universitaires pour une spéculation intelligente, mais il savait avec certitude que toute spéculation sur *son* monde serait fausse. L'histoire du dernier siècle et demi, avec toutes ses complexités, lui était presque aussi parfaitement connue que l'histoire de sa propre vie.

L'histoire était l'ordre critique que le présent imposait au passé ; elle ne pouvait pas être créée vers l'avant !

Ce besoin précipité de contester les principes de la théorie était sa fuite intellectuelle devant le véritable choc émotionnel.

Qui était ce David Harkman ?

Avec la même stupéfaction, il contempla la photo de l'article, puis prit dans la poche revolver de son pantalon sa carte d'identité de la Commission. Il la posa à côté de la photo, toujours incrédule.

La photo du journal était figée et peu naturelle, comme si on l'avait prise en studio, et il avait l'air plus âgé que sur la photo d'identité. Son visage était plus plein, ses cheveux plus longs, il manifestait plus d'aplomb.

Néanmoins les deux photos représentaient indubitablement le même homme.

Et il n'y avait qu'à regarder l'ancienne photo de la jeune femme nommée Julia Stretton pour savoir que c'était elle.

Il ne pouvait pas tenir tête à l'impossible. Sa première impulsion fut de se lever et de s'éloigner du bureau, mais à peine arrivé au premier rayonnage, il fit volte-face. Il s'assit en trébuchant, manqua tomber de sa chaise.

Ses mains tremblaient, il sentait sa chemise trempée adhérer à son dos.

Pendant un instant il resta sans bouger, se tenant des deux mains au bord de la table.

Enfin il regarda à nouveau le texte de la coupure, relut les propos du Dr Williams : « ... notre conscience, qui semblera vivre le monde projeté, restera en fait à l'intérieur du programme... »

L'espace d'un instant Harkman eut l'intuition que la solution était cachée dans ces mots : il y avait eu une erreur, quelque chose avait mal tourné. En définitive, tous les articles à sensation des autres journaux disaient la vérité : *il avait voyagé dans le temps !*

Cela semblait la seule réponse au dilemme, et toute irrationnelle et incompréhensible qu'elle fût, elle expliquerait...

L'idée prit corps quelques secondes, puis son emprise se relâcha et elle s'évanouit.

Ce ne pouvait pas être cela : il n'avait pas de souvenir du XXe siècle, ni d'aucune époque antérieure à sa propre vie. Quarante-trois ans, peut-être trente-huit dont il se souvenait clairement. Rien de plus. Une vie ordinaire.

Il relut encore les paroles de Williams : « ... notre conscience semblera vivre... »

Il y avait une possibilité, une possibilité marginale, que ce soit là la phrase clé.

La conséquence était que tout ce qu'il voyait, tout ce qui l'entourait, ce qu'il mangeait, ce qu'il lisait, ce qu'il se rappelait... était une illusion mentale.

Il rejeta sa chaise en arrière et fit les cent pas jusqu'aux rayonnages, fébrile.

Tout cela, c'était la réalité. Il pouvait la toucher, la flairer. Il respirait l'air moisi de la cave, transpirait dans la pièce sans ventilation, soulevait des nuages de poussière ancienne : c'était le monde de la réalité extérieure, et il en était nécessairement ainsi. En passant devant les rangées en apparence interminables de dossiers et de livres, dont chacun contenait ses propres fragments de mémoire du passé, il concentra sa pensée sur ce qu'il entendait par réalité.

Y avait-il une réalité intérieure de l'esprit, plus plausible que celle des sensations extérieures ? Le fait de pouvoir toucher quelque chose voulait-il dire que c'était réel ? N'était-il pas possible que l'esprit fût capable de créer, dans le moindre détail, toute expérience des sens ? Que cette poussière fût un rêve, cette chaleur une hallucination ?

Il arrêta de tourner en rond, ferma les yeux. Il désira que la cave disparaisse... qu'elle disparaisse !

Il attendit, mais la poussière qu'il avait soulevée irritait son nez, il éternua violemment... et la cave était toujours là.

Harkman s'essuya le nez et les yeux, et retourna au bureau.

Il y avait dans la coupure autre chose, qui avait laissé une trace insistante dans sa mémoire.

Il reprit une nouvelle fois le papier jauni, mais ne vit rien. Puis il remarqua la date. Elle était imprimée tout en haut : 4 août 1985.

Une date avait quelque chose d'incontestable, une impartialité, c'était un événement connu, désigné, commun à tous.

Le journal avait annoncé que le début du projet était fixé pour « aujourd'hui »... vraisemblablement la même date. Dans ce cas, le futur projeté aurait dû commencer le 4 août 2135. Où avait-il été ce jour-là ? Qu'avait-il fait ?

Il put d'emblée donner une réponse générale : pendant ces dernières années, il s'était trouvé à Londres et avait travaillé au Bureau de la Culture. Voilà qui semblait exclure tout lien autre qu'accidentel avec cette expérience du XXe siècle, puisque ses racines s'étendaient au-delà — ou en-deçà — de cette date. Mais il n'était toujours pas satisfait.

En quoi août 2135 était-il un mois mémorable pour lui ?

Voilà ! C'était le mois où il avait déposé sa demande de transfert à Dorchester. Il s'en souvenait parce que son anniversaire était le 7 août, et qu'il avait déposé la demande avec un sentiment de résolution, de changement de direction, comme un cadeau qu'il se faisait. Il avait eu alors l'impression de satisfaire un désir ancien, mais il savait que la décision avait été relativement soudaine. L'idée s'était mise à l'obséder trois jours plus tôt, quand il s'était rendu compte qu'aussi longtemps qu'il ne pourrait pas vivre et travailler en Wessex, il ne serait jamais heureux.

Trois jours plus tôt ! Cela faisait le 4 août !

Son besoin incompréhensible d'aller à Maiden Castle, faiblement justifié, s'était manifesté le jour même du début de la projection.

La conclusion était atroce, mais Harkman n'aurait absolument pas su dire pourquoi. Ses souvenirs avant cette date étaient ce qui lui permettait de s'accrocher à la réalité ; aussi loin qu'ils remontaient, son identité était assurée.

Les souvenirs étaient là : études, carrière, mariage, carrière... En parlant à Julia, quelques jours avant, il avait eu les mêmes souvenirs statiques. Les événements étaient isolés comme des points de repère sur une liste.

Ils avaient eu lieu, et ils n'avaient pas eu lieu. Exactement comme Julia était une fois apparue comme une illusion ; Harkman se rendit compte que sa vie jusqu'au 4 août 2135 n'avait d'existence que de par sa mémoire.

Et les photos du journal étaient devant lui sur la table, qui lui disaient qui il était et d'où il venait.

Une heure et demie plus tard, la porte de la cave s'ouvrit de l'extérieur, et Cro vint le libérer.

Harkman y prit à peine garde. Il ramassa la coupure et la glissa dans sa poche, suivit l'homme au rez-de-chaussée. Cro remonta l'escalier, et Harkman gagna la rue. Les maisons de la ville semblaient immatérielles, chancelantes, fantomatiques.

Il descendit jusqu'aux quais. Pendant qu'il était dans la cave le vent s'était levé, et la pluie arrivait par ondées des landes à l'intérieur des terres. La fumée de la raffinerie de pétrole se déversait sur la ville, sombre, déprimante, graisseuse. Les rues étaient presque vides et les arbres des quais ternes et sales.

La marée se retirait, et Harkman eut un moment l'image hallucinée d'un tourbillon sans fond en pleine mer, drainant l'eau, qui se retirait du rivage et laissait la baie détrempée et nue, les vestiges boueux du XXe siècle épars sur les terres comme des épaves de navires.

XXIII

QUAND il l'eut présenté à tous et qu'il eut résumé la nature du projet, Paul Mason emmena Mander voir les installations de la projection Ridpath. Mander, toujours sous le coup de la rapidité avec laquelle les autres l'avaient accepté, et plus encore de sa propre rapidité à entrer dans l'esprit du projet, suivit le jeune directeur, par un couloir latéral, jusqu'à un long hall bas de plafond, faiblement éclairé par deux ampoules électriques.

« Nous appelons cet endroit la morgue, Don », dit Mason, et il alluma d'autres lampes pour éclairer les installations. Dans son for intérieur, Mander tiqua en entendant son prénom ; au cours d'un quart de siècle dans la fonction publique, il avait perdu l'habitude d'une familiarité allant au-delà des initiales.

Il y avait des batteries de spots aux deux bouts de la longue salle, et, en entrant, Mander remarqua, sans trop d'intérêt, ce qui ressemblait à une longue rangée de tiroirs-classeurs alignés contre un mur. Mason et quelques autres s'intéressaient au mécanisme qui permettait la projection futurologique, mais pour Mander, les implications psychologiques étaient plus fascinantes. Ses années dans le Service régional lui avaient fait oublier sa formation d'origine, et tout ce qu'il en avait retenu était une connaissance instinctive des processus mentaux humains — dans ses moments de plus grande lucidité, il savait qu'elle lui servait surtout à des magouillages entre secteurs — et un jargon psychologique rudimentaire, probablement démodé.

Il s'était engagé dans le Service régional avec la croyance naïve que les psychologues qualifiés avaient un rôle utile à jouer dans la gestion parfois délicate des affaires de l'État ; tout au moins, telle était la politique de l'Office interrégional de Westminster quand il avait été nommé. Mais des changements successifs à la tête du Parti — en Angleterre aussi bien qu'en Russie — et de subtils aménagements de la ligne idéologique avaient peu à peu laminé tout ce qui pouvait faire l'utilité de sa fonction. Maintenant, après vingt-sept ans, l'avancement automatique lui avait assuré un revenu régulier et une position d'autorité, et le psychologue ambitieux de vingt-sept ans s'était mué, à cinquante-quatre, en un administrateur de toute confiance.

Paul Mason s'approcha du premier tiroir et l'ouvrit, s'équilibrant d'une main contre la masse de l'appareil. Après une résistance initiale le mécanisme glissa sans heurt, comme si les roulements du tiroir étaient restés intacts au cours des années d'inactivité.

— Pour le moment il n'est pas en service, dit Mason. Essayez-le, si vous voulez.

— Vous voulez dire : que je monte dessus ?

— D'habitude nous disons monter dedans.

Son propre formalisme fit sourire Mason, et Mander ressentit à nouveau la sympathie instinctive qu'il avait eue pour le jeune homme dès leur rencontre. La popularité de Mason était générale ; chaque personne mêlée au projet paraissait captivée par son physique et sa personnalité.

— Rien ne peut vous arriver tant que le courant n'est pas branché, poursuivit Mason. Pour preuve il posa la main sur les pointes métalliques brillantes des contacts neuraux. Mander dit :

— Si je montais dedans, que m'arriverait-il ?

— Rien pour l'instant. Vous n'êtes pas claustrophobe, Don ?

— Pas du tout.

Mander avait aussitôt secoué la tête, soucieux d'affirmer clairement qu'il n'existait pas la moindre petite névrose pour l'empêcher de faire partie de l'équipe. Le peu de temps passé au Château lui avait inspiré un intense désir d'être accepté.

Avant que cet homme — comment s'appelait-il, Nathan Williams ? — ne vienne le voir dans son bureau, il n'avait aucun soupçon de la moindre activité au Château. Maintenant une voix intérieure le pressait de s'unir aux autres, de ne plus faire qu'un avec eux.

— Parce que, disait Paul Mason, l'intérieur de chaque unité de projection est exigu, et bien que l'on soit inconscient une fois dedans, l'idée peut paraître gênante à certains.

— Je vais essayer, dit Mander, qui percevait une trace de doute dans la voix de Mason. Il tenait à prouver sa valeur aux yeux du directeur du projet.

Il y avait aussi le problème de son âge ; au cours des présentations, quelqu'un lui avait directement posé la question, et malgré la politesse des réactions, l'impression lui était restée que certains le trouvaient trop vieux. La disponibilité de son intérêt, l'envie de participer, telles étaient les qualités qu'il espérait communiquer.

Mason l'aida à s'étendre sur le tiroir et lui montra comment reposer les épaules sur les supports. Mander sentit contre lui les contacts neuraux, amortis par ses vêtements.

— Ce sera inconfortable, dit Mason, mais ne vous débattez pas si vous avez un accès de claustrophobie. Je vais vous ressortir après quelques secondes. Vous êtes prêt ?

— Oui.

— Il n'y a pas d'aération à l'intérieur. C'est parce que la climatisation est débranchée. Et il fera noir.

Mason poussa le tiroir de tout son poids et Mander se sentit glisser. Il passa dans l'obscurité de l'intérieur, et un instant plus tard le tiroir s'arrêta contre des butoirs à ressort. D'instinct, il leva la tête pour essayer de voir autour de lui, mais son front heurta aussitôt quelque chose de lisse, froid et dur placé juste au-dessus de lui. Il décolla les mains du corps pour tâter, mais elles se heurtèrent aux parois métalliques du tiroir, et il s'aperçut qu'il n'avait que quelques millimètres de jeu. L'intérieur de l'appareil était froid et sans air. Il n'avait pas menti au sujet de la claustrophobie, mais après quelques secondes l'idée lui vint qu'il n'avait que la parole de Mason, et que si celui-ci décidait de le laisser là, il serait piégé.

Avant d'être éprouvé davantage, il sentit à son grand soulagement le tiroir se déplacer, et une lumière grise apparut au bout du tiroir, autour de ses pieds. Il regarda à sa droite et à sa gauche et vit un entrelacs de fils, des tubes de métal qui longeaient le petit réceptacle, de la peinture grise écaillée. Levant les yeux, il aperçut un reflet fuyant de son visage... mais le tiroir glissa au-dehors et c'est Paul Mason qu'il vit. Il se sentait idiot, allongé là comme un corps prêt à la dissection sur une dalle, et le sobriquet macabre donné à l'endroit lui revint.

— Alors ? Vous vous sentez de taille ?

Mason l'aida à descendre du tiroir, et au moment de toucher le sol il fut pris d'un étourdissement. Il le dissimula en se retournant et en appliquant une claque éloquente sur le froid métal.

— C'est une drôle d'expérience.

— Alors, vous êtes des nôtres ?

— Bien sûr.

Son vertige avait été provoqué par tout autre chose que le confinement dans le noir. C'était ce reflet de son visage qu'il avait surpris... un instant de reconnaissance, un visage dans un miroir circulaire.

Mason remit le tiroir en place, et la rangée de cabines grises retrouva son uniformité. L'appareil resté inutilisé sous le Château pendant un siècle et demi, héritage d'une ère plus prospère, avait une froide efficacité chirurgicale.

Ils passèrent lentement devant la rangée de cabines. A intervalles réguliers Mason frôlait du doigt les poignées métalliques.

— Combien y en a-t-il en tout ? dit Mander.

— Trente-neuf. Ce qui limite dans les faits le nombre de participants.

— Les effectifs sont déjà au complet ?

— Trente-six jusque-là. Trente-huit, en comptant vous et moi.

Mander était sur le point de faire la remarque évidente qu'il restait une personne à trouver quand il saisit l'allusion discrète aux trente-six participants. Il n'était pas encore tout à fait accepté.

Il méditait cette pensée quand ils arrivèrent au bout de la longue rangée et firent demi-tour.

— Paul... le fait que je travaille à la Commission ne vous inquiète pas ? En salle de réunion, quelqu'un disait...

— Ça ne change rien. Je suis pour vous.

— Vous êtes seul à décider ?

— Non, il y a eu vote. Si vous voulez être des nôtres, vous le pouvez. Vous avez des réticences ?

— Aucune.

— Alors à quoi pensiez-vous ?

Mander scruta l'autre, mais la franchise du regard qu'il rencontra le désarma.

— A la nature dissidente du projet, dit-il. Tout le monde connaît la politique du Parti en matière de recherche appliquée. Il me suffit de retourner à Dorchester, de télégraphier à Westminster une liste des gens que j'ai rencontrés aujourd'hui, et dans quelques heures vous seriez tous arrêtés.

— Mais vous ne feriez pas ça, Don ?

Chez n'importe qui les mots auraient contenu une menace, mais dans la bouche de Paul ce n'était qu'une question directe. A laquelle Mander avait une réponse directe.

— Non, je ne le ferais pas. Mais je me demandais si vous étiez conscients de cette possibilité.

— Elle a été discutée.

— Et alors ?

— Je vous l'ai dit. Vous avez été accepté, sans réserves.

Ils sortirent de la morgue, Paul Mason éteignit les lumières à l'exception des deux du plafond. Ils retournèrent à la salle de réunion.

Mander pensait : je suis accepté, comme je les ai acceptés. Maintenant qu'il avait rompu avec sa vie à la Commission, la décision prise lui semblait d'une justesse absolue. Il reconnaissait les gens d'ici. Même les inconnus, ceux dont on lui disait qu'ils arrivaient d'autres régions du pays, avaient un comportement amical et familier, comme s'il était déjà leur collègue. Et puis il y avait les autres : ceux qu'il avait souvent vus à Dorchester, qu'il ne connaissait pas de nom, mais de tête. La fille du stand, par exemple ; il lui avait parlé pour la première fois et avait appris son nom : Julia Stretton. Pour une raison inexplicable elle paraissait l'une des plus favorables à son admission, et tandis que certains autres s'interrogeaient sur sa carrière à la Commission, elle était intervenue spontanément à plusieurs reprises pour le défendre.

Ces premières réticences écartées, Mander avait été stupéfait de la communication évidente à l'intérieur du groupe. Le même sentiment montait en lui, parallèlement à son enthousiasme quant aux possibilités du projet. Pendant sa longue carrière dans le Parti, Mander avait parfois montré de la complaisance envers les réussites de ce dernier, mais dans sa jeunesse il avait souvent critiqué les moyens par lesquels il parvenait à ses fins. Ces griefs ne s'étaient jamais vraiment effacés, mais en vieillissant il avait compris que la pire conséquence du régime soviétique était d'avoir fait stagner la culture et la société anglaises. Le pays était prêt pour une révolution sociale de la même ampleur que la révolution politique qui avait eu lieu à la fin du XXe siècle. Les problèmes de cette époque troublée étaient aussi loin dans le passé que les années en question, mais aucune société n'était idéale. Un coup d'œil vers l'avenir pourrait suggérer une orientation.

— Il nous manque toujours un membre, Don. Vous connaissez quelqu'un que nous pourrions approcher ?

— Pourquoi ne pas suivre la procédure habituelle ?

— Bien sûr. C'est pour ça que je vous pose la question. La sélection se fonde sur la recommandation des autres participants.

Mander secoua la tête.

— Je ne pense connaître personne qui ferait l'affaire.

Ils étaient arrivés au bout du tunnel latéral, et se tenaient à l'angle. Un vent coulis humide s'enveloppa autour des jambes de Mander. A quelques mètres d'eux, la porte de la salle de réunion était ouverte : de la lumière et des voix en sortaient.

— Voyez-vous, j'aimerais que le projet commence aussi vite que possible. Tout à l'heure, je dirais.

— Si vite ? dit Mander. Mais proposer quelqu'un pour

une tâche aussi importante... Ce serait seulement sur ma suggestion ?

— Le groupe décidera. Ça se passe toujours comme ça. Présentez quelques noms. Dès que nous entendrons le bon, nous le saurons.

— Puis-je savoir comment ?

— De la même façon que nous avons reconnu votre nom dès qu'il a été avancé.

— Je ne connais pas grand monde à Dorchester, dit Mander.

L'isolement de sa vie privée, que pendant des années il avait considéré comme un bastion contre les tensions du travail quotidien, apparaissait tout à coup comme un désavantage social. En entrant dans la salle avec Paul Mason, Mander passait en revue ses rares connaissances et essayait de se les figurer ici. Dès qu'un nom lui venait à l'esprit, il l'écartait automatiquement.

Une table ronde était en cours, une discussion à bâtons rompus où tous les participants exprimaient leurs idées sur le futur, les discutaient et pour finir les mettaient en commun. Mander et Paul trouvèrent deux chaises libres et se joignirent au débat... et Mander détecta aussitôt un rééquilibrage de la discussion. Au lieu de parler à la cantonade, on se tournait vers Paul, c'était lui qui dirigeait, qui orientait. Au milieu des autres, Paul apparaissait comme le chef incontestable. Leur respect pour lui sautait aux yeux : il suffisait qu'il prenne la parole pour imposer le silence, et qu'il fasse une suggestion pour en obtenir l'approbation. Toutefois Paul ne tirait pas parti de sa position, il semblait ouvert aux idées, réceptif aux suggestions des autres. Somme toute, il dirigeait le débat avec bon sens et humour, et Mander se surprit à admirer son intelligence et la chaleur de sa personnalité.

Une seule personne manifestait une faible résistance au meneur naturel du groupe, et c'était Julia, la fille du stand. Elle se trouvait en face de Mander, et quand elle intervenait il constata qu'elle regardait de son côté. Psychologiquement, elle allait à contre-courant de la discussion, il se demandait pourquoi. Il soupçonna d'abord un conflit entre elle et Paul, mais rien de tel ne transparaissait dans ce qu'elle disait. Puis il surprit une expression de Paul au moment où celui-ci lui parlait, et devina qu'il y avait là autre chose qu'un rapport de travail. C'était peut-être l'explication.

A un moment donné, Mander lui-même lança une idée, et Julia fut la première à réagir. Elle semblait tenir à être d'accord avec lui, ce qui lui parut agréable, mais déroutant. Quelques minutes plus tard il fit une deuxième suggestion pour vérifier sa réaction, et elle parla encore la première.

Au moment d'une pause-café, Mander vit Mason prendre Julia à part et lui parler longuement. Elle souriait, approuvait, semblait d'accord, mais Mander nota les jointures de ses mains, blanches de crispation.

Mander profita de l'interruption pour bavarder avec autant de monde qu'il put.

Un de ceux qu'il tenait le plus à rencontrer était un ancien chimiste de l'Université d'York, qui se camouflait comme pêcheur au village de Broadmayne. Le nom de l'homme avait retenu l'attention de Mander à la Commission, car ses absences répétées avaient éveillé chez un voisin le soupçon qu'il se livrait à un commerce privé de poisson. D'ailleurs, pris de distraction, Mander avait négligé la plainte et la note était restée dans une corbeille métallique sur son bureau.

Paul Mason revint à sa chaise, marquant la fin de la pause, et chacun reprit sa place.

— Avant de pouvoir continuer, dit-il, nous devons sélectionner le dernier membre de notre équipe. Quelqu'un a-t-il une suggestion ?

Mander sentit sur lui le poids de la responsabilité, mais il décida d'écouter les autres. Il y eut une discussion générale sur le type de personnalité qui convenait à la tâche, mais aucun nom n'était avancé.

Paul se tourna vers lui.

— Et vous, Don ? Des idées ?

— Je vous l'ai dit, Paul. Je ne connais pas grand monde par ici.

Personne ne parlait, mais Paul le dévisageait toujours. Alors Julia dit :

— Quelqu'un à la Commission, peut-être ?

Mander secoua aussitôt la tête. Là, il n'y avait personne.

Julia parla encore :

— Don, je suis sûre que vous pouvez penser à quelqu'un.

A ces mots, Paul lui lança un regard cinglant, et Mander remarqua qu'elle tenait les mains contractées sur les genoux. Encore une fois, il eut la certitude qu'elle refoulait une tension plus profonde.

— Je ne sais pas, dit-il.

Il pensa au Commissaire Borovitine, à Cro, à l'un des employés du bureau d'accueil avec qui il déjeunait parfois.

— Il y a seulement...

— Qui, Don ?

— Un historien de Londres, qui est ici pour un travail de recherche. David Harkman.

Quelqu'un dit :

— C'est lui !

Ce fut comme si un courant d'air frais avait envahi la pièce étouffante. Julia rit, comme de soulagement, et Mander eut pour la première fois un véritable sens de communication avec elle, avec chaque membre du projet. David Harkman était l'homme, c'était le participant manquant. Avec lui, le projet serait complet.

Les gens s'interpellaient à travers la pièce, plusieurs s'étaient levés de leurs sièges.

Seul Paul Mason était immobile, il se taisait et observait, d'abord Mander, puis Julia. Mander affronta le regard de Mason, et remarqua dans ses yeux une sauvagerie, un fanatisme, qui n'y étaient pas auparavant.

XXIV

POURSUIVIE par le visage furieux de Paul, Julia dévalait le dernier rempart du fort, la tête penchée contre la pluie. Paul, avec son sourire débonnaire ; Paul, suggérant que Don Mander aille chercher Harkman ; Paul à la porte de la salle de réunion, faisant mine de la tenir ouverte pour elle alors qu'en fait, à l'insu des autres, il l'empêchait de sortir.

Mais elle l'avait défié, et elle l'avait fait en silence. « Pourquoi ne pas laisser Don y aller, Julia ? » Pas de réponse, Paul. « Comment vas-tu le reconnaître, Julia ? » Pas de réponse, Paul. Elle avait été la seule à percevoir les sous-entendus de sa conduite faussement aimable : pour la première fois depuis trois ans qu'il vivait avec elle au Château, Paul la soupçonnait.

Pas de réponse à cela, Paul, parce que cette fois, pour la première fois, il y avait une raison.

Les autres étaient hypnotisés par Paul, comme elle l'avait été quand il était arrivé au Château... mais tout cela avait changé pour elle depuis David.

Elle courait dans les hautes herbes, se mouillant les pieds et les jambes, et arriva à la digue de béton qui, en cet endroit, délimitait la côte. Julia sentait l'influence de Paul s'évanouir et faire place à l'expectative heureuse de David.

Après les tunnels étroits et humides, le grand air avait une odeur fraîche et propre, mais ce n'était que relatif. Malgré le vent et la pluie, l'atmosphère était pleine de l'habituelle brume sale qui couvrait le paysage d'une fine pellicule grise et ternissait l'herbe et les arbres.

Elle avait emprunté un imperméable à Marilyn, et en

longeant la muraille de béton boueuse, striée de rouille, Julia plongea les mains dans ses poches pour les tenir au chaud et au sec.

La marée baissait. En se retirant, la mer laissait les rebuts habituels jusqu'à son niveau supérieur : une traînée noire de pétrole, des débris, des containers de plastique, des cadavres d'oiseaux de mer et de poissons. Le reflux s'accompagnait toujours d'une odeur d'acide chimique, comme si le recul de la mer mettait à nu les corps malsains et les poisons qu'elle avait elle-même sécrétés en réagissant à la boue et au gravier de la plage immonde.

Devant elle, à travers les voiles lugubres de pluie, Julia distinguait l'origine principale de la pollution de la baie : la ville mal aimée de Dorchester : ville pétrolière, ville parasitaire, exploitée et exploiteuse.

C'est à Victoria Beach que les pipe-lines touchaient au rivage : quatre cadavres de serpents métalliques qui rampaient hors de la mer. A leur intersection avec la digue se trouvait un poste de garde militaire. Julia passa sans être interpellée, et baissa les yeux vers les tuyaux noirs soudés, qui formaient, en s'élevant hors de la mer, un brise-lames artificiel dans les canaux duquel les vagues graisseuses retombaient. Il n'y avait que deux sentinelles en vue : l'une se tenait sur le parapet de la digue, le fusil en bandoulière sur l'épaule, l'autre attendait à la porte du poste. Les deux soldats, tournés vers la mer, observaient le trafic incessant de cargos, de tankers, d'hélicoptères qui grouillaient comme une vermine tropicale au milieu de la forêt immergée des puits de forage et des plates-formes.

Du côté des terres, les quatre pipe-lines parallèles viraient simultanément vers la raffinerie qui dominait l'arrière-pays de Dorchester ; une agglomération bizarre, mi-rouille mi-argent, de tours, de grues, de câbles, de lumières, de flammes et de fumée, de réservoirs blancs alignés à travers la campagne, tumuli modernes riches en dépôts fossiles.

Julia se souvint comme elle et David avaient fait l'amour sur la lande.

Elle suivait la longue courbe de Victoria Beach, apercevait la bande grise de la digue qui tournait vers Dorchester, sur sa colline au-dessus de la mer. Le vent traversait la lande et la trempait. Elle était à bout de souffle, attirée par la ville à cause de David, repoussée par ce qu'elle était. Sortir du Château, c'était comme s'échapper d'un donjon ; non pas de l'enfermement crépusculaire des tunnels mais de l'angoissante emprise psychologique de Paul. Quand elle était avec lui, il parvenait à exclure David de sa vie, comme s'il savait... mais jusqu'à quelques minutes plus tôt, quand Mander avait prononcé le nom, Paul n'avait pas eu le moindre soupçon de son existence. Maintenant, presque contre la volonté de Paul, mais avec le soutien tacite des autres, David pourrait se joindre au projet.

Elle se mit à courir au milieu des flaques d'eau qui parsemaient la chaussée défoncée.

Alors : « Julia ! »

Les mots étaient emportés par le vent, mais elle reconnut tout de suite la voix de David. Il était tout proche mais elle ne le voyait pas, et quelque chose la porta à se retourner vers le large, les squelettes noirs des derricks sur la mer pluvieuse, du sommet desquels jaillissaient les flammes orange des gaz de déchet.

« Julia, par ici ! »

Elle se tourna aussitôt vers l'intérieur en riant, et vit David accourir à la digue. Elle cria son nom, éprouvant à nouveau une sensation qu'elle avait eue au Château quand elle avait entendu Don Mander le prononcer : il ne contenait pas plus l'homme que les mots ne contenaient l'amour.

Il était au pied du mur sur lequel elle se tenait et cherchait à droite et à gauche un accès jusqu'à elle. Sur le versant marin, le mur était en pente douce avec une base concave pour renvoyer les vagues, mais l'autre versant était rugueux et vertical. Des escaliers de béton, comme ceux des digues dans les ports, grimpaient par endroits, mais il n'y en avait pas à proximité.

« Par là ! » fit-elle, indiquant la direction du Château. Là où les pipe-lines traversaient la digue, l'accès au sommet était possible en plusieurs points.

Il courut tout de suite, et elle courut aussi, à sa hauteur, les yeux fixés sur lui.

Il arriva au bas de l'escalier et gravit les marches deux par deux. Essoufflée, elle se jeta dans ses bras en riant, et ils s'embrassèrent comme s'il y avait eu six ans, et non six jours, qu'ils ne s'étaient vus. Elle sentait ses lèvres, froides et humides, contre son visage et son cou, et quand elle toucha ses cheveux ils frisottaient sous la pluie.

— Que fais-tu ici ? dit-il en s'écartant d'elle. Je te croyais au Château.

— Je te cherche, dit-elle, et elle le serra plus fort, l'attirant jusqu'à ce que leurs deux visages soient blottis l'un contre l'autre. Elle l'embrassa sur l'oreille, sentit l'humidité de ses cheveux contre son front.

— Viens au Château, David. Tout est changé maintenant. Ils veulent que tu viennes là-bas.

Il ne dit rien.

— David ? Je te l'ai dit : c'est ce que tu demandais.

Il recula au bord de la digue et contempla le lamentable paysage battu par la pluie en direction de la raffinerie.

— Je ne veux pas, dit-il. Plus maintenant. Et je ne veux pas que tu restes là-bas.

Elle le dévisagea sans comprendre, puis lui prit la main.

— C'est d'accord, David. C'est *bien* que tu sois là-bas. Paul, Don Mander... tous les autres. Ils ont besoin de toi. Je suis venue te chercher.

Il lui jeta un coup d'œil.

— Rien que parce que les autres veulent de moi ?

— Non. Je suis venue... parce que je ne peux pas cesser de penser à toi, et que tu voulais vivre avec moi au Château.

— Ou le contraire. Que tu vives avec moi loin du Château. A Dorchester, n'importe où. Pas là-bas.

— David, je dois y retourner.

Elle l'avait dit tranquillement, effrayée d'être arrivée à la même impasse que lors de leur dernière rencontre. Elle pouvait tenir tête à Paul si David était avec elle...

ce n'était pas cette peur-là qui devait l'empêcher de venir avec elle.

Une autre rafale de pluie zébra la digue, et ils lui tournèrent le dos. Dans ses habits de bureau, David était trempé. Il avait l'air transi et déprimé ; elle vint près de lui, passa un bras autour de sa taille.

— David... retournons au Château. Rien que pour nous abriter de la pluie. Nous pouvons parler là-bas.

— Non, nous allons parler ici. Je ne veux pas aller au Château.

— C'est là que tu allais à l'instant.

— Pour te trouver et t'emmener.

Il indiqua le pied du mur, du côté des terres.

— Mettons-nous à l'abri du vent, Julia. Pour quelques minutes.

Son visage était luisant de pluie, elle voyait, contre son cou, son col s'assombrir.

— D'accord.

Il la précéda sur les marches de béton ; dès qu'ils furent au-dessous du mur, le bruit de la mer diminua. Tout en bas, ils se réfugièrent sous les marches.

David dit :

— Raconte-moi ce qui s'est passé au Château.

— Tu veux dire le travail que nous faisons ?

— Oui.

Elle se sentait prise au piège. Et pourtant... avec David, ça ne la gênait pas.

— Il y a un homme, un nommé Paul Mason. Il est responsable du projet, et c'est...

— Je sais. Tu n'as pas besoin de me le dire. C'est l'homme avec qui tu vis.

Elle lui prit les deux mains.

— David, je te promets que je n'ai pas couché avec Paul depuis que je t'ai rencontré.

— Mais tu vis toujours avec lui.

— Je suis obligée... je ne peux pas changer comme ça. Dès que le travail sera fini, je déménagerai. Il faut attendre jusque-là.

— Alors parle-moi plutôt du travail.

— Il y a au total trente-huit personnes. Dans les jours

à venir, nous allons mettre en marche un appareillage qui se trouve au Château, pour créer un futur imaginaire. Je ne sais pas comment l'appareil fonctionne ; c'est Paul qui s'occupe de tout ça. Je ne peux pas vraiment t'expliquer, mais tous ces gens-là ont une espèce, comment dire, de compréhension. Je ne le dis pas très bien. Tout le monde est d'accord... une sorte de télépathie.

Harkman l'avait observée pendant qu'elle parlait.

— Julia, ces gens. Comment s'appellent-ils ?

— Tu ne les connais pas.

— C'est possible. Tu viens de parler de Don Mander. Il en fait partie ?

— Oui. C'est le seul que tu peux connaître.

— Nathan Williams y est ?

— D'où connais-tu Nathan ? dit Julia, surprise.

— J'ai vu son nom quelque part. Dis-m'en d'autres.

Elle lui en cita quelques-uns, avec parfois du mal à se souvenir des noms de famille. Il n'en reconnut qu'un : Mary Rickard.

— Mary Rickard. La chimiste, de Bristol ?

— C'est ça. Mais comment ?...

— Et Thomas Benedict ? Ou Carl Ridpath ?

Ceux-là ne lui disaient rien, même si le premier évoquait un vague écho familier. Harkman eut l'air troublé, mais il n'insista pas. Il dit :

— Nous ne pouvons pas aller au Château, Julia.

— Pourquoi ?

— Parce que j'ai peur de ce qui peut y arriver.

Il avait un air étrange et la dominait, la bloquait dans l'étroit espace. Elle s'alarma.

— Ecoute, Julia... sais-tu d'où nous sommes ? Sais-tu comment nous sommes arrivés ici ?

— Bien sûr !

— Je ne dis pas ton passé... autre chose. Le Wessex, Dorchester, le Château ! Je croyais savoir où j'étais, d'où j'étais. Mais plus maintenant.

Il parlait vite, et elle ne le suivait pas.

— Tu te souviens ? Notre dernière rencontre... Qu'est-ce que nous avons fait ?

— Nous sommes allés sur la lande, et nous avons parlé.

— Oui, et nous avons fait l'amour. Un orage approchait, mais tant que nous étions là-bas il faisait chaud et sec. Tu te rappelles ?

— Oui, David.

— Moi aussi. Je me souviens que nous nous sommes aimés là-bas, sur la lande. (Il tendit le bras.) Exactement là-bas, où se trouve la raffinerie !

Elle vit les tours argentées, la fumée, les réservoirs.

— Nous n'étions pas du tout près de la raffinerie !

— Tu te souviens de l'avoir vue ?

Pendant les six derniers jours il n'y avait eu que le souvenir d'avoir fait l'amour sur la lande pour aider Julia à résister à Paul.

— Elle était là, David... mais derrière nous.

— Tu en es sûre ?

— Je crois...

La raffinerie était là, elle avait toujours été là.

— Je le crois aussi. Mais je n'en suis pas sûr. Je sais qu'il y a des années que cette raffinerie est là, que Dorchester a été reconstruit comme port pétrolier, et que l'économie du Wessex dépend de ces puits. Mais tu te souviens des touristes ?

— Quoi ? Ici, à Dorchester ? Elle rit.

— Ça m'a fait rire aussi, quand je me suis souvenu d'eux.

— On en a vu un ou deux, dit-elle. Ils vont dans toute la Grande-Bretagne.

— La Grande-Bretagne ? dit David. Ou l'Angleterre ?

Elle secoua la tête. « Non ! S'il te plaît !

— Alors écoute, Julia, essaie de comprendre. Tu dis que tu travailles à une sorte d'expérience pour projeter un monde futur, alors tu dois voir les conséquences. Pour qu'elle réussisse, pour qu'elle ait le plus petit degré de cohérence, il faut que ce soit un monde tout entier, un monde *d'apparence réelle,* avec des gens que tu ne connais pas, des événements que tu ne comprends pas. Et pour que tu évolues dans ce monde, *toi aussi* tu dois en faire partie, avec une identité nouvelle, et probablement sans aucun souvenir de ton existence ici.

— Comment sais-tu tout cela ? dit-elle.

— Alors c'est vrai ?

— Paul dit que c'est ce qui va nous arriver. Mais ce sera seulement provisoire, pour la durée de la projection.

— Quelle que soit sa durée, dit David. Julia, cet après-midi j'ai trouvé des dossiers de journaux. Là-dedans j'ai lu que l'installation du Château, cette installation même, avait déjà servi une fois. Au XXe siècle. Un groupe de savants, trente-neuf personnes, avec des noms comme Nathan Williams, Mary Rickard, David Harkman, Julia Stretton, ont lancé une projection dans *leur* futur. Le monde qu'ils ont projeté était ce monde... aujourd'hui, ici ! »

Julia crut qu'elle allait encore éclater de rire, mais l'intensité de l'expression de David suffit à la calmer.

— Tu comprends, Julia ? Toi et moi, nous étions dans cette projection... toi et moi, nous sommes des produits de notre propre imagination !

Il eut un geste soudain, fouilla dans une poche, en sortit un chiffon de papier jauni.

— Voilà ce que j'ai trouvé. Il est authentique, je suis sûr qu'il est authentique.

Elle lui prit le papier des mains et vit huit photos imprimées sur une colonne. Elle regarda au bas, se vit, vit David. Elle vit les autres...

Elle lut le texte. L'un des noms se détacha pour elle.

— Tom, dit-elle. Ils parlent de Tom Benedict...

— Tu le connais ?

— Non, Tom est mort... Je crois... Il...

Soudain elle ne se souvint plus, et simultanément elle se souvint. Il n'y avait pas de photo de lui, mais le nom était suffisant. Un administrateur... une Fondation Wessex... tout cela était enterré, au plus profond de son inconscient.

— Je ne comprends pas, dit-elle. Je connais la plupart de ces gens. Ils sont au Château, ils m'attendent.

— Tous ? dit David.

— Pas le Dr Ridpath. Je ne le connais pas. Mais les

autres... regarde, voilà Nathan, et Mary. Mais ils ne parlent pas de Paul. C'est bizarre, parce qu'il est le directeur...

Des pensées naissaient et mouraient au même instant ; des réactions étaient immédiatement supplantées par des instincts contradictoires. C'était elle, mais ça ne pouvait pas être elle. On parlait de Tom, mais elle ne connaissait personne de ce nom. Paul n'était pas cité, mais comment un compte rendu pouvait-il le passer sous silence ? Ces gens étaient en vie *maintenant,* pas cent cinquante ans plus tôt...

David dit : « Est-ce que quelqu'un au Château est au courant de cela ?

— Personne n'en a parlé.

— Alors, comme toi et moi, ils n'en ont pas de souvenir. »

Elle saisit la balle au bond : « Mais il y en a que je connais depuis des années ! Ils sont tous nés ici. Moi aussi, toi aussi ! »

En parlant lui revint automatiquement le souvenir de sa mère et de son père : comme une photo, sans paroles, sans mouvement. Ils étaient là, quelque part dans les limbes de son passé.

Les limbes de son passé : c'était une expression qu'elle employait parfois en plaisantant, pour bannir son éducation, pour se dissocier de ses origines. Mais contenait-elle une vérité plus profonde ?

— Tu ne vois pas ce que ça veut dire pour toi et moi, Julia ? Nous ne sommes pas chez nous ici, même si nous le croyons. Mais c'est tout ce que nous savons ! Il n'y a pas de retour.

Julia essayait de s'agripper à sa propre réalité ; elle secoua la tête.

— Tout ce que je sais, c'est que je suis liée aux autres. Exactement comme toi.

— Pas moi.

— Si tu étais au Château tu t'en apercevrais.

— C'est pour ça que je veux t'en éloigner. Julia, je suis amoureux de toi... tu es ici, moi aussi, et je veux que rien ne change. Tu ne vois pas ? C'est suffisant pour moi. La réalité est ce que j'ai à ma portée, c'est-à-dire toi. Nous pouvons vivre ici.

Elle avança vers lui, et il l'entoura de ses bras.

— Je ne sais pas, David, dit-elle, et ils s'embrassèrent.

Elle voulait se détendre, s'abandonner, mais la tension était trop forte, et bientôt ils s'écartèrent l'un de l'autre.

— Je ne comprends plus rien, dit-il. Qu'allons-nous faire ?

— Si tu crois en ce morceau de papier, dit Julia, pourquoi ne pouvons-nous pas retourner au Château ?

— Parce que j'en ai peur. Depuis que je suis à Dorchester, j'ai été attiré par le Château... il m'a obsédé. Je ne savais pas pourquoi, et puis j'ai lu ça. Je voulais que tout soit plus clair, et bien que je pense que ce papier est authentique, il me plonge dans la confusion. Je le comprends, mais je ne peux pas supporter ce qu'il implique.

— Alors tu veux t'enfuir ?

— Avec toi, oui.

— Pourquoi, David ?

— Parce que je ne vois pas d'autre choix.

Elle tenait toujours la coupure du journal, qui tremblait entre ses doigts. La pluie dégouttait des marches, et deux grosses gouttes s'étalèrent sur le morceau de papier, comme de l'huile sur du coton.

— Tu ne penses pas que nous devrions montrer cela aux autres ? dit-elle.

Il secoua la tête, et lui reprit le papier. Il le chiffonna entre ses doigts et le lança sur le sol détrempé.

— Voilà ma réponse. Il n'y a pas d'autre choix.

Julia contempla la petite boule de papier à terre. Elle s'imprégnait déjà de pluie. Julie s'inclina et la ramassa, la fourra dans la poche de son manteau. David n'essaya pas de l'arrêter. Elle s'écarta de lui et fit quelques pas sous le crachin.

En sortant du Château elle croyait avoir résolu le dilemme. Elle voulait être avec David plus que tout au monde. Pendant quelque temps elle avait vu en Paul quelqu'un qui l'en empêcherait, mais elle savait maintenant que, si David était avec elle, elle pourrait résister à Paul.

Tout avait semblé si simple, et pourtant David, avec son chiffon de papier, ne voulait que fuir. Ç'aurait été renier tout ce qu'elle sentait en elle, et ne rien résoudre.

Elle l'observa encore, la tête enfoncée dans les épaules, les mains dans les poches, à l'abri des marches de béton, qui la regardait et attendait. Elle lui tourna le dos.

Elle sortit de sa poche la coupure de journal et la défroissa. Une déchirure était apparue sur sa largeur, et le papier était mouillé et sale.

Protégeant la feuille de son corps, elle lut l'article d'un bout à l'autre. Puis elle le relut, et encore une troisième fois. Elle s'efforça d'ignorer le fait qu'une photo d'elle-même la regardait.

Cela n'évoquait pas de souvenirs. Elle avait beau essayer, l'article n'était qu'un accessoire du passé pour elle. Mais elle ne pouvait pas éviter les noms... et il y en avait un en particulier.

Thomas Benedict. C'était un nom d'un passé oublié, abandonné depuis longtemps. Il lui rappelait un long été chaud de rires, de bonté. C'était un souvenir enfoui, que la conscience n'atteignait plus.

Elle laissa de côté la raison — qui ne lui permettait pas de connaître Tom Benedict — et réagit à l'irrationnel. Bientôt il y eut d'autres souvenirs.

Il y avait un passé tranquille ; un autre été qu'elle avait connu. Une époque de beau temps chaud, de touristes fourmillant dans Dorchester, d'une idylle avec David. Il y avait, près du Château, une crique, que David parcourait de long en large sur un aquaplane, et où elle était allongée nue au soleil. Il y avait un stand sur le port, et la chaleur montait des pavés, de riches yachts étaient au mouillage, des étrangers dans des costumes insolites et bigarrés marchandaient avec elle.

Thomas, Tom, n'était dans aucun de ces souvenirs, mais il était partout.

Puis, comme si sa conscience reprenait le dessus, elle examina à nouveau les mots de l'article, et vit la date tout en haut.

En 1985, un nommé Nathan Williams avait dit : « Notre conscience semblera vivre le monde projeté... »

N'était-ce pas précisément ce qu'elle et les autres se proposaient de faire au Château ?

Ils cherchaient à explorer un monde futur... un monde meilleur. Leur modèle, comme tous les participants l'avaient affirmé à de nombreuses reprises, était la Grande-Bretagne de la fin du xxe siècle.

Ils envisageaient une époque, à cent cinquante ans dans l'avenir, où la Grande-Bretagne serait *à nouveau* une monarchie constitutionnelle, où la Grande-Bretagne serait *à nouveau* un Etat unifié, où le monde serait *à nouveau* le lieu d'une concurrence acharnée, où l'équilibre du pouvoir serait *à nouveau* entre l'Union soviétique et les Etats-Unis, où il y aurait *à nouveau* les problèmes en apparence insurmontables qui donnaient à la vie un but et une raison d'être, où la technologie et la science auraient *à nouveau* un rôle décisif à jouer dans le développement du monde...

Ce futur devait-il être modelé sur une époque du passé, et en tout point semblable à elle ?

Ou devait-il être le passé même, le passé *véritable* sur lequel ils fondaient leur scénario ?

David avait dit : « Il faut que ce soit un monde entier, un monde d'apparence réelle... »

Il parlait du projet de Paul Mason au Château, mais cela s'appliquait aussi à leur monde du Wessex. Cette vie était réelle... et, cent cinquante ans plus tôt, une expérience du xxe siècle s'était fixé pour but de créer un monde d'apparence réelle.

David croyait que la vie de Julia, comme la sienne, était un produit de cette apparence de réalité. Et qu'il en était de même pour les vies des autres participants ; ils étaient tous du xxe siècle.

Si c'était vrai...

Alors elle comprit : le projet de Paul au Château n'allait pas les emmener dans un futur imaginaire. C'était un besoin de rentrer. S'ils entraient dans sa projection, elle les ramènerait dans le passé, jusqu'à l'année d'où ils étaient partis !

Elle revint vers David, sachant que, quoi qu'il pût dire ou faire, elle allait retourner au Château.

Elle lui rendit le papier trempé. « David, nous...

— Je sais ce que tu as décidé, dit-il. Je crois que je me suis décidé, moi aussi. Je ne veux pas rester ici, il n'y a nulle part où aller. »

David remit le papier dans sa poche et elle lui demanda :

— Tu crois que tu peux supporter ce que ça implique ?

— Je ne sais toujours pas, dit-il.

XXV

Au sommet du second rempart de terre, Julia lui montra l'entrée des souterrains. David Harkman se tourna vers le plateau qui formait le sommet de la colline fortifiée. Il s'était attendu à y découvrir des habitations — peut-être les maisons des participants — mais l'herbe poussait dru et n'était pas piétinée. Il n'y avait pas de maisons, pas de chemins, pas d'hommes. Les nuages qui arrivaient de l'ouest, bas et plombés, semblaient à portée de leurs bras, au-dessus d'eux.

Il regarda, à l'est, la baie encombrée de derricks et de puits. Elle était sombre et froide, souillée par l'homme et ses entreprises.

— Autrefois je voulais aller nager là-bas, dit-il, et Julia le regarda, étonnée. Il y avait un port ici, quelque part dans le passé, je pense. Les gens montaient sur des planches à moteur et essayaient de se tenir au sommet de la barre de Blandford. Quand je suis arrivé ici, ça m'intéressait d'essayer.

— Je n'en ai jamais entendu parler, dit Julia. Et la vague n'est qu'un gros rouleau. On ne pourrait jamais monter dessus.

— N'empêche, j'aurais aimé voir ça.

— Viens, entrons, dit-elle.

Il la suivit le long de la pente en essayant de se débarrasser d'un souvenir de rêve : le gonflement de la vague sous la planche, la plainte aiguë du moteur, le tonnerre blanc du brisant qui s'effondrait... mais cela avait un caractère fugace ; le souvenir était immédiat, mais n'appartenait pas à son expérience.

Il suivit Julia ; les hautes herbes rayaient son pantalon

de traces humides, et il frissonna. Il y avait plus d'une heure qu'il marchait sous la pluie, et il était trempé jusqu'aux os. L'endroit, dégagé et battu par les vents, n'offrait aucune promesse de chaleur ou de sécheresse. Il n'y avait pas de porte dans la construction de béton. Elle était ouverte, et le vent s'y engouffrait. Des flaques d'eau sale parsemaient le sol couvert de boue et de moellons. Julia descendit devant lui les marches d'un escalier.

Sous la pluie, elle avait tenté d'expliquer pourquoi elle ne voulait pas transiger sur son retour au Château. Elle avait parlé d'un retour au XXe siècle... mais, ni l'un ni l'autre, ils n'avaient de liens émotionnels avec ce passé. Ils étaient tous deux du Wessex.

Harkman, lui, avait sa propre motivation, celle-là même qui l'avait persuadé qu'une tentative d'évasion était sans espoir. Maiden Castle exerçait toujours son pouvoir sur lui. Tant qu'il vivrait, il éprouverait cette attraction.

Maintenant il était dans le lieu même qui l'avait appelé, au point focal de la source invisible et rayonnante qui le sollicitait. Et, comme devant le corps dénudé d'une femme longtemps convoitée, il éprouvait simultanément la satisfaction d'un désir trop retenu et une vague déception maintenant que le mystère était dissipé. Le tunnel au pied de l'escalier était froid et mal éclairé. Il y avait des portes de chaque côté, toutes fermées, apparemment à clé. Le sol était jonché de déchets : des papiers déchirés, quelques bouteilles, des éclats de miroirs brisés, une paire de chaussures. Les parois étaient recouvertes de béton, mais imprégnées d'une odeur insistante de terre ou d'argile.

— Tu as passé les six derniers jours ici ? demanda-t-il.

— On est mieux dans la salle de réunion, dit Julia.

— Tout l'endroit est humide.

— Nous ne venons pas ici pour notre santé.

Ils étaient parvenus à une porte au bout du couloir, et Julia l'arrêta.

— David... tu vas rencontrer les autres. Tu vas leur montrer l'article ?

— Qu'en penses-tu ? Est-ce que ça vaut mieux ?

— Je n'en sais rien. Je suis convaincue que c'est le moyen de revenir au XXe siècle, et si j'ai raison, si c'est de là que nous venons, alors nous comprendrons en y arrivant. Tu crois qu'on nous attend là-bas ?

— Je ne peux pas te répondre.

Il voulut avancer, mais Julia le prit par le bras.

— Tu vas faire la connaissance de Paul. Tu ne vas pas provoquer une scène ?

— Est-ce que j'aurais une raison ?

— Non, dit-elle, et elle l'embrassa sur la joue. Tu sais ce que j'ai dit, et tu sais ce que je veux.

Le tenant toujours par le bras, mais doucement maintenant, elle ouvrit la porte derrière lui. « Voici la salle de réunion. »

Harkman entra et regarda autour de lui, prêt à la trouver pleine de monde... mais elle était vide. La lumière était allumée, et l'air était chaud, légèrement renfermé. De nombreux livres et journaux étaient répandus sur les tables, des tasses et des soucoupes sales avaient été laissées sur le sol à côté des sièges. Quelqu'un avait abandonné sa veste accrochée à un porte-manteau sur la porte.

— Penses-tu qu'ils nous ont entendus venir ? dit Harkman, ironique.

Julia regarda encore la pièce, comme si quelque chose lui avait échappé.

— Je suis partie il y a seulement deux heures. Ils doivent encore être là.

— Dans une des autres salles ?

— Elles ne servent jamais. Ils doivent tous être allés dans le hall de projection.

Il la suivit le long d'un tunnel latéral vers une porte d'où provenait une lumière intense, et en pénétrant dans le hall Harkman sentit la chaleur des lampes braquées sur lui. Se protégeant les yeux de la main, il parcourut la salle du regard, mais il lui fallut plusieurs secondes pour apercevoir l'homme : à l'autre bout du hall, quelqu'un se tenait derrière l'une des batteries de lampes et attendait.

Il ne leur dit rien, mais les observa tandis qu'ils entraient. A la gauche de Harkman, une rangée de grands tiroirs peints en gris courait sur toute la longueur du hall. Au centre de la salle et, pour une raison quelconque, en un point où convergeaient plusieurs faisceaux lumineux, il y avait une grande pile de vêtements. Harkman pensa absurdement qu'on aurait dit le décor d'une orgie interrompue par une descente de police.

« C'est toi, Paul ? » dit Julia, plissant les yeux sous la lumière aveuglante des lampes.

La silhouette demeura immobile et silencieuse pendant près d'une demi-minute. Pendant ce temps, Harkman avançait, retenu par la main de Julia posée sur son bras — mais enfin l'autre vint lentement vers eux.

— Ils sont tous partis, dit-il. Le projet est en route.

— Déjà ? dit Julia, stupéfaite. Mais tu devais attendre...

— J'avais toutes les personnes qu'il me fallait. Aucune raison pour retarder.

Julia leva les yeux vers Harkman, et celui-ci lut une peur étrange dans son expression.

Elle dit : « Paul, j'ai trouvé David Harkman. Tu te souviens, Don Mander l'avait proposé ?

— David Harkman, hein ?

— David, voici Paul Mason, le directeur de notre projet.

— Mason ?

Harkman tendit la main, mais Mason l'ignora et regarda Julia.

— Voici donc ce David Harkman qui est tellement précieux pour mon projet ? Eh bien, il ne sert à rien, nous avons commencé et il est trop tard pour quelqu'un d'autre.

Il se détourna et alla auprès des cabines, étendit les deux mains, appuya les paumes contre le métal lisse.

— Je ne vous connais pas, Harkman. D'où êtes-vous ? Que venez-vous faire ici ?

Harkman, irrité par la conduite de l'homme, à mi-chemin entre le trouble mental et la grossièreté pure et simple, fut tenté de lui lancer une réponse cinglante. Un regard inquiet de Julia lui rappela sa demande de ne pas faire de scène.

Il dit : « Je travaillais à la Commission régionale, Mason. J'ai été envoyé par le Bureau de la Culture...

— Je n'ai pas confiance en la Commission, Harkman. Ni en personne qui y travaille. Que venez-vous faire ici ?

— Paul, il a été approuvé par les autres.

— Les autres sont partis. Toi et moi sommes les deux derniers. Je veux savoir ce que cet homme de la Commission vient faire ici.

— Nous le voulons, Paul !

— C'est toi qui le dis. Je choisis les participants pour le projet, pas toi. »

Julia se retourna vers Harkman, cette fois désespérée et perplexe, puis se dirigea vers Mason. Il lui tourna immédiatement le dos et longea la rangée des cabines, passant fébrilement la main sur la surface métallique.

Après tous les événements de la journée, Harkman n'avait eu aucune idée préconçue de ce qui pouvait l'attendre au Château... mais cela, ce Mason qui semblait avoir perdu la raison, il n'avait aucun moyen de l'affronter.

— Julia, il est malade ? dit-il doucement.

— Je ne l'ai jamais vu comme ça. Quand je suis partie il était en colère... mais je ne m'attendais pas à ça. Et où sont tous les autres ?

Harkman dit : « Qu'allons-nous faire ? »

Julia se taisait, scrutant la silhouette étrangement agitée de Paul. Celui-ci était à nouveau au centre du faisceau lumineux, les mains appuyées sur la cabine la plus proche.

A le regarder, Harkman pouvait voir ce qui avait autrefois attiré Julia en lui. Il devait avoir le même âge qu'elle, était d'une incontestable beauté, avec ses cheveux noirs, ses traits bien dessinés, mais un pli de sa bouche, ses yeux serrés forçaient l'antipathie de Harkman. Le fait que cette antipathie fût partagée ne l'étonna pas ; il était son rival auprès de Julia, et ce genre de confrontation était généralement plein de sentiments refoulés.

— Tu sais comment fonctionne l'appareil ? dit Harkman à Julia.

— Oui... Paul l'expliquait hier.

— Il semble incapable d'expliquer quoi que ce soit pour l'instant. Comment cela se passe-t-il ?

— Chaque participant a son tiroir. Le mien est celui-là.

Elle montrait du doigt un tiroir, le huitième ou neuvième de leur côté, et Harkman comprit qu'il s'agissait d'un des trois qui n'étaient pas encore complètement refermés.

— Comment sais-tu que le tien est celui-là ? Ils se ressemblent tous.

— Parce que... je ne suis pas sûre. Julia regarda les deux autres, secoua la tête. Je *sais* que c'est le mien, parce que je le sens. Je ne peux pas dire pourquoi.

— Mais en quoi l'un est-il différent de l'autre ?

— C'est une question de circuits nerveux et cérébraux. Le Dr Eliot...

Elle s'interrompit d'un seul coup et regarda Harkman, alarmée.

— Qu'y a-t-il ?

— Le Dr Eliot devrait être ici ! Et Marilyn. Et le reste de l'équipe. Paul était catégorique... le projet ne devait pas démarrer sans surveillance médicale.

— Alors où sont-ils ? »

Julia cria à travers la salle :

— Paul, où est le Dr Eliot ?

Paul grogna quelque chose d'inaudible, mais ne se retourna pas vers eux.

— Continue, Julia. Qu'arrive-t-il aux participants ?

— Nous devons nous étendre dans le tiroir, et quand il est fermé la lumière s'allume à l'intérieur. Cela déclenche une réaction cérébrale qui relie nos consciences au projecteur. Il y a des électrodes à l'intérieur.

Ils allèrent au tiroir que Julia avait désigné comme le sien, et l'ouvrirent. Au bruit des roulements, Paul leur fit face.

— Que faites-vous ? Mon expérience est en cours. Je ne veux pas d'interférence.

Harkman dit : « Ne fais pas attention à lui, Julia. Continue. »

Elle indiqua les appuis rembourrés pour la tête et les épaules, et, au milieu, une rangée de courtes électrodes pointues.

— Nous devons nous allonger pour qu'elles pressent sur la peau. J'ai déjà essayé. Ça pique un peu, mais autrement ça ne fait pas mal.

Harkman regarda la pile de vêtements au milieu du sol.

— Et pour ça, on se déshabille ?

— Bien sûr.

Harkman contemplait le tiroir avec des sentiments mêlés ; les lumières éblouissantes et les propos de fou de Mason ; le sérieux de Julia. Mais la contagion le prenait ; il était au centre de son obsession. Il y avait pour lui un tiroir dans une cabine, et il savait lequel. Comme Julia, il ne savait pas *comment* il le reconnaissait... mais il savait lequel des deux tiroirs restants était le sien.

Paul Mason se tenait toujours sous la batterie de lampes et les observait.

— J'ai tué les autres ! hurla-t-il. Je vous tuerai aussi. Ecarte-toi, Julia... tu sais ce qui va t'arriver !

— Il est sérieux ? dit Harkman.

Julia, désorientée par le comportement démentiel de Mason, dit :

— Je ne sais pas. Aide-moi.

Elle posa les mains sur le tiroir voisin du sien, et à eux deux ils l'ouvrirent. A l'intérieur se trouvait le corps nu et inconscient d'un jeune homme, et son immobilité était telle que Harkman crut un instant qu'il était bien mort. Julia se pencha sur son visage et mit la joue sous les narines du jeune homme.

Elle plaça sa main sur le cœur.

— Il respire toujours, dit-elle.

— Alors qu'est-ce que Mason voulait dire, tuer tout le monde ?

— David, je ne sais pas. Nous devons faire comme s'il n'était pas là. Je ne comprends pas ce qui a craqué chez lui... il était parfaitement en forme cet après-midi.

Mais on ne pouvait pas ignorer Mason, car il avançait lentement vers eux, appuyant le dos contre la rangée de tiroirs. Il bredouillait des propos incohérents.

— Pourquoi est-il inconscient ? dit Harkman, regardant le jeune homme dans le tiroir.

— Parce qu'il est en projection, je pense. Je ne suis même pas sûre de ça.

Harkman constata avec surprise qu'il reconnaissait le jeune homme. C'était le colporteur aux miroirs, celui qu'il avait parfois vu dans les rues de Dorchester.

— Qui est-ce ? dit-il.

— Il s'appelle Steve. Je ne sais pas grand-chose de lui.

Ils refermèrent le tiroir.

— Que faisons-nous, Paul ? Nous allons jusqu'au bout ?

Elle regarda Paul, qui progressait toujours vers eux, en marmonnant à part soi.

— J'ai peur, David. Rien n'a plus aucun sens... Nous n'avons que le vieux journal que nous puissions croire.

— Tu y crois ?

— Je suis obligée. Et toi aussi. Tout le reste est insensé.

— Julia, je te tue si tu entre dans cette machine. » Mason était tout près d'eux et les dévisageait avec des yeux égarés. « C'est moi qui ai préparé tout ça... et ce sera toi et moi, seuls, ensemble. Nous étions d'accord là-dessus ! »

Harkman dit : « Enlève tes vêtements, Julia. Je retiendrai Mason. »

Il fit un pas pour se placer entre elle et Mason. Sur-le-champ, celui-ci l'attaqua par-derrière. Il enserra le cou de Harkman de son bras, en lui tirant la tête. De l'autre main il cherchait à lui griffer les yeux. Julia poussa un cri.

Pris par surprise, Harkman se sentit entraîné en arrière. La main se refermait sur son visage, tâtonnant sauvagement entre son nez et ses yeux ; un doigt s'introduisit dans une narine et se mit à tirer. D'instinct, Harkman donna un coup de tête et logea son coude dans le ventre de Mason. L'étau sur son cou se relâcha aussitôt. Harkman se retourna et lança un coup maladroit et inexpérimenté à la tempe de Mason. Celui-ci recula en titubant et tomba mollement contre les tiroirs.

— David, tu n'as pas de mal ?

— Ça va, dit-il, mais son cœur battait la chamade et

il était essoufflé. Je t'en prie, Julia... entre dans la machine. C'est tout ce qui nous reste à faire.

— Je ne peux pas y aller toute seule. Je suis terrifiée par ce qui va se passer.

— Je serai avec toi. Je te le promets. Je vais te suivre.

Derrière eux, Mason poussa un hurlement de rage en essayant de se remettre sur ses pieds. Harkman lui fit face, les poings serrés. Il ne savait pas se battre, et le comportement insensé de Mason lui faisait peur. Au moment où Mason se rétablissait, il lui donna un coup de pied dans les jambes qui le fit retomber.

— Vas-y, Julia ! Je tiens Mason à distance.

Elle hésita encore quelques secondes, puis défit les boutons de l'imperméable. Son bras se prit dans la manche qu'elle retirait, et Harkman vint à son aide. Elle surveillait Paul, et ses doigts maniaient gauchement le vêtement.

— Julia ! s'écria Mason. Ne pars pas !

— C'est ce que nous avions prévu, Paul.

— Tu vas mourir, Julia ! Tu seras tuée !

— Ne lui parle pas, dit Harkman. Ça aggrave son état. Reste calme et laisse-moi m'en occuper.

Ils étaient enfin arrivés à lui enlever le manteau. Elle rejeta en arrière ses cheveux, encore humides et emmêlés par la pluie, et se souleva pour embrasser rapidement Harkman.

— Viens tout de suite, dit-elle. Tu sais lequel est ton tiroir ?

— Celui-là, je pense. Il indiquait celui qu'il avait reconnu comme sien. Il était juste derrière Paul Mason, toujours recroquevillé sur le sol.

Julia dit : « David, c'est bien cela ! Nous le sentons tous les deux !

— Qu'est-ce que je fais ?

— Tu peux tirer de l'intérieur, dit-elle. Il y a une poignée. Et un grand miroir au-dessus de toi... regarde dedans. »

Mason essayait de se lever, mais il était étourdi et ne coordonnait pas ses gestes. Harkman lui lança un coup d'œil, prêt à le frapper encore une fois.

— Entre dans le tiroir, Julia. Je vais t'aider.

Le tiroir ouvert à fond, Julia s'assit sur la surface métallique, puis s'allongea. Elle déplaça un peu la tête et les épaules, pour s'installer confortablement, et écarta ses cheveux pour qu'ils ne gênent pas le contact avec les électrodes.

— Je suis prête, David.

Il se pencha sur elle et frôla ses lèvres.

— Je t'aime, Julia. Tu as peur ?

Elle lui sourit. « Plus maintenant. C'est la chose à faire.

— Je n'ai pas peur non plus. Tu es prête ? »

Sur le sol, à quelques mètres, Paul Mason grogna.

— Oui, je suis prête.

David poussa le tiroir et le sentit glisser régulièrement dans le corps de la machine. Il baissa les yeux sur elle pour saisir son expression, mais elle avait détourné son visage et regardait sur le côté.

Le tiroir se referma. A la dernière seconde, Harkman vit une lumière brillante s'allumer à l'intérieur du compartiment, et quand le tiroir s'inséra à sa place, un mince trait de lumière délimita ses contours avec netteté.

Mason s'était levé et écarté des compartiments.

— Où est Julia, Harkman ?

Il ne répondit pas et voulut contourner Mason, mais celui-ci se mit sur son chemin.

— Vous vous êtes assez mêlé de ça, Harkman. Pour qui vous prenez-vous ? Où est Julia ? Qu'avez-vous fait d'elle ?

— Ecartez-vous, Mason.

— Vous n'entrerez pas dans l'appareil. Je vous tuerai.

— Vous ne pouvez pas m'en empêcher.

Ils se faisaient face, et le cœur de David Harkman battit plus vite. Mason se ramassait sur lui-même, comme pour prendre son élan. Puis il regarda vers le tiroir de Julia. La brillante lumière intérieure s'évanouit, et les deux hommes la virent faiblir et disparaître.

Mason se tourna complètement vers les tiroirs, et Harkman fit un pas en avant.

XXVI

UNE sonnerie retentissait dans l'obscurité, puis une saccade et un mouvement glissant... et la lumière frappa ses yeux. Des gens s'agitaient et il faisait chaud.

« C'est Mlle Stretton ! » dit quelqu'un, et une autre voix domina le vacarme métallique et le brouhaha général : « Infirmière ! Un sédatif ! »

Julia ouvrit les yeux, et sa première impression fut celle qu'elle ressentait d'habitude : le tiroir du projecteur de Ridpath s'était rouvert au moment où il avait été fermé, et elle était toujours en Wessex... mais il y avait trop de monde, et il n'y avait pas Paul, il n'y avait pas David.

Un homme en blouse blanche se tenait au-dessus d'elle, la tête tournée, le bras tendu impatiemment vers quelqu'un qui arrivait en courant. De l'autre main il tenait le poignet de Julia pour tâter son pouls. L'infirmière plaça une seringue hypodermique dans la main ouverte du docteur et se pencha pour essuyer l'intérieur du coude de Julia.

Elle se tortilla, tentant de se dégager. Une douleur lui traversa le dos.

« Non ! » dit-elle, et sa voix lui sembla passer par des lèvres gonflées et meurtries ; ses narines étaient sèches, sa gorge douloureuse. « Non... s'il vous plaît, pas de sédatif.

— Tenez-la immobile.

— Non ! » dit encore Julia, et de toute la force dont elle était capable elle libéra son bras et le replia sur son ventre. « Je vais bien... s'il vous plaît ne me donnez pas de sédatif. »

Le docteur, en qui Julia reconnut Trowbridge, s'empara à nouveau de son poignet, comme s'il allait lui ouvrir le bras de force, mais il se pencha alors sur elle et la regarda dans les yeux.

— Vous connaissez votre nom ? dit-il.

— Bien sûr... Julia Stretton.

— Vous vous rappelez où vous avez été ?

— Dans la projection de Wessex.

— Bien, ne bougez pas. Il libéra son poignet et rendit la seringue à l'infirmière. Allez chercher le Dr Eliot, dit-il à celle-ci, et dites-lui que Mlle Stretton semble avoir gardé la mémoire.

L'infirmière s'éloigna.

— Pouvez-vous bouger la tête, Julia ? Essayez très lentement.

Elle commença à lever la tête du support, mais une douleur aiguë lui vrilla aussitôt la nuque.

— Les électrodes sont toujours en contact, dit le Dr Trowbridge. Je vais vous dégager doucement.

Il la prit par les deux épaules. Centimètre par centimètre, il lui souleva une omoplate, la délivrant des électrodes de ce même côté. Entre-temps le Dr Eliot était arrivé et, ensemble, les deux hommes la soulevèrent péniblement. Elle se retrouva assise dans le tiroir, la tête baissée entre les genoux, tandis qu'un docteur appliquait une pommade calmante sur la zone irritée de la nuque et du dos. On lui mit une couverture sur le dos, et elle s'y blottit.

En s'éveillant à la conscience de ce qui était arrivé, Julia ressentit des émotions intenses et contradictoires ; colère et confusion se mêlaient à la douleur. Sa fureur se concentrait sur Paul : il s'était ingéré dans la projection, il avait déformé le monde du Wessex, son intrusion avait été efficace et destructrice. Sa confusion venait de ce que le hall de projection grouillait de gens, principalement de membres du personnel médical. Entre ses jambes elle aperçut quelqu'un qu'on éloignait sur un chariot, accompagné de deux infirmiers qui portaient un équipement à oxygène. On en emportait un autre sur une civière. Alors qu'on soignait le cou de Julia, elle entendit appeler le Dr Eliot, et celui-ci s'éloigna rapidement.

Mais surtout, dans sa rage refoulée, Julia gardait le souvenir de David. En dépit de tout, de Paul et de ses déformations insensées, de toutes les altérations qu'il avait provoquées, David était resté le même.

— David ? David est sorti ? demanda-t-elle.

— David Harkman ? Il n'est pas là pour l'instant. Le Dr Trowbridge lui repoussa la tête entre les genoux.

— Ne bougez pas.

— Il faut que je parle à quelqu'un. S'il vous plaît...

— Vous pourrez parler au Dr Eliot. Dans un instant.

— Mais dites-moi au moins ce qui se passe ici.

— Il y a une alerte générale. Il a dû arriver quelque chose à la projection, parce que tout le monde revient en même temps.

On appela le Dr Trowbridge et il laissa Julia avec la gaze qui lui pendait au cou.

Elle n'avait pas le droit de bouger et ne pouvait pas voir ce qui se passait, mais elle écouta ce qu'il disait à l'infirmière. Elle entendit son nom prononcé plusieurs fois : « Pas de traumatisme apparent »... « Nous n'avons pas testé ses fonctions motrices, mais elles semblent normales »... « Dès que le Dr Eliot est libre, il faut qu'il lui parle. »

Tandis qu'une infirmière lui nettoyait la nuque et lui faisait un pansement, Julia essaya à nouveau de regarder à droite et à gauche. Elle était toujours assise à la surface du tiroir, et son champ de vision était bloqué par les personnes qui se déplaçaient autour d'elle, mais elle crut voir que la plupart des tiroirs étaient ouverts. Elle essaya de découvrir si celui de David l'était aussi, mais il se révéla trop difficile à repérer.

L'infirmière fixait la gaze sur ses omoplates avec du sparadrap.

— C'est fini, mademoiselle Stretton. Enlevez le pansement demain.

— Je peux descendre maintenant ?

L'infirmière regarda dans la direction du Dr Trowbridge, penché sur un chariot. « Le docteur vous a autorisée ?

— Non... mais je me sens bien.

— Voyons comment vous bougez les bras.

Julia fléchit les muscles, tourna les poignets ; en dehors de la raideur coutumière après la récupération, elle n'avait pas de difficulté.

— Je vais vous chercher un infirmier.

A l'instant, Julia vit entrer un petit groupe.

— Voilà Marilyn, dit-elle. Elle va m'aider.

Marilyn l'aperçut avant que l'infirmière ne lui ait fait signe, l'appela et courut vers elle.

— John Eliot dit que tu vas bien ! (Elle embrassa Julia sur la joue.) Que s'est-il passé dans la projection, Julia ? Tu le sais ?

— Oui, j'ai tout vu.

— Alors, tu peux te souvenir ?

— Bien sûr.

— Julia, il est arrivé quelque chose d'affreux aux autres. Ils sont frappés d'amnésie.

— Mais... comment ?

— On ne sait pas. C'était une telle bousculade. Tout le monde revenait en même temps. Et pas un qui se rappelle qui il est, d'où il vient, ce qui lui arrive maintenant. On a emmené la plupart à l'hôpital de Dorchester, mais quelques-uns sont rentrés à Bincombe House. Et l'amnésie est le moins grave des problèmes. Le Dr Eliot dit qu'il craint des troubles cérébraux dans certains cas, et Don Mander a eu une attaque.

Julia la dévisagea, horrifiée.

— Mais qu'a-t-il pu se passer ?

— Personne ne le sait. Tu es probablement la seule à pouvoir nous le dire.

Elle regarda Marilyn, pensant à David dans le projecteur.

— David est déjà sorti, David Harkman ?

— Je ne crois pas... Attends, je vais vérifier.

Marilyn échangea quelques mots avec le Dr Trowbridge.

— Non, il est toujours en projection, dit-elle en revenant.

— Marilyn, aide-moi à descendre. Il faut que je parle à John Eliot.

Elle passa le bras autour du cou de l'autre fille, et posa les pieds sur le sol. Elle se tint debout, portant son poids sur Marilyn, mais après quelques secondes incertaines elle constata qu'elle s'en sortait toute seule. Elle s'appuya contre la paroi métallique du compartiment le plus proche, serrant la couverture autour d'elle.

— Qui d'autre est encore dans la projection, Marilyn ?

— Rien qu'une personne... Paul Mason.

Julia se souvint de l'éclairage violent du hall, un simulacre futur de celui-ci. Elle se souvint de la démence de Paul et de ses menaces... et elle pensa à David seul avec Paul, en Wessex.

Elle secoua faiblement la tête, sans savoir si elle voulait que David reste là-bas avec lui... ou revienne à ceci. Il y avait plus de deux ans qu'il était à l'intérieur de la projection ; il était trop épouvantable d'envisager les conséquences physiologiques qu'il subirait à son retour, sans même compter l'amnésie dont parlait Marilyn. Troubles cérébraux, attaques... Etait-ce ce qui l'attendait ?

Elle éprouva un besoin incontrôlable de remonter dans son tiroir, de se faire glisser à l'intérieur du compartiment... de retourner dans le futur.

— Tu vas bien, Julia ?

Elle ouvrit les yeux, vit Marilyn près d'elle.

— Oui... j'ai juste un peu froid.

— Essayons de récupérer tes vêtements.

— Une blouse chirurgicale fera l'affaire. Il faut que je parle à Eliot.

Elles traversèrent le hall, durent s'écarter devant un autre chariot qu'on évacuait. A son passage Julia essaya de voir qui était dessus, mais un masque à oxygène couvrait le visage. La conscience que c'était un des participants, un des partenaires de son monde privé, procura à Julia un sentiment d'identification intime. Elle voulait savoir de qui il s'agissait, mais ne put même pas reconnaître si c'était un homme ou une femme. Elle se tourna vers le mur jusqu'à ce que le chariot eût disparu. Dans le grand couloir, Eliot apparut à une porte.

— Julia ! Vous avez été examinée ?

— Oui, je vais bien.

— Dieu merci ! Vous avez un souvenir intégral ?

— Dans les moindres détails, dit-elle, pensant à l'ironie sinistre de ces détails.

— Venez dans mon bureau dès que vous serez habillée. Nous devons découvrir ce qui a flanché.

— C'est Paul Mason qui a flanché, dit-elle — mais pour elle-même.

Marilyn l'accompagna à la cabine où elle se changea. Les vêtements qu'elle avait portés étaient toujours là, mais une impression de provisoire qu'elle désirait préserver l'empêcha d'y toucher. Une part importante d'elle était toujours en Wessex, toujours avec David. Tant qu'il ne serait pas rentré et en sécurité, elle ne se sentirait pas tranquille, pas enracinée dans le présent.

Une blouse chirurgicale était pliée sur une étagère, et elle l'enfila.

Les deux femmes se rendirent immédiatement au bureau d'Eliot ; Julia attendait avec anxiété les nouvelles... mais Eliot ne lui dit rien qu'elle n'eût déjà entendu. Depuis deux heures, les participants s'étaient mis à revenir ; tous, sauf elle, souffraient de troubles mentaux ou nerveux chroniques. Elle était la dernière à rentrer jusque-là.

— Bien sûr, cela ne peut que signifier la fin de la projection, dit Eliot. Je ne vois pas dans quelles circonstances on pourrait la remettre en marche.

— Mais David ? dit aussitôt Julia.

— Evidemment le projecteur devra rester en activité. Du moins jusqu'à sa récupération et à celle de Mason.

— Est-ce qu'on essaie de les en tirer ?

Eliot secoua la tête. « Je ne peux autoriser personne à y retourner. »

Il lui apprit que trois administrateurs arrivaient le lendemain à Dorchester pour reprendre le contrôle du projet.

Julia écoutait tout cela avec le sentiment insolite de superposition des réalités qui suivait toujours une récupération. Rien n'avait changé : il y avait toujours des administrateurs, et il y avait toujours une fondation. A l'extérieur du Château, c'était le XXe siècle et le monde qu'elle connaissait, et qui attendait son inévitable retour.

Mais ce monde n'était plus le sien. Elle avait cessé

d'appartenir organiquement au monde réel du premier jour où elle était entrée dans la projection. Elle appartenait au futur ; la vie ne pourrait plus jamais être stable, sinon dans le Wessex de son esprit.

Elle ne pourrait jamais accepter que le futur ait cessé d'être, car pour elle il était réel. Le Wessex était un monde de sécurité intemporelle, de stabilité assurée, d'harmonie inconsciente.

Tel était le caractère du vrai Wessex, pas de la perversion cauchemardesque qu'avait créée la conscience maligne de Paul.

— Julia, dit Eliot, qu'est-il arrivé au programme ? Pourquoi tout le monde est-il revenu ?

— A cause de Mason, dit-elle, pensant à Paul, à David. Parce que c'était ce qu'il voulait faire, ce qu'il préparait.

Elle se rappela l'après-midi sur la lande avec David, le moment exact où elle avait rejoint la projection, et se mit à parler des changements que Paul Mason avait apportés en Wessex, consciemment ou inconsciemment. A revivre ces quelques jours du futur elle connut à nouveau, cette fois dans la perspective de la pleine conscience, le sentiment croissant de confusion provoqué en elle par ce monde protéiforme. La destruction de Dorchester comme station touristique ; l'apparition de la raffinerie et des puits de pétrole ; la pollution et la saleté ; les innombrables petits changements dans le décor et la population ; la disparition du village du Château, et de la plupart des sujets auxiliaires.

Tout cela... et le changement principal. La folie de Paul.

— A mon dernier passage ici, il y a une semaine, Mason m'a dit que les administrateurs l'avaient autorisé à changer la projection. Il n'a pas dit comment, pas directement. Mais maintenant j'ai vu. Il a établi une *seconde* projection en se servant du projecteur de Ridpath qui existe en Wessex. Je ne peux pas comprendre ce qu'il espérait...

— Vous n'avez signalé ça ni à moi ni aux autres, dit Eliot. Vous avez eu toutes les occasions.

Julia se passa le doigt sur la gorge, elle sentit encore la contusion due à la tentative de viol de Paul.

— Je ne pouvais pas... pas à ce moment-là.

Elle se souvint du sentiment de culpabilité, de la confusion que Paul lui avait inspirés ; des conflits intérieurs, de la longue lutte pour se reprendre et retrouver son identité.

— Il... il me faisait un chantage. Nous avions vécu ensemble, il y a des années. Ça a duré deux ans, et j'ai fini par m'enfuir. Il ne m'a jamais pardonné.

— Julia, c'était votre devoir de me dire cela. Vous connaissez la règle au sujet...

— Ça n'aurait rien changé, John. Il avait les administrateurs pour lui. Et puis, quand il l'a apprise, il a retourné la règle contre moi. Il m'a fait croire que si je vous révélais ça, ce serait moi et pas lui qui serais exclue, à cause de sa position devant le Conseil d'administration. Je ne pouvais pas prendre ce risque... Le Wessex est trop réel pour moi...

Elle fondit en larmes, à revivre les tourments que la réapparition de Paul avait imposés à sa vie. Tout ce qu'elle avait craint s'était réalisé : une fois de plus, Paul avait détruit tout ce qu'elle possédait.

Eliot la laissa pleurer dans un silence gêné, et Marilyn la consola, lui passa un kleenex.

— Voilà ce qu'a fait Paul. C'était à cause de moi !

Julia pressait le mouchoir humide entre les doigts et le sentait prendre une forme de boule.

— Il avait la volonté inconsciente de changer ce que j'avais en Wessex. Il a présenté un plan quelconque aux administrateurs, mais ce n'était pas sa véritable intention, parce qu'il ne la reconnaissait pas lui-même ! Il est déséquilibré et névrosé. Je l'ai toujours su !

Elle se calma et décrivit à Eliot le projet que Paul avait mis sur pied en Wessex. Les autres participants y avaient été attirés, incapables de modifier sa volonté. La plupart n'avaient pas la moindre idée qu'un nouveau s'était ajouté à la projection ; la présence soudaine d'une personnalité forte et égocentrique avait surmonté toutes les résistances qu'ils auraient pu opposer en d'autres circonstances. Et ainsi, attirés dans sa folie, ils avaient collaboré avec lui à créer une nouvelle projection... qui se fondait sur leurs souvenirs enfouis du monde réel.

— C'était Paul qui dirigeait cela ! Pas seulement consciemment, parce qu'il s'était attribué le rôle de directeur du projet, mais en même temps il détournait inconsciemment tout le monde vers une obsession du présent. Nous l'avons tous suivi, à cause de la force de son influence.

Elle s'arrêta en se souvenant de la personnalité charismatique de Paul, projeté par lui-même. Il avait l'air tellement sympathique, tellement vrai, tellement solide.

Le souvenir était profondément blessant pour elle : comme si on l'avait agressée sexuellement. Dans ces quelques jours en Wessex — le Wessex de Paul — elle avait vu l'image inconsciente que Paul avait de lui-même, et c'était tout ce pour quoi elle le haïssait dans la vie réelle.

— Julia, vous ne pouvez pas croire qu'un homme seul a pu provoquer tout cela.

— Je l'ai vu, je l'ai vécu.

Eliot n'avait jamais complètement compris les véritables subtilités d'une projection. Personne n'en était capable à moins d'avoir été en Wessex. En essayant de décrire ce qu'elle avait vécu, elle pouvait entendre objectivement ses propres paroles, et savait qu'elles semblaient paranoïaques. Eliot était doux, il s'efforçait de comprendre, mais il ne saurait jamais, à moins de l'éprouver lui-même, à quel point une personnalité pouvait insidieusement en influencer une autre.

— Vous-même, vous semblez y avoir résisté, dit-il. Comment se fait-il que vous soyez la seule à avoir conservé la mémoire ?

Julia le savait : c'était trop fort pour qu'elle l'ignore.

— A cause de David Harkman.

— Vous savez que Harkman est toujours dans la projection ?

— Oui, bien sûr.

— Et il a pris part à la seconde projection ?

— Non...

Julia essaya de trouver une explication, une explication qui serait vraie à ses propres yeux.

Elle choisit une demi-vérité pour exprimer une vérité entière :

— John, mon double est tombé amoureux de David Harkman.

Elle poursuivit :

— Dans la projection, Paul essayait de me posséder, mais il n'arrivait pas à m'atteindre à cause de David Harkman. Il a saturé les consciences des autres, mais il ne pouvait toucher ni à moi, ni à David. Inconsciemment, il essayait de fermer la projection en ramenant les autres, mais il avait toujours eu l'intention de me faire rester en Wessex, seule avec lui. Il a dit quelque chose comme : " J'ai préparé ça pour nous deux. " Mais il n'a pas vraiment compris ce qui se passait avec David.

— Pourquoi pas, Julia ?

— Parce que je ne lui ai pas dit... je n'ai dit à personne. Paul ne savait pas ce que David était devenu pour moi...

A ce moment, le téléphone sonna sur le bureau d'Eliot, il le décrocha

— Oui ? Ah ! monsieur Bonner.

Julia se souvenait du nom : le conseiller juridique des administrateurs.

Marilyn, qui était restée assise dans son coin pendant toute la conversation, dit : « Tu veux un autre kleenex, Julia ?

— Non merci. »

Mais elle s'aperçut que des larmes lui coulaient toujours le long des joues, et elle lui prit le deuxième kleenex.

—Tu sais pourquoi tous les autres ont perdu la mémoire, demanda Marilyn.

— Je suppose que c'était plus qu'ils n'en pouvaient supporter.

Même pour elle, ce n'était pas convaincant ; le cerveau humain n'était pas un appareillage électrique dont un plomb peut sauter.

Elle essaya d'écouter Eliot, mais il leur avait tourné

le dos et parlait à mi-voix dans le téléphone, répondait aux questions, écoutait Bonner.

La perte de mémoire était similaire à la perte qu'ils avaient tous subie dans la projection : ils étaient totalement détachés de leurs vies réelles, et adoptaient une nouvelle identité. Après deux ans d'expérience, elle s'y était faite, mais à sa première récupération Julia avait été affolée par la prise de conscience : le souvenir de l'amnésie, pour ainsi dire. Le double de Paul les avait avertis. Un jour, pendant la préparation du projet, Paul avait dit : « En arrivant dans le futur — il voulait dire le présent — vous perdrez vos identités actuelles et en prendrez de nouvelles. »

Il avait compris au moins cela du fonctionnement du projecteur. Et il avait vu juste : les participants étaient revenus sans mémoire.

Mais pourquoi ? Ils étaient tous revenus de la projection précédemment... et leur mémoire était totale. Julia essaya de découvrir pourquoi, cette fois, il devait en être autrement.

Les jeunes hommes aux miroirs, les déclenchements hypnotiques.

Voilà ! Les autres récupérations étaient effectuées grâce à des suggestions hypnotiques implantées dans le présent, dans le monde réel. Cette récupération avait été effectuée d'une manière complètement différente. Le projecteur avait fonctionné d'un bout à l'autre, il avait été utilisé comme dans le présent. Même les deux récupérateurs s'étaient programmés pour y prendre part ; Julia se souvenait de la vision de Steve dans son tiroir, se projetant avec les autres.

Les miroirs n'avaient pas servi, à l'exception de ceux placés dans les compartiments.

Dans le monde de Wessex, projeté depuis le présent, les participants avaient créé une seconde projection. Ils s'étaient *imaginés* dans le passé. Ils étaient devenus des projections d'eux-mêmes !

L'idée fit frémir Julia.

Ceci était le monde *réel,* non ? Ce n'était pas une

projection ? Elle regarda Marilyn, assise à quelques mètres d'elle... et Eliot, qui parlait au téléphone. Ils appartenaient au monde réel, au XXe siècle... ce n'étaient pas des produits de l'imagination.

Mais ils avaient été en Wessex à un moment, *à l'intérieur de la projection !*

Paul, ou un autre, leur avait donné une existence de sujets auxiliaires en les imaginant ! Julia se rappela Eliot dans les discussions, elle se souvint d'avoir emprunté un imperméable à Marilyn.

Marilyn dit : « Tu te sens bien, Julia ? »

Elle tendit la main pour toucher le bras de Marilyn. Il était solide, concret. Elle bondit, arracha sa main.

— Qu'y a-t-il, Julia ?

Elle se leva, repoussant sa chaise. D'un seul coup elle voulait voir le monde extérieur, voir la vallée de la Frome et la ville de Dorchester dans les terres, les traînées blanches des avions à réaction dans le ciel, le chemin de fer qui passait près du Château, les routes, la circulation...

Le monde était-il comme il était ? Etait-il encore là ?

Elle sortit en courant du bureau d'Eliot, gagna le froid tunnel à l'odeur de terre. A l'autre bout se trouvaient les portes métalliques de l'ascenseur : le chemin du dehors. Elle y courut, poussée par une terreur de l'inconscient.

Les jours à l'intérieur du projecteur l'avaient affaiblie : elle trébucha, et arrivée à l'ascenseur elle s'appuya sur les portes, haletante.

Sa résolution chancelait comme son corps avait faibli, et elle n'alla pas plus loin.

Le monde serait comme il était. Il serait toujours là.

Il serait réel, ou *d'apparence réelle*. C'était la même chose. Il serait comme il était, ou comme elle s'attendait à le trouver... et par conséquent cela n'avait pas d'importance.

Elle s'appuya sur les portes, essayant de reprendre son souffle. Marilyn était sortie du bureau d'Eliot et avançait vers elle le long du corridor.

— Julia, qu'est-ce que tu fais ?

— Tout va bien. Je vais bien à présent. Je voulais seulement de l'air frais... mais j'ai changé d'avis.

— Retournons attendre dans le bureau.

Toujours essoufflée de sa course dans le couloir, Julia regarda à nouveau Marilyn. Elle comprit que, même si elle passait le reste de sa vie en compagnie de cette fille, qu'elle la voyait et lui parlait à chaque instant de la journée, elle ne serait jamais plus convaincue de la réalité de son existence.

Si elle tournait le dos, est-ce que Marilyn disparaîtrait ? Est-ce qu'elle réapparaîtrait dès qu'elle la regardait à nouveau ?

— David Harkman est-il sorti du projecteur maintenant ? dit-elle en essayant de garder une voix calme.

— Retournons voir John Eliot. Il sera au courant.

— D'accord, Marilyn.

Elles revinrent vers le bureau, mais au moment où Marilyn ouvrait la porte, Julia s'enfuit à nouveau. Elle courut le long du tunnel, s'enfonçant dans le cœur du Château. Elle entendit Marilyn crier son nom, puis appeler le Dr Eliot avec insistance.

Julia tourna le coin, passant devant la salle de réunion, et s'engouffra dans le hall de projection.

Le calme et l'ordre étaient revenus, et Julia se heurta au silence et au vide. L'alarme semblait passée.

Deux chariots attendaient encore, et auprès de ceux-ci deux équipes d'infirmiers. Les bouteilles d'oxygène et les couvertures étaient à portée de la main, et les médicaments disposés sur un plateau. Le Dr Trowbridge se trouvait avec les infirmiers.

A son entrée, il se tourna vers elle.

— Avez-vous vu le Dr Eliot ? dit-il.

— Oui, dit Julia. Je suis déclarée en bonne santé. Elle était en bonne santé parce qu'elle voulait l'être. Qu'elle s'imagine malade, et elle tomberait malade.

— Vous devriez être en train de vous reposer, dit le Dr Trowbridge.

— Il faut que j'attende ici... que j'attende John Eliot.

Trowbridge lui tourna le dos, et Julia avança lentement — en s'imposant une allure dégagée — le long de la rangée de cabines. Maintenant que la plupart des tiroirs étaient ouverts, on aurait dit qu'un gigantesque cambriolage avait eu lieu, et que le contenu des tiroirs avait été raflé sans discrimination. Deux tiroirs restaient fermés, leur précieux contenu humain caché au monde.

Elle essaya d'imaginer l'activité de la conscience des deux hommes. C'était le monde projeté de deux personnalités, et le conflit intense qu'il devait refléter s'exprimerait de toutes les manières, depuis l'inconscient jusqu'à la conscience, jusqu'au corps. Elle se souvint de la violence physique de Paul quand il avait attaqué David, elle se souvint de sa démence.

Julia s'approcha du tiroir le plus proche, celui où se trouvait David. Elle vit son nom, imprimé en petites majuscules noires sur une carte blanche.

Le Dr Trowbridge lui tournait le dos et parlait avec deux infirmiers. Julia posa les mains sur la poignée du tiroir de David, mais les arracha immédiatement.

Elle voulait le revoir... mais l'idée la terrorisait.

L'émotion qui s'était donné libre cours quand elle parlait à Eliot déborda à nouveau, et elle lâcha un sanglot, qu'elle ravala en faisant semblant de tousser... mais Trowbridge parlait toujours et ne la remarqua pas.

Elle s'empara une nouvelle fois de la poignée, mais cette fois-ci la tira de toutes les forces qui lui restaient. Le tiroir résista un instant, puis glissa doucement.

Le corps de David Harkman était étendu devant elle, et dès qu'elle vit son visage Julia pleura tout haut.

Il était immobile et raide, comme mort, mais ses yeux papillotaient sous les paupières et sa poitrine s'élevait et s'abaissait régulièrement. On avait laissé son corps se détériorer encore plus que la dernière fois qu'elle l'avait vu : sa peau nue était pâle, son corps mou et comme gonflé d'eau. Ses cheveux étaient longs et emmêlés, et ses ongles s'incurvaient vers les paumes des mains.

Elle s'écroula et passa un bras autour de sa poitrine, amoureuse, amoureuse.

Quelque chose d'inexprimé lui disait qu'il ne reviendrait jamais ; que sa place définitive était dans le Wessex de l'esprit ; qu'il s'était fondu dans le monde qu'il avait contribué à créer. Elle pleurait parce qu'il était là-bas et elle ici, et parce qu'elle ne voulait qu'une chose : être avec lui.

Il l'avait observée sous l'abri de la digue, tandis qu'elle lisait le morceau de journal chiffonné. Bien sûr, elle s'en souvenait maintenant ; l'article était paru le jour du début de la projection, il y avait plus de deux ans. « Il est authentique, je suis sûr qu'il est authentique », avait-il dit. Maintenant elle voulait lui dire qu'il avait raison... mais qu'est-ce que ça changeait ? Elle ne savait plus ce qui était réel, elle s'en moquait. David était sa seule réalité, mais David était en Wessex.

Julia pleura, s'essuya les yeux avec le kleenex trempé qu'elle serrait toujours dans sa main. Elle embrassa le visage inerte de David, puis se redressa. Elle revint devant le tiroir, s'y appuya de tout son poids, et bientôt il rentra régulièrement dans son logement. Il était à nouveau en sécurité.

Engourdie, elle se dirigea vers son propre tiroir, le trouva.

Elle laissa glisser sa blouse, qui ne tenait que par trois cordons sur le devant. L'un des infirmiers l'aperçut et la désigna au Dr Trowbridge.

— Mademoiselle Stretton... Que faites-vous ?

Elle ne répondit pas, mais chercha dans son dos et trouva un coin du sparadrap collé au travers de ses épaules. Elle tira dessus, grimaçant de douleur. Le sparadrap ne s'enlevait pas, elle tira plus fort, et il céda enfin. En le laissant tomber, elle vit des gouttes de sang mêlées aux taches jaunes de l'antiseptique.

Son tiroir était à côté d'elle ; elle s'assit dessus et remonta les jambes.

— Julia !

C'était Eliot qui était apparu à l'entrée du hall, Marilyn près de lui.

— Julia, descendez de là. Trowbridge, faites-la descendre !

Elle cria : « J'y retourne, John !

— Je vous l'ai dit, personne ne doit plus se servir

du projecteur. J'ai eu des instructions pour le fermer, pour l'arrêter. »

Trowbridge avait traversé la salle et se tenait à quelques mètres d'elle, indécis.

— Vous ne pouvez pas l'arrêter avec des gens dedans, dit Julia. Vous savez que ça les tuerait.

— J'ai eu des instructions du Conseil d'administration.

En parlant, Eliot avait lentement avancé vers elle, et Julia sut que, si Trowbridge hésitait, Eliot n'hésiterait pas. Elle savait ce qu'elle voulait. Elle le savait avec plus de certitude qu'elle n'avait rien su de sa vie.

Elle le voulait : elle défia du regard Trowbridge... qui se détourna.

Elle le voulait : elle fixa son regard sur Eliot... qui s'arrêta.

Depuis la porte, Marilyn l'appela : « Vas-y, Julia ! Fais attention ! »

Julia ferma les yeux. Elle s'étendit sur le tiroir, s'installa sur les supports, sursauta de douleur quand les électrodes entrèrent dans les vieilles égratignures. Elle tendit la main derrière elle, trouva la poignée à l'intérieur de la cabine. Sous l'effort de la traction, les électrodes accrochèrent, déchirèrent la chair... mais le tiroir se déplaçait et l'entraînait dans l'obscurité sèche et chaude.

Le tiroir se referma, de fortes lumières intérieures s'allumèrent, et Julia plongea les yeux dans un miroir circulaire au-dessus d'elle.

XXVII

JULIA courait le long du grand tunnel sous Maiden Castle, le tissu rugueux de son vêtement frottant contre ses jambes. Ses souvenirs étaient intacts.

Pour la première fois depuis le début de la projection, Julia avait pleine conscience d'elle-même et de l'endroit. Elle se souvenait de la crise de folie de Paul dans le hall de projection, des cris et de la lutte ; elle se souvenait de son retour au monde des années 1980 ; elle se souvenait d'avoir couru dans ce couloir pour échapper à Marilyn, qui criait son nom. Mais c'était le Wessex, et il n'y avait pas de Marilyn, pas de Dr Eliot. Elle arrivait au bout du tunnel, et personne ne l'appelait. Elle était seule.

Les lumières éblouissantes du hall de projection se reflétaient dans le tunnel latéral, et elle ralentit l'allure ; elle ne savait pas à quoi s'attendre. David et Paul s'affrontaient-ils toujours ? Paul était-il toujours ramassé dans son coin, à délirer sur la mort et le pouvoir ?

Tout était silencieux quand elle pénétra dans la longue salle. Elle avait l'impression d'être entrée dans la même pièce quelques instants avant seulement, dans sa recherche désespérée de David. Et c'était la même chose : se protégeant les yeux contre les spots aveuglants, Julia chercha David.

Le hall était vide. Sur le côté, les tiroirs fermés formaient une muraille uniforme, définitive. Quand elle avait quitté le Wessex, deux tiroirs étaient ouverts : un pour David, un pour Paul. Maintenant tous les tiroirs étaient refermés sur leurs secrets.

Au milieu du sol, la pile de vêtements abandonnés se détachait dans les lumières.

« David ? » dit-elle, la voix tremblante et incertaine. C'était le premier bruit intentionnel depuis son entrée dans le hall, et elle s'alarma sur-le-champ. Elle eut une peur soudaine, irrationnelle, que ce bruit fît sortir Paul de quelque cachette.

La salle était silencieuse, à l'exception du ronronnement de l'appareillage de projection.

Julia s'était attendue à y retrouver les deux hommes, et fut déconcertée par leur absence. Que leur était-il arrivé ? Comme ils n'étaient pas apparus dans le présent, elle en avait déduit qu'ils se trouvaient toujours en Wessex. Où étaient-ils ?

Mais leurs tiroirs étaient fermés : était-il possible qu'ils fussent retournés dans le présent à son insu ? Mais non, ses souvenirs étaient très clairs : ni l'un ni l'autre n'était apparu. Elle se rappelait les deux tiroirs fermés, les deux chariots et les infirmiers en attente. Et elle avait vu le corps de David quelques secondes avant de monter dans son propre tiroir.

Elle était harcelée par l'idée que le transfert du présent au futur, et le retour, étaient instantanés. La possibilité existait... Paul et David auraient pu revenir au moment où elle-même était entrée dans la projection.

Quelle autre explication y avait-il ?

Elle s'approcha du tiroir qu'elle savait être celui de David, consciente de parcourir une deuxième fois les pas de son alter ego dans le présent. *Cette Julia-là* s'était approchée du tiroir, à la recherche d'un David qu'elle avait perdu, et cette Julia ne l'avait pas trouvé. Avec la même terreur instinctive, elle écarta les mains du tiroir sans le toucher.

Elle recula, se retourna. Seule dans un monde qui était entièrement sien, Julia ressentit la terreur de l'inconnu.

La pile de vêtements enlevés était tout près d'elle. Julia l'inspecta du regard. Au sommet, elle reconnut aussitôt la veste de David. Dessous se trouvait le reste de ses vêtements soigneusement pliés.

Elle toucha la veste, et elle était humide de la pluie ;

elle la souleva, la porta à sa joue, la tint comme si c'était la dernière trace de lui.

Accablée, elle laissa retomber la veste sur la pile et cria son nom.

Alors elle entendit, très étouffé : « Julia... ? »

C'était la voix de David... et sans hésiter elle traversa en courant le hall et s'empara de la poignée, tira de toute sa force, faisant immédiatement apparaître son corps nu.

De toute évidence, il était conscient et éveillé, car il bougea la tête avant que le tiroir ne fût entièrement sorti et se cogna le front contre le rebord métallique.

Il fit une grimace de douleur et sa tête retomba.

Elle regarda son corps bien portant, son teint sanguin... et l'expression de son visage, un mélange comique de douleur et de plaisir.

Elle éclata de rire, presque hystériquement. Les mots ne pouvaient exprimer son soulagement à le voir sauvé.

— Oh ! David...

— Ne ris pas ! Aide-moi à sortir de là ! J'ai cru que j'y étais coincé pour toujours !

Elle s'inclina et posa le bras sur sa poitrine, appuyant la joue contre la sienne. Elle riait encore, mais elle pleurait aussi... et David l'entoura de ses bras, l'attirant contre lui.

Il grimaça encore de douleur.

— Les aiguilles... elles me piquent.

Elle s'écarta et l'aida à se dégager des supports. Il s'assit, dans la même position que Julia lorsque le Dr Trowbridge l'avait aidée, et se frotta la nuque. Un coup d'œil assura Julia que les aiguilles avaient à peine pénétré la peau : il n'avait qu'une faible égratignure dans le haut du dos.

Elle se pressa contre lui pendant plusieurs minutes, ne pensant qu'à lui, qu'à être avec lui.

Puis elle dit : « David, qu'est-ce qui s'est passé ? Pourquoi n'es-tu pas revenu dans le présent ?

— J'ai fait ce que tu avais dit... mais rien n'a changé. Je regardais un reflet de mon visage, en me demandant ce qui était censé arriver, et comment j'allais sortir de là, quand je t'ai entendue à l'extérieur.

— Mais tu aurais dû revenir instantanément. Le projecteur a été arrêté ?

— Pas que je sache. En tout cas je n'y ai pas touché, même si j'avais su comment.

— Alors c'est Paul qui a dû le manipuler. »

David secoua la tête. Il sauta à terre et marcha jusqu'à ses vêtements en disant :

— Mason est dans l'appareil.

— Vous vous êtes battus ?

— Pas après ton départ. Il continuait de divaguer, mais il m'ignorait complètement, il parlait de se projeter dans le futur, d'essayer de te suivre. Il est allé tout seul à son tiroir, j'ai attendu qu'il s'y soit introduit... et puis j'ai essayé de te suivre. Mais tu vois, ça n'a pas marché.

— Pourquoi, David ?

— Peut-être que je suis immunisé.

Il plaisantait, mais les mots éveillèrent un écho dans la mémoire de Julia ; sa nouvelle mémoire, celle qui s'étendait jusqu'au XXe siècle.

La dernière fois qu'elle avait été hors du projecteur, pendant la réunion à laquelle assistait Paul : Andy et Steve étaient revenus du Wessex et avaient rapporté que le miroir avait été montré à David, mais qu'il y avait résisté.

(Et un souvenir plus profond, enfoui sous plusieurs niveaux de conscience, se déployait : un matin, au stand, à Dorchester ; David, tout exalté d'avoir chevauché la barre de Blandford, qui essayait d'en parler alors que les touristes s'attroupaient autour du stand ; Steve, qui surgissait avec un miroir et essayait de le montrer ou de le vendre à David ; elle-même, qui lui prenait le miroir et le brisait sur le sol ; David indifférent, qui voulait la voir plus tard le même jour ; Steve qui s'éloignait du stand.)

David séjournait en Wessex sans interruption depuis plus de deux ans ; les déclenchements hypnotiques profonds s'étaient-ils perdus ? Etait-il aussi résistant au miroir à l'intérieur du projecteur qu'il l'était à ceux que portaient les récupérateurs ?

David dit : « Tu dois être immunisée, toi aussi. Tu es toujours ici.

— Je suis ici parce que j'ai choisi de revenir. Tout ce que tu disais était vrai. Regarde... » Elle lui prit son pantalon au moment où il allait l'enfiler et fouilla les poches. La coupure de journal était toujours là. « Cela, David... c'est vrai. Quand tu m'as placée dans le projecteur, je suis retournée au XXe siècle. Dès que j'y ai été, je me suis *souvenue* de tout ce qui est vrai de nous. Nous ne sommes réels ni l'un ni l'autre, mais ça n'a pas d'importance ! Nous sommes réels l'un pour l'autre. J'ai vu ce qui arrivait dans le présent, et je n'ai pas pu y tenir. Il fallait que je revienne. »

Elle se demandait comment entreprendre de lui dire ce qu'elle pouvait se rappeler. Le Conseil d'administration ; sa vie passée avec Paul Mason ; la détérioration mentale des autres.

Et le corps réel de David ; pâle, bouffi, laissé sans soins. Si jamais il revenait, s'il essayait d'assumer son identité réelle, pourrait-il survivre ?

— David, c'est la seule réalité qui nous reste ! Ce qu'a fait Paul Mason... j'ai du mal à l'expliquer. Il a mis en route la seconde projection ici, et j'ai cru que c'était un moyen de rentrer. Mais ce qu'il projette, c'est un XXe siècle *imaginaire*... celui où a été imprimé ce journal !

David rit nerveusement et lui prit le journal.

— D'abord ce truc me dit que je n'existe pas, et maintenant tu viens me dire que ça, ça n'existe pas !

— C'est vrai. » Elle se rappela l'alerte, au retour des participants. « La plupart des autres sont devenus fous... dans ce monde projeté.

— Mais pas toi.

— Non... j'avais quelque chose en quoi croire, quelque chose de réel dont j'étais sûre.

— C'est-à-dire ?

Elle secoua la tête et lui sourit.

— Si tu ne sais pas, David, je ne vais pas te le dire.

Il était tout habillé, et redressait le col de sa chemise : se concentrer sur un geste familier et anodin pour éviter de penser à l'impensable.

— David, tu ne comprends pas ? Le journal disait la vérité sur nous à un moment, mais maintenant il se trompe. Quand nous nous sommes rencontrés, nos identités étaient des projections du passé. Mais Paul Mason a changé cela. Son projet, ce projet, *imagine* le passé. Pas celui d'où nous venons, mais un qui en est très proche ! Et la projection de Paul a parfaitement réussi ; je le sais, parce que j'ai été là-bas ! C'est une projection dans les deux sens... des gens du Wessex, qui étaient projetés depuis le passé, projettent dans le passé d'où ils sont partis. C'en était trop pour eux. Ils ont perdu la raison. » Elle passa la main dans ses cheveux, et s'aperçut qu'ils étaient encore humides de la pluie de l'heure précédente. « Je crois que je commence à la perdre, moi aussi ! »

Elle s'approcha des tiroirs et saisit la poignée du plus proche.

— Si le Wessex est encore une projection, David, ce tiroir devrait être vide. Le double qui était projeté devrait soit disparaître soit reprendre sa vie normale en Wessex quand la conscience du participant se retire. Mais sais-tu ce qu'il y a à l'intérieur de ceci ? Est-ce qu'il y a quelqu'un... ou est-ce que le tiroir est vide ?

Tandis qu'elle parlait, David avait laissé son col et l'observait, pensif. Le journal lui avait échappé des doigts et reposait sur le tas de vêtements.

— Julia, je ne crois pas que tu devrais ouvrir ce tiroir.

— Il le faut !

Elle tira, sentit la résistance familière... et le tiroir glissa. Le corps de Nathan Williams gisait à l'intérieur. Il était immobile, mais vivant. Sa poitrine se levait et s'abaissait régulièrement, et derrière les paupières fermées ses yeux bougeaient.

Julia dit : « Il est en projection, David. Son esprit fonctionne. »

Elle ouvrit un deuxième tiroir, puis un troisième. Ils

contenaient les corps de personnes qu'elle connaissait. En pensant à leurs destinées, à ce qui était arrivé à ces esprits, Julia referma les tiroirs. Elle avait vu leur projection.

— Tu as regardé dans ton propre tiroir, Julia ?

— Non !

— Tu devrais. Est-ce que ton tiroir est vide ?

— Forcément... je suis ici !

— Es-tu un produit de ton imagination, comme moi de la mienne ?

— David, je ne veux pas le savoir !

Il avait retourné son argument contre elle, et elle ne pouvait pas le soutenir. Elle recula, recula encore, jusqu'au mur opposé. Entre elle et David il y avait la pile de vêtements... et elle vit, à côté d'un imperméable humide, un vêtement brun, simple, identique à celui qu'elle portait. Elle regarda son corps. Le bas du vêtement, qui n'avait pas été recouvert par le manteau, était sombre d'humidité. Elle se rappela comme il frottait contre ses jambes pendant sa course dans le tunnel.

Le vêtement sur la pile était humide, lui aussi.

Elle seule s'était rendue dans le passé projeté, et était restée indemne. Elle seule était revenue à la réalité. Ses souvenirs étaient intégraux. Elle était en Wessex. L'avenir, le présent, maintenant.

David ouvrit le tiroir qu'elle avait utilisé, et regarda au-dedans. Il resta immobile plusieurs secondes et dit enfin :

— Tu devrais regarder, Julia.

— Non, David. Non !

D'où elle était, elle voyait deux jambes blanches et nues allongées dans le tiroir. Le reste du corps lui était dissimulé par David.

— Tu es comme les autres, Julia. Tu es étendue ici et tu projettes, tu te trouves ici et tu es projetée.

— Ferme le tiroir, David. Je t'en prie !

Il se tourna vers elle avec un sourire narquois.

— Tu es très belle nue. Viens voir.

Elle ne pouvait pas bouger, pas détourner la tête.

— David, s'il te plaît, ferme ce tiroir !

L'ironie avait disparu de son visage et, redevenu sérieux, il porta son poids contre le tiroir qui glissa en place.

— Je ne comprends pas, Julia. Es-tu réelle ? Et moi ?

— Je ne peux plus penser à ça. Elle se sentait sur le point de s'évanouir ou de perdre l'esprit comme les autres. « Nous sommes aussi réels que nous pouvons l'être. Je sais seulement que je t'aime. C'est ça, la réalité ?

— Pour moi, oui. »

Il vint lui passer un bras autour des épaules.

— Je suis désolé, Julia. Je n'aurais pas dû faire ça... le tiroir.

— Je crois que tu devais le faire. Nous devions savoir. Ça n'a l'air de rien changer.

— Qu'allons-nous faire ? Est-ce que nous pouvons sortir d'ici ?

— Tu veux ?

— Je demande si nous pouvons.

— Nous pouvons faire tout ce que nous désirons, dit Julia. Nous sommes complètement libres, pour le moment.

— C'est-à-dire ?

— Quand j'étais dans... dans le présent, j'ai entendu dire que le projecteur de Ridpath allait être arrêté.

— Pour moi, ça ne veut rien dire. Quel effet cela devrait-il avoir ?

— Personne ne le sait vraiment. Ridpath lui-même croyait que cela tuerait tous ceux qui étaient à l'intérieur. L'expérience n'a jamais été tentée.

Alors une idée diffuse — rassurante ? confuse ? — plana un instant comme un insecte en vol. Quand elle avait quitté le présent, Eliot avait dit qu'il avait reçu des administrateurs l'ordre d'interrompre la projection. Mais c'était dans le monde qui d'après elle était projeté d'ici ! Cela aurait-il le moindre effet ici ? Où était le présent qui projetait le Wessex ? Etait-ce le même... ou le système était-il maintenant arrêté ? Est-ce que chaque monde projetait l'autre et dépendait de l'autre pour la continuation de sa propre réalité ?

David dit : « Julia, partons d'ici. J'ai tout ce que j'ai jamais voulu. Nous sommes ensemble... c'est assez pour moi. »

Julia, troublée par ses réflexions incertaines, sentit la main de David posée sur la sienne. Elle secoua la tête, comme pour écarter l'idée insistante, puis vit à l'expression de David qu'il avait pris son geste pour une réponse négative. Elle serra les doigts sur sa main et dit :

— Pardon. C'est ce que je veux, moi aussi.

— Viens, retournons à Dorchester.

Tout à coup elle eut peur de ce qui pouvait se trouver hors du Château, de ce qui pouvait être là, mais elle savait que David évitait délibérément d'y penser, et elle fit le même effort.

— Tu crois qu'il pleut toujours ? dit-elle. Je prends l'imperméable ?

— Il est à toi ?

— Non. Je l'ai emprunté... à Marilyn.

Le sujet auxiliaire Marilyn, celle qui pour quelque temps avait été au Château. Marilyn avait disparu, mais son manteau était toujours là. A sa vue, Julia se souvint que la vraie Marilyn, l'autre Marilyn, avait un manteau exactement pareil.

— Tu n'en auras pas besoin, dit David. Laisse-le ici.

Ils se dirigèrent ensemble vers la porte en parlant du manteau et de la possibilité de pluie. Comme David quand il avait ajusté son col, c'était une manière de se raccrocher à une réalité plus simple, un besoin de prosaïque.

En pénétrant dans le tunnel Julia s'arracha au bras de David et fit demi-tour vers la salle de projection. Quelque chose l'inquiétait, la harcelait.

— Qu'y a-t-il ? dit David.

— Paul Mason ! Que lui est-il arrivé ?

— Je t'ai dit : il est entré en projection avec les autres.

— Mais non... J'étais là-bas. Il n'était pas revenu. J'en suis sûre... ils l'attendaient.

— Est-ce qu'il est immunisé, lui aussi ?

— Non. Enfin, je ne pense pas. Elle saisit la main de David, s'y agrippa, effarée. Tu es sûr qu'il est dans le projecteur ?

— Bien sûr... Je l'ai vu s'enfermer.

— Quand ?

— Quelques minutes après toi. Deux, trois minutes... je ne suis pas sûr.

— Mais... Julia regarda David, désespérée. Mais Paul n'est pas revenu, dit-elle encore. J'en suis certaine. Les docteurs attendaient. Il ne restait que toi qu'on attendait, et Paul.

— Alors il est coincé dedans, comme moi tout à l'heure.

David l'écarta, courut dans le hall.

Quelque chose d'inhumain en elle la poussa :

— Ne le laisse pas sortir, David !

— S'il est piégé, je dois le faire. C'est son tiroir ?

— Je crois, oui... Elle osait à peine regarder.

David fit glisser le tiroir vers lui, et elle vit apparaître les jambes pâles, inertes, les pieds légèrement écartés. Comme la poitrine, puis le visage, se présentaient à sa vue, Julia se mit à trembler et s'appuya contre le mur du tunnel. L'instinct inhumain était toujours là ; le désir de se venger atrocement sur Paul de toutes ces années d'humiliation, de l'enfermer dans le tiroir, de le laisser pour toujours dans le piège de la cabine, mort ou vif.

David se penchait sur le corps.

— Il est vivant ? dit Julia, le poing serré sur la bouche.

— Il respire... ses yeux sont fermés.

— Il projette ?

— Je ne sais pas... Regarde toi-même.

Elle avait été incapable de regarder son propre corps dans le tiroir, et elle était incapable de regarder Paul. C'était l'homme qui avait dominé toute sa vie adulte, d'abord par sa présence, ensuite par son absence. Il avait dominé la projection, il avait détruit.

Maintenant une terreur primitive régnait en elle : celle de n'être jamais libérée de lui.

— Ferme le tiroir, David.

— Pas avant que tu ne me dises ce qui lui arrive.

— Est-ce que ses yeux bougent ? Est-ce qu'il cligne les paupières ?

— Un peu, oui.

— Alors il projette.

David contemplait toujours le corps inconscient, sans

savoir quoi faire. Julia attendait dans le tunnel, mais David laissait le tiroir ouvert.

— Ferme-le, David. S'il te plaît.

— Mais si tu dis qu'il n'est pas revenu au... au passé, où est-ce qu'il se projette ?

— Pour l'amour du ciel !

Elle jaillit du tunnel dans la pièce, écarta David, plaça les mains sur le devant du tiroir. Alors elle vit la figure de Paul.

Elle s'arrêta en comprenant qu'il était bien en train de se projeter. Elle avait été poussée par la peur : par l'idée qu'il pouvait bien être allongé là à faire semblant, à attendre de tirer contre elle une vengeance d'un nouveau genre. Mais sa manie de persécution était sans fondement : Paul était plongé aussi loin dans la projection que tous les autres. Il ne pouvait pas échapper ; il n'y avait pas de retour.

Elle le regarda fixement, reprenant des forces. Elle savait qu'elle ne le reverrait jamais, jamais. Les yeux braqués sur lui, directe, impassible, elle poussa contre le tiroir, celui-ci se referma.

David observait son visage, il commençait peut-être à mesurer sa peur de Paul. Elle lui rendit son regard, se força à sourire.

— Je regrette, David... je devais le faire. Je pensais qu'il allait se redresser et se mettre à nous menacer. Comme avant.

David la prit par la main. « Je ne veux jamais savoir ce que t'a fait Mason.

— Ça n'a plus d'importance, dit-elle, et en parlant elle savait que cette fois c'était la vérité.

— Retournons au-dehors, dit David. J'ai assez vu cet endroit. » Ils sortirent du hall de projection en laissant les lumières allumées.

A mi-chemin du tunnel principal, Julia dit :

— Il n'est pas retourné au présent. C'est vrai.

— Alors où est-il ?

— Dans le futur ? Tout seul ?

Paul était seul à croire en une seconde projection ; seul à ne pas comprendre, à un niveau inconscient, que le futur qu'il projetait était en fait le passé ; seul à croire au futur comme en une réalité.

Quand ils arrivèrent au pied de la cage d'ascenseur et commencèrent de monter les marches, Julia se demanda à quoi ressemblerait un monde qui serait la création de Paul ; un monde que lui seul aurait imaginé, où il exercerait seul une volonté inconsciente. Emmènerait-il avec lui, comme sujet auxiliaire, une image d'elle ? Ou ferait-il du monde même un auxiliaire de son propre moi ? Existerait-il dans ce monde quelqu'un qui ne soit pas asservi à sa volonté, qui lui résiste, qui ne soit pas en butte à sa malice et à sa critique destructive ?

Julia avait l'impression d'avoir déjà vécu dans un tel monde, et de bien le connaître. Mais c'était dans le passé.

XXVIII

La pluie avait cessé, mais le vent était glacial. Quand ils arrivèrent au sommet du rempart de terre, Julia et David s'arrêtèrent pour regarder Dorchester de l'autre côté de la baie. La nuit était lourde, nuageuse, et la ville même était presque entièrement dans l'obscurité. Seul le port était vivement éclairé ; des lampes à arc blanches l'inondaient de lumière scintillante car il n'était jamais en repos. A travers les nuits, l'activité incessante des pétroliers continuait, des navires ravitailleurs et des péniches sortaient et entraient dans la baie.

Derrière la ville, la raffinerie, étalant sa saleté à travers la lande, était au travail, lançait un voile de fumée auquel les lampes donnaient une lueur orange. Les pipe-lines qui reliaient la raffinerie à la mer rampaient, parallèles, baignés de lumière par mesure de sécurité. Dans la baie on apercevait les dizaines de derricks, carrés, debout dans la mer jusqu'à l'horizon ; des lumières blanches flamboyaient irrégulièrement sur les superstructures, des lumières pour le travail, des lumières pour la navigation. Depuis le Château, les puits avaient l'air d'une armada au repos, ayant réduit sa voilure au large dans l'attente de la marée pour le débarquement.

Au-delà encore, au-delà de la baie et de la ville, les collines du Wessex se découpaient noires sur l'horizon de la nuit.

« Attendons », dit David, et il s'assit dans l'herbe humide. Julia s'assit auprès de lui, indifférente au froid et à l'humidité. Elle se blottit sous son bras, se réchauffa au contact de son corps.

Le temps passa, et ils ne bougèrent pas. Après un

moment, le sol sembla moins froid, comme si c'étaient eux qui le réchauffaient. Julia promena sa main autour d'elle et s'aperçut que l'herbe était sèche.

— Je n'ai plus si froid, dit-elle.

— Moi non plus. Je crois que le vent est tombé.

C'était à présent une douce brise qui les effleurait et gardait la chaleur du jour.

— Où allons-nous vivre, Julia ?

— J'imagine qu'il faudra que ce soit Dorchester, dit-elle. C'est le seul endroit que je connaisse.

— Nous sommes complètement seuls maintenant ?

— Oui, je pense.

Un peu plus tard, David lui fit remarquer que la flamme orange au-dessous de la raffinerie, la torche des gaz de rebut, était mourante. Bientôt elle eut disparu, et un groupe de projecteurs qui l'entouraient s'éteignit aussi. Pendant longtemps il n'y eut pas de réaction apparente à l'intérieur de la raffinerie, et l'activité normale se poursuivit.

— Regarde les pipe-lines, David !

Les projecteurs qui surplombaient les quatre grands pipe-lines s'éteignaient l'un après l'autre, le plus proche de la raffinerie en premier. David et Julia eurent l'impression que les pipe-lines se rétractaient lentement devant la raffinerie et reculaient dans la mer d'où ils étaient venus. Quand le dernier projecteur eut disparu, ils virent que les puits de la baie éteignaient leurs lumières, systématiquement, sans précipitation. Bientôt un seul resta visible : la grande plate-forme de ravitaillement au centre de la baie.

Morceau par morceau, la raffinerie s'évanouissait dans la nuit ; les lumières, les flammes s'éteignaient et avec elles les réservoirs, les tuyauteries, les portiques. Bientôt la plate-forme de ravitaillement fut la seule lumière apparente ; puis elle disparut elle aussi.

Au-dessus d'eux, les nuages se dispersaient, et les étoiles apparurent.

Dorchester, sombre et silencieux, restait sur sa colline.

Ses rues et ses maisons n'étaient pas éclairées, le port était calme.

Pendant longtemps rien ne se produisit et Julia, toujours dans les bras de David, s'assoupit. Elle avait chaud et était bien sur le rempart du Château, comme si la vie incandescente de celui-ci irradiait de l'intérieur. Il y avait dans l'air une odeur de fleurs, une odeur capiteuse et estivale, annonçant le jour.

Soudain, au loin, il y eut une forte explosion, et son écho se répercuta à travers la baie, de l'île de Purbeck aux collines du Wessex, semblant zigzaguer à travers l'entonnoir de la baie.

Julia, réveillée par le bruit, dit :

— Qu'est-ce que c'était ?

— Le canon, à Blandford. La barre va arriver.

C'était trop loin, et la nuit était trop sombre pour qu'on distingue la vague, mais tous deux eurent le même sentiment : que la marée, en arrivant, rafraîchissait et renouvelait les eaux de la baie, faisant irruption du nord avec derrière elle le poids de l'océan, froid, propre, vivant.

Des lumières colorées scintillèrent à Dorchester, les lampes qui étaient accrochées dans les arbres sur le bord de mer. Elles se réfléchissaient dans la mer immobile et silencieuse, pas encore troublée par la vague de la marée.

Les réverbères s'allumèrent à Dorchester ; les fenêtres et les portes devinrent des carrés de lumière dorée. Le port remua à nouveau : des yachts qui dansaient à leur mouillage. Dans le silence de la baie Julia et David entendirent de la musique et des voix. Un groupe riait, et quand les lumières au-dessus de Chez Sekker s'allumèrent, ils virent que les tables de la terrasse avaient été dégagées et qu'une foule dansait et se pressait dans l'air chaud de la nuit.

Après, ils dormirent tous deux, en sécurité sur le rempart du Château, se tenant l'un à l'autre.

Ils s'éveillèrent une heure après l'aube, alors que le soleil était encore bas sur les collines anglaises : une brillance jaune dans un ciel bleu, pur.

Se tenant par la main, Julia et David descendirent à

Dorchester et, en passant devant Victoria Beach, où le recul de la marée nouvelle laissait apparaître le sable blanc, ils entendirent le muezzin lancer son appel de la mosquée.

Plus tard, sur Marine Boulevard, en flânant devant les cafés et les stands aux volets baissés pour la nuit, ils virent les bateaux de pêche traverser la baie vide vers le port, lourds de leurs prises.

XXIX

Un vent fort soufflait du sud-est, et les eaux de Blandford Passage se soulevaient, de l'écume blanche perlait à l'embouchure sud du canal. David Harkman, protégé des éléments par sa combinaison étanche, ne sentait pas le vent, mais quand il avait quitté le port de Child Okeford et manœuvré l'aquaplane vers le centre du passage il avait failli à plusieurs reprises être arraché de sa planche par les remous.

Les conditions étaient parfaites pour monter la vague. La saison était désormais trop avancée, sinon pour les surfers endurcis — même si la récente vague de beau temps automnal avait ramené assez de touristes à Dorchester pour persuader cafés et bars de rouvrir — et les trois derniers jours Harkman n'avait dû partager la marée qu'avec à peine une douzaine d'autres sportifs. Il n'avait pas eu à jouer des coudes pour arriver sur la crête de la vague ; cela, le vent du sud-est et les marées de syzygie lui avaient valu quatre courses excellentes rien que pour la dernière semaine.

Cependant il cherchait toujours la vague parfaite pour couronner la saison. Maintenant qu'il avait plus de temps pour chevaucher la vague, il était connu de nombreux habitués de Child Okeford et avait beaucoup appris de leur expérience. Il y avait toujours cette recherche de la perfection : une combinaison d'altitude, de vitesse, d'audace et de jugement.

Il aurait suffi à David Harkman d'exécuter une course sur toute la longueur du Passage sans être pris par la vague quand elle frisait et faisait irruption dans la baie. Cela, il n'y était pas encore arrivé : soit il tombait en arrière au dernier moment, soit il était pris dans le rouleau qui s'abattait sur lui avec un fracas de tonnerre. Le fait de monter régulièrement des vagues d'une hauteur et d'une vitesse qui auraient découragé les moins expérimentés était pour lui sans conséquence. Que la vague ait trente mètres ou, comme au cours de la semaine passée, près du double, sa propre satisfaction exigeait d'arriver au bout d'une course.

La hauteur de la vague était néanmoins un facteur décisif. Récemment, les stewards avaient parlé d'interdire les courses tant que les vagues ne baisseraient pas ; plusieurs amateurs avaient été blessés dans les derniers jours. Au club de Child Okeford, les vieux disaient que les seules vagues plus hautes étaient celles des tempêtes d'hiver, et que personne n'était jamais revenu vivant d'une course sur celles-ci.

A force de s'exercer régulièrement, Harkman avait naturellement amélioré sa technique, mais, à l'attente du coup de canon, il allait de long en large dans le Passage et essayait de jauger la force de la lame, s'accoutumant à la pression du vent. Le vent était un ennemi tant qu'il escaladait la vague ; un allié une fois qu'il était parvenu à la crête.

Enfin le canon tira, et Harkman et les autres sportifs se tournèrent vers la mer de Somerset au nord pour estimer la distance de la vague. Elle était visible depuis quelques minutes ; les marées de syzygie gagnaient en force en pleine mer, et la barre apparut à Harkman comme un énorme tambour cylindrique à demi submergé qui roulait vers lui.

Il ferma son masque, ouvrit l'oxygène.

Le temps d'une course en ligne droite contre la lame et d'un virage en épingle du sommet d'une vague à une autre... et il sentit la poussée du mascaret. Comme toujours Harkman s'était placé sur le côté Wessex du passage et plus loin vers l'embouchure que la plupart des autres surfers, et quand il accéléra devant la vague, nombre d'entre eux étaient au moins à mi-hauteur. Sur une aussi grande vague, le moteur devait rester à plein gaz pendant toute la course. Harkman descendit sur le côté, fit demi-tour et accéléra à nouveau, en louvoyant et en faisant des embardées devant la crête... mais à chaque virage la crête lui apparaissait plus proche. La vague gagnait en hauteur et en volume, et la vitesse immense à laquelle elle fonçait vers la faille voulait dire que chaque virage élevait l'aquaplane de dix ou vingt mètres sur la vague ; une altitude qu'il fallait perdre à nouveau pour ne pas atteindre la crête trop tôt. Plusieurs surfers étaient déjà tombés, désarçonnés de leur planche par la lame déchiquetée. Une fois tombé, on n'avait pratiquement aucune chance de regagner la vague ; même si on arrivait assez vite à remonter sur l'aquaplane, le moteur n'aurait certainement pas la force de vous porter sur le versant opposé de la crête.

Il restait maintenant moins de cent mètres jusqu'au goulet, et Harkman était dans l'eau la plus battue par le vent. Toute lame, toute ligne d'écume était un obstacle à surmonter. A chaque manœuvre de l'appareil, à chaque bond d'une lame à une autre, il sentait sous la planche le vent qui le soulevait et le poussait.

Son estimation avait été exacte ; à moins de cinquante mètres du goulet il était presque à la crête ; il ralentit le moteur et laissa la vague le soulever vers son sommet aiguisé. Quand il arriva à la crête la vague commençait à friser et il accéléra encore, pour garder de l'avance. Il allait droit contre le vent, il sentait le nez de la planche qui se soulevait tandis que la vague même était empêchée de se briser.

Ils passèrent le goulet et la vague, frisant, écumant, continuait de monter.

Harkman poussa de l'avant, jusqu'à l'extrême bord.

Il lança son poids en avant, faisant glisser la planche vers le bas et sur le côté, la plongeant dans l'écume qui diminuait ; un moment de confusion gris-verte, la succion de l'eau sur sa tête... et puis il tomba dans l'air.

Sous lui, le mur intérieur de la vague était presque vertical, et Harkman déplaça son poids, rabattit le nez de la planche contre le vent pour essayer de rattraper l'angle d'inclinaison.

Au-dessus de lui, la vague se brisait enfin ; lentement, semblait-il, avec une grande et terrible majesté.

Un coup de vent capricieux arriva de côté, soulevant le nez de l'aquaplane, et le déséquilibra. Harkman, à l'intérieur du rouleau, fit tournoyer ses bras, sentit son emprise sur la planche se relâcher...

... Mais ensuite le silence tomba.

Les hurlements du vent, la plainte insistante du moteur, le grondement de tonnerre de la vague... tout s'évanouit. Harkman, retombant de la planche, était dans l'air.

Il était figé en vol, nu et seul dans un ciel. Ses bras et ses jambes étaient libres, il pouvait tourner la tête. Lentement, lentement, il fit basculer son corps, tordant le ventre, essayant de voir au-dessous.

Sous lui, la vague, les falaises et la mer avaient disparu. Il flottait au-dessus d'une campagne : un paysage doux, vert, ondulé, avec des prés, des cottages, des haies. Il y avait une route, et il voyait la circulation des voitures, les reflets du soleil sur les carrosseries métalliques. Derrière lui, là où avait été Blandford Passage, une petite ville était encastrée dans la vallée entre deux collines, jaunes dans la brume automnale. Il pouvait sentir le bois brûlé, les vapeurs d'essence, l'herbe fauchée.

Il eut conscience qu'il était sur le point de tomber, et battit des bras et des jambes comme si cela pouvait le sauver... mais il tourna seulement sur le côté, jusqu'à faire face au sud. Il planait dans cette atmosphère inconnue et voyait depuis la vallée de la Frome jusqu'aux collines de Purbeck, et encore plus loin jusqu'à la mer scintillante, argentée, baignée de soleil.

Il ferma les yeux pour écarter cette vision... mais quand il les rouvrit rien n'avait changé.

Harkman regarda le sol et ressentit pour la première fois l'effet vertigineux de son altitude, et comme si cela avait libéré ce qui le tenait en suspens, il se mit à tomber. L'air rugissait à ses oreilles, il sentait la pression du vent sur les bras, les jambes, le ventre. Le sol semblait s'élever pour le frapper, et dans sa peur il s'accrocha à l'air, comme s'il tendait les mains vers une corde ou un filet.

Le mouvement cessa immédiatement, et il fut à nouveau suspendu en l'air, nettement plus bas qu'auparavant. Maintenant il entendait la circulation sur la route ; une moto dépassait un camion-remorque, et le bruit martelé de son échappement lui parvint.

Harkman désira être plus haut, et sentit aussitôt la pression du vent dans son dos tandis qu'il remontait. Arrivé à l'altitude précédente, il tourna de nouveau sur lui-même... et contempla le paysage tranquille avec ses collines boisées, ses champs et pâturages verdoyants.

Ce qu'il voyait n'avait pour lui aucun sens : c'était le produit d'un désir inconscient qu'il ne pouvait pas contrôler.

C'était quelque chose qui l'avait exclu, et qu'à son tour il avait rejeté.

Puisque cela venait du passé inconscient, oublié, c'était en même temps pleinement familier et volontairement abandonné. C'était le paysage de ses rêves, un monde qui n'était pas réel, qui ne pourrait jamais devenir réel.

Une fois déjà il avait inconsciemment rejeté ce fantasme hors de sa vie ; cette fois Harkman choisit en pleine conscience, et chassa le rêve.

Il baissa les yeux sur son corps : la combinaison brillante apparut, adhéra à lui, les gouttes salées étincelant dans le soleil. Il sentit un resserrement sur sa poitrine, un poids dans son dos. Quelque chose de noir, doux, rembourré s'enveloppa autour de sa tête, et sa vision s'embruma quand la visière du casque tomba devant ses yeux.

L'oxygène du cylindre dans son dos se mit à siffler, et il respira profondément.

Il tourna dans l'air jusqu'à être à la verticale, tâta devant lui, trouva la surface rugueuse de l'aquaplane. La pédale de contrôle entoura son pied droit.

Il fit quelques corrections d'attitude : se pencha en avant, inclina le nez de la planche dans la même direction.

Le vent se mit à souffler, et la forme aérodynamique de l'aquaplane y répondit, planant dans les courants. Harkman maintenait le contrôle en déplaçant son poids et son équilibre pour garder l'appareil à l'horizontale.

La pénombre fondit sur lui quand la vague de Blandford, une nouvelle fois, frisa au-dessus de sa tête ; au-dessous, la muraille presque verticale de la vague était un miroir aux innombrables facettes reflétant le soleil.

La vague avança au-dessus de lui, démarra et s'arrêta comme les images d'un film passant une par une dans le projecteur. Harkman eut peur de la violence primaire de la vague, interrompit le mouvement, s'efforçant toujours d'équilibrer la planche dans les renvois de courants du vent.

Il commença de tomber et perdit le contrôle de la vague. Le nez de l'appareil était relevé par le vent, et il n'arriva à le ramener vers le bas qu'en agitant désespérément les bras. La planche battit lourdement l'eau, il lança aussitôt le moteur à fond, titubant à la recherche de son équilibre. Il leva les yeux, vit le rouleau noir se retourner au-dessus de lui... et dans la terreur de la vague fonça sur la pente, plus bas, plus bas, plus bas.

Quelques secondes plus tard la vague s'écrasait derrière lui, et il était inondé d'embruns qui s'accrochaient à lui. Il se tenait toujours droit, il filait toujours et devançait la vague des quelques mètres cruciaux qui le sauvaient du rouleau tourbillonnant. Il était en haute mer dans la baie de Dorchester, l'aquaplane bondissait d'une crête écumante à l'autre... mais derrière lui la vague s'écroulait, se disloquait, inondait toujours, l'écrasait de sa taille alors même qu'elle venait mourir.

En s'étalant elle perdait de la vitesse, et Harkman l'eut bientôt laissée derrière lui. Il tourna l'aquaplane vers l'ouest et mit le cap sur Dorchester. Peu après il passa devant les plages où quelques touristes s'ébattaient encore sous leurs parasols bigarrés ; il les salua absurdement de la main, pour leur transmettre l'excitation qui était en lui.

Il glissa avec la marée sur tout le chemin, et quand il arriva en rasant les flots dans les petits fonds du port, les yachts des touristes étaient toujours échoués sur la boue.

Ce jour-là, à la tombée du soir, lui et Julia se rendirent Chez Sekker pour dîner de pêche locale, et sur le chemin ils s'arrêtèrent devant le stand de Maiden Castle. Mark et Hannah se tenaient derrière le comptoir comme d'habitude, mais aujourd'hui il y avait une nouvelle vendeuse avec eux. Elle regarda David et Julia avec curiosité, mais ne put les intéresser à un achat.

Au moment où ils s'éloignaient du stand, un jeune colporteur portant les vêtements de Maiden Castle sortit de la foule et s'approcha d'eux.

— Regardez ce miroir, monsieur, dit-il en mettant une petite glace circulaire sous le nez de Harkman.

— Non, merci, dit David Harkman, et Julia, le tenant par le bras, rit et se pressa contre lui. En montant les marches de la terrasse de Chez Sekker, ils entendirent une voix féminine furieuse, et un instant plus tard le tintement du verre brisé sur les pavés.

CHRISTOPHER PRIEST

Né en 1943 à Manchester, Christopher Priest enseigne la science-fiction à l'université de Londres. Il est le vice-président de la Science-Fiction Foundation, *organisme fondé par la* North West London Polytechnic School, *éditeur de la revue* Foundation. *Il écrit depuis 1968 et* Futur intérieur *est son cinquième roman.*

« DIMENSIONS SF »
dirigée par Robert Louit

PHILIP K. DICK
Simulacres
Le temps désarticulé

FREDERIK POHL
L'ultime fléau

R. A. LAFFERTY
Le maître du passé

JOHN BRUNNER
La ville est un échiquier

JOHN JAKES
Planète à six coups

VINCENT KING
Candy Man

SAMUEL R. DELANY
Babel 17

IAN WATSON
L'enchâssement
Le modèle Jonas

FREDRIC BROWN
Paradoxe perdu

BRIAN W. ALDISS
L'heure de 80 minutes
Cryptozoïque

J. G. BALLARD
Crash !
L'île de béton
I.G.H.

CHRISTOPHER PRIEST
Le monde inverti

MARK ADLARD
Interface

STANISLAS LEM
Mémoires trouvés dans une baignoire
Le congrès de futurologie

D. G. COMPTON
L'incurable

ROBERT SHECKLEY
Options

MICHAEL CONEY
Charisme

ROBERT SILVERBERG
Trips

ACHEVÉ D'IMPRIMER LE
10 FÉVRIER 1977 SUR
LES PRESSES DE L'IMPRIMERIE
HÉRISSEY A ÉVREUX (EURE)
N° 19256

ÉDITIONS CALMANN-LÉVY
3, RUE AUBER, PARIS 9e
N° 10507

DÉPOT LÉGAL : 1er TRIMESTRE 1977